Para a Sofia, com amor

Nota do Autor

À data do terramoto de Lisboa, Sebastião José de Carvalho e Melo não tinha recebido ainda o título de Marquês de Pombal, nem sequer o de Conde de Oeiras. Era conhecido pelo seu nome próprio, pelo seu cargo, secretário dos Negócios Estrangeiros e da Guerra, ou pela sua alcunha, *o Carvalhão*, e é assim que o tratarei ao longo do livro.

A maioria dos locais da cidade referidos ainda tem hoje o mesmo nome. Há, no entanto, uma exceção importante, Remolares, que ficava mais ou menos no mesmo sítio em que, no presente, se situa o Cais do Sodré.

É evidente que esta é uma obra de ficção. As principais personagens deste livro são criações minhas, excetuando as figuras públicas – o já referido Sebastião José; o padre Malagrida, confessor do rei; o marquês de Alegrete, presidente da Câmara; e Monsenhor Sampaio, patriarca de Lisboa –, cujos comportamentos e palavras procurei que fossem consistentes com os relatos da História.

Os factos deste livro são baseados num acontecimento real. Portanto, qualquer semelhança com a realidade não é, pois, coincidência. A intenção é mesmo essa.

Parte I

TERRA

1

Condenada a morrer na fogueira no domingo, irmã Margarida decidiu enforcar-se no sábado de manhã. Não suportava nem mais uma hora aquele pavor dos fogos da Inquisição; a visão das chamas a queimarem-lhe os pés, as pernas, o corpo; o fantasma que lhe dilacerava a mente, encharcando-a de medo, gelando-lhe o coração.

Certa noite, enquanto Lisboa ardia à nossa volta, contou-me o que se passara na sua cela, no dia em que a terra tremeu. Fora condenada há quatro meses, os mais longos e penosos da sua vida, em que permanecera fechada naquela pavorosa e minúscula cela do Palácio da Inquisição, perto do Rossio, mas tão longe da alegria da praça lisboeta. À pequena janela da sua prisão chegavam os barulhos do vibrante espaço, cheio de animação e comércio. A vida a correr e ela com data para morrer imolada.

Segundo me disse, primeiro acreditara num erro absurdo. Aquela condenação à morte não fazia sentido, os motivos eram irrisórios e fúteis, ela era inocente – jurou-me – e nunca lhe passara pela cabeça que as suas tropelias pudessem ser consideradas uma afronta mortal a um Deus que, apesar de tudo, amava. Semanas depois, esperou um milagre, uma mudança súbita processual, um perdão real, qualquer coisa que lhe mudasse o destino mórbido. Mas os dias e as noites foram pesando na sua alma, e começou a ceder. Era uma jovem, com apenas vinte e um anos, e posso confirmar que adorava a vida. Mas, quando percebeu que ia mesmo ser queimada viva, o seu espírito escureceu. Para mais, as torturas a que fora submetida, degradantes e dolorosas, haviam minado a sua determinação e a sua força de espírito.

Estávamos deitados lado a lado quando me revelou que o terror das chamas lhe nascera na infância. O pai e a mãe levaram-na ao Terreiro do Paço, num domingo, e ela fora feliz, encantada com o passeio, sorrindo às outras crianças ao cruzar-se com elas nas ruas de Lisboa, intrigada com as *chaises* onde os nobres de vestes coloridas se faziam transportar, saltitando, divertida, num chão repleto de sujidades e dejetos, observando as correrias e o latir dos cães rezingões, escutando os pregões de comerciantes altivos e insistentes e apreciando os escravos e as escravas negras, que bamboleavam os seus corpos num ritmo que a fazia rir, mas parecia alarmar a mãe e entusiasmar o pai.

Porém, ao chegarem à praça que era o coração daquele reino, onde ainda reinava D. João V (o rei que me abandonou aos árabes e por isso me perdi), a rapariga vira o estrado, os toros de lenha, os carrascos a cirandarem, e sentira-se invadir por um mal-estar profundo.

– Pai, quero ir embora – pedira, inquieta.

O pai e a mãe estavam, no entanto, contagiados pela excitação geral que se espalhara entre a multidão presente. Alguém ia morrer no Terreiro do Paço, numa fogueira, e a populaça queria assistir ao espetáculo. Ouviam-se comentários entendidos: o tempo que ia demorar, se os condenados iam ou não gritar, como ardia um corpo de homem ou de mulher.

E, depois, cheirara aquele odor horrível da carne humana tostada, ouvira os gritos lancinantes e vira as labaredas a subirem, forçada a assistir àquele solitário inferno terrestre que, no entanto, era capaz de entreter tanta gente. Pasmara-a ver gente que sorria para afastar o medo, gente que cuspia para se ver livre da repugnância que morava no fundo da garganta, gente que, não sabendo nada sobre o que o infeliz fizera, considerava que se ele morria queimado era porque certamente o merecia!

Agora, a memória dessa tarde dominical regressara para a atormentar. Finalmente convencida do seu destino terminal, irmã Margarida voltara a sentir a mesma angústia, e isso dava cabo dela. O seu cérebro baralhou-se e aproximou-se da loucura. Na sua adolescência sempre vira fantasmas, mas nenhum como este: um homem vestido de negro, junto à porta, uma sombra escura, imaterial, que quase lhe tocava. Naufragou na sua pequena cela, que lhe parecia mais escura do que no princípio do cativeiro, como se as paredes estivessem já chamuscadas, cheias de fuligem; e também empestada do mesmo cheiro que sentira em criança no Terreiro do Paço, um odor a grelhados, agora misturado com o sabor da enjoativa sopa que lhe serviam numa malga, e das necessidades que fazia num balde.

Foi, pois, nesse estado de desistência e prostração que lhe nasceu no espírito a ideia de precipitar o seu fim. Se conseguisse morrer antes do dia em que seria assassinada na fogueira, fugiria àquele castigo tenebroso com um ato de vontade, libertando-se da morte calendarizada com a morte antecipada.

Tive pena dela. A pena é um sentimento bonito de ter por quem sofreu, mas não deve ser revelada, pois é quase sempre sentida como um insulto pela pessoa que a provoca em nós. Por isso, fiquei silencioso quando a ouvi. Sabia o que era esse desejo de morte, sentira-o muitas vezes enquanto estive preso pelos árabes. É profundamente destrutivo e perturbador, mas ao mesmo tempo muito humano. É querer acabar mais depressa só porque não se vê o futuro. Hoje, apesar de estar de novo preso, não sinto o mesmo. Consigo imaginar um futuro só porque me lembro dela, de quanto a amei e ainda amo. Quando estive preso a primeira vez, pelos árabes, há muitos anos, pensei também, várias vezes, em matar-me.

O intermitente amor que tinha por outra mulher nem sempre me chegava para afastar essas ideias. Quando estamos condenados à morte, é muito fácil pensar no suicídio, é muito fácil enlouquecer. Sei disso porque já me senti louco. É um sofrimento terrível e poucos são os que regressam dessa terra distante.

Então, abracei-a com força, emocionado. Ela sorriu-me, sem saber as razões do meu arrebatamento, pois não as revelei, e deu-me um curto mas mesmo assim saboroso beijo na boca, antes de prosseguir o seu relato.

Irmã Margarida era prática e sabia que matar-se não iria ser fácil. A cela era acanhada: quatro paredes de pedra, uma janelinha lá no alto, com grades impossíveis de mover, uma esteira de palha no chão, onde ela dormia, um balde de madeira para as urinas e as fezes. Nada com que pudesse cortar os pulsos; nada com que pudesse envenenar-se. Chegou a uma conclusão: enforcar-se era a única possibilidade. Reparara que, no teto, existiam umas vigas e era possível passar uma corda numa delas. Portanto, era disso que precisava e foi à procura.

No pátio da prisão, pela manhã, podia conviver com os outros reclusos. Eram cerca de trinta, mais mulheres do que homens. Condenados por diversos crimes religiosos, esperavam sem revolta o dia da sua execução. Morriam ao ritmo de quatro por mês, e no mês seguinte chegavam mais quatro para os substituir. Ninguém ficava muito tempo naquele estabelecimento.

Indicaram-lhe um brasileiro. No pátio, tinha fama de prestável e, sem ninguém saber como ou porquê, fazia aparecer rapé, bebidas alcoólicas ou outros artigos proibidos pelas regras internas da cadeia. Encontrou-o sentado, encostado à parede, ao sol. Chamavam-lhe «profetista» pois passava os dias a prometer a vinda de Jesus, que seria precedida pelo fim do mundo tal como o conhecíamos. Falava com sotaque e dizia ter tido um encontro com os anjos, e com os doze apóstolos, nas profundezas de Mato Grosso. Para anunciar a sua boa nova, lançara-se para Portugal de barco, causando em Lisboa algumas perturbações, que o levaram a ser detido. Infelizmente para ele, o tribunal religioso não se comovera com as suas argumentações.

Irmã Margarida aproximou-se:

– Preciso de uma corda e dizem que ma podes arranjar.

Era um homem envelhecido prematuramente pelo sol brasileiro, com a pele enrugada, gretada e flácida, parecida com a da garganta das galinhas, e os cabelos desgrenhados e amarelados. Nos olhos, exibia raios de sangue, e nas pálpebras moravam manchas encarnadas, como se não dormisse há dias, ou chorasse muito.

– Cê precisa dji quê? – perguntou o «profetista», espantado.

– Uma corda – murmurou irmã Margarida. – Uma corda forte.

Arregalou os olhos avermelhados. Sendo impossível a fuga, ali uma corda só tinha uma utilização possível. Observando o céu azul, perguntou:

– Dizem que cê teve encontro com o Djiabo, é vérdade?

A rapariga ignorou a questão.

– Tenho um fio. De ouro. Dou-to em troca de uma corda.

Trazia-o ao pescoço, herdara-o da mãe e conseguira escondê-lo ao entrar na cadeia. O fio podia ajudar à sua salvação. Não porque fosse possível usá-lo para se enforcar, mas sim porque era possível negociá-lo. Mostrou-o ao «profetista».

– Sei não – resmungou o «brasileiro». – É pêrigoso.

Três manhãs passaram até confessar a sua incapacidade:

– Não vai dá, tá perigoso, não vai dá.

Dececionada, irmã Margarida afastou-se dele. Uns dias depois, chegou à conclusão de que a sua derradeira hipótese era o carcereiro. Uma vez de manhã e outra à noite, vinha deixar-lhe a comida à cela. Mas o risco era muito maior. O carcereiro podia denunciá-la, roubar-lhe o fio, prometer-lhe uma corda e não a trazer. O «profetista» não tinha poder sobre ela, mas o carcereiro tinha.

Decidiu tentar seduzi-lo. Notara os olhares que lhe deitava, e aprendera o suficiente dessas artes no convento. Sabia que os seus seios redondos e volumosos eram motivo de inveja de muitas noviças e mesmo das madres, e sentia que os homens a desejavam. Animou--se com a ideia, e uma manhã, quando ouviu o carcereiro a rodar as chaves nas portas das celas, cuspiu nas mãos e lavou com elas a cara. Sentiu-se ligeiramente mais bonita e deixou cair o pano que a cobria, revelando os ombros e o nascer dos peitos.

Recebeu o carcereiro de pé, com uma mão pousada sobre um seio, como se estivesse a tocar-se. O homem estacou, fascinado. Era um ser gordo, cheirava a aguardente, e na barba escura que lhe cobria as bochechas notavam-se, a qualquer hora, gotículas de sopa. Irmã Margarida engoliu a repugnância, forçou o sorriso e disse:

— Podias satisfazer o desejo de uma condenada.

Ele engoliu em seco, aturdido, e continuou calado, a olhar para a terra prometida que era o peito dela.

— Não queres entrar? — sussurrou irmã Margarida. — Fecha a porta.

O labrego encostou a porta, a voz num murmúrio:

— Vais desatar a gritar? Houve uma que o fez...

Desconfiado, queria uma garantia de silêncio, e ela prometeu não o denunciar. Ele permaneceu sério, mas já a ganhar alento. Depois, fechou a porta à chave. Voltou a mirar os peitos dela e levou as mãos ao baixo-ventre, mexendo no seu órgão sexual, como se o arrumasse, criando espaço para ele crescer debaixo das calças.

— Tava a ver qu'eras das que morrem sem se despedir do qu'é bom... — Deu dois passos em frente e perguntou: — Cumo é? No chão ou à cão?

Irmã Margarida foi embalando o desejo dele com mimos e festas. Segundo me disse, nunca se entregou totalmente. Tentava apenas obter a confiança dele, mas sem perder de vista o seu objetivo. Quando o sentiu próximo da ebulição, disse-lhe:

– Se fizeres o que te vou pedir, podes possuir-me até ao fim.

Excitado, o carcereiro exclamou, levantando-lhe mais a saia:

– Cos diabos, até qu'enfim! Tava a ver que tinha de me zangar!

De repente, de novo desconfiado, franziu o sobrolho:

– Qu'é que queres?

A rapariga bonita mexeu as ancas, apertando as pernas dele junto às dela.

– Uma corda.

O pacóvio ficou imediatamente tenso, mas não se afastou:

– Tás maluca? Pra qu'é que queres uma corda? Vais fugir?

Ela sorriu, condescendente:

– Sabes bem que é impossível fugir daqui.

Desenlaçou-se dele, afastou-se um pouco, cruzou os braços em frente ao peito e fez beicinho, fingindo-se amuada:

– Não interessa para quê. Ou ma trazes, ou acabaram-se os mimos e os beijos!

O barrigudo, as calças já pelo joelho, irritou-se:

– Tás maluca, ó quê? Qu'ideia é essa? Tava tudo a correr tão bem e agora queres uma corda? Se descobrem que ta dei, matam-me é a mim!

Irmã Margarida demonstrou convicção:

– Isso não vai acontecer. Prometo-te.

O parolo abanou a cabeça, exasperado:

– Bem me disseram qu'eras doida! Pra que queres a corda? És mas é maluca! Andas nas artes do Diabo, por isso é que vais acabar na fogueira!

Simulando-se ofendida, irmã Margarida tapou bruscamente o peito com o pano e disse:

– Ou me trazes uma corda ou nada feito...

O carcereiro cerrou os punhos, cuspiu no chão e exclamou:

– Olha m'esta! Saíste-me cá uma putinha! Pera lá que já te digo, se vais ou não levar aqui co peru!

Em passinhos curtos, pois tinha as calças a meio das pernas, avançou na direção dela com as papudas mãos abertas. Mas a rapariga bonita desatou aos gritos:

– Socorro! Socorro!

Ouviram-se vozes no corredor e um guarda perguntou o que se passava. O carcereiro recuou de imediato, furibundo, mas já receoso. Puxou as calças para cima e cuspiu de novo para o chão:

– Bruxa estúpida, cadela do Diabo! Inda bem que vais prà fogueira!

Ajeitou o cinto e, sem sequer olhar para ela, deu meia volta e saiu, fechando a porta da cela à chave. Irmã Margarida suspirou, desanimada. Perdera o jogo. Não fora suficientemente hábil para ludibriar o carcereiro, e agora só faltavam três dias para a sua execução.

Será que me contou a verdade, que só houve beijos e carícias com o carcereiro? É pouco provável. Quando estão com os homens do seu presente, as mulheres mentem muito sobre o seu passado. Além disso, era compreensível que, naquelas circunstâncias, usar o corpo fosse uma saída. Sei do que falo, sei o que vivi nas prisões árabes. Contudo, o que recordo melhor é o meu tremendo incómodo. A ideia de alguém ter tocado nela uns dias antes de mim despertava-me uma irracional raiva. Seria ciúme? Era certamente, e hoje acredito que foi nesse momento que nasceram os meus fortes sentimentos por ela, a minha paixão. Foi uma sensação tão violenta que me fez mal. Mas não a revelei e ouvi, caladinho, o que ainda tinha para me contar.

Nessa mesma manhã, irmã Margarida passeou cabisbaixa no pátio, e nem se deu conta de que alguém se aproximou dela, devagar, e lhe tocou no ombro. Virou-se e viu o «profetista». Parecia ter os olhos ainda mais encarniçados, a pele ainda mais velha e gretada, e afirmou:

– Vamo morrê os dois: memo dia, mema hora. Próximo domingo, Terreiro do Paço.

A rapariga bonita encolheu os ombros. Era irrelevante saber quem seriam os seus companheiros de desgraça.

– Cê inda tem seu fio? – perguntou o «profetista».
– Não o deu ao carcereiro?

O brasileiro disse-o com um sorriso malicioso, mas ela encolheu de novo os ombros. Era-lhe também indiferente a sua nova reputação na cadeia. Então, ele acrescentou:

– Inda tá querendo a corda?

Ela ficou subitamente alerta. O «profetista» transformou o seu sorriso, que de malicioso passou a jovial, e informou-a:

– Amanhã, aqui, a essa hora. A corda pra você, o fio pra mim.

No dia seguinte, num recanto afastado do pátio, trocaram os objetos, e ela levou a corda para a cela, e escondeu-a debaixo da esteira.

Na manhã de sábado, 1 de novembro de 1755, feriado e Dia de Todos os Santos, mal o carcereiro carrancudo lhe deixou a refeição matinal e fechou a porta, irmã Margarida passou a corda pela viga do teto e preparou um laço. Virou o balde de madeira ao contrário, posicionou-o por baixo da forca e deu início à cerimónia da sua própria morte.

Nesse momento, viu de novo o fantasma, o homem de negro, junto à porta. Parecia incentivá-la. Um arrepio de medo percorreu-lhe o corpo, virou-se de costas e não voltou a olhar para lá. Já em cima do balde, passou o laço à volta do pescoço e apertou-o, puxou a corda com força para testar que aguentava o seu peso, rezou uma oração que a mãe lhe ensinara em criança e depois saltou para a frente.

Sentiu um duro apertão na traqueia, e quando o corpo voltou para trás, já embalado, os seus calcanhares bateram no balde, que caiu, rolando pelo chão. Depois, a tensão da corda apertou o garrote no seu pescoço, a garganta sofreu um esmagamento e entrou em pânico. Agarrou os dedos ao laço e procurou libertar-se, mas não conseguiu. O seu peso puxava-a para baixo, abanava os pés e só encontrava o vazio. O descontrolo apoderou-se dela, asfixiava, incapaz de se libertar. Viu que o fantasma se aproximara, a sua sombra escura estava agora a seu lado. Um estranho torpor invadiu-a, a cela ficou enevoada, desfocada. Começava a perder a consciência, a ir-se embora deste mundo, como desejava.

De repente, a mão fria do fantasma tocou-lhe no braço, e era uma mão gelada e branca, uma mão morta. Esse instante de puro terror provocou nela uma rebelião inesperada. Contou-me (muito excitada, esbracejando) que aquele contacto a despertara para o erro absurdo que cometia! O seu corpo e o seu espírito, confrontados com o fim físico, e com a própria presença da morte a seu lado, revoltavam-se, e um súbito desespero, eufórico, tomou conta dela. Não porque quisesse morrer, mas porque, afinal, descobria o quanto queria viver!

Esse foi o seu derradeiro pensamento, antes de sentir que o mundo à sua volta desatava a tremer, que as paredes abanavam, que o barulho da chegada da morte era avassalador. Parecia que a terra inteira estalava, num ribombar ensurdecedor, como se mil carroças e mil cavalos estivessem a passar por ali ao mesmo tempo. Os seus olhos semicerraram-se, a sombra escura do fantasma desapareceu, e deduziu que morrera e em breve se encontraria com a mãe e com o pai. Mas, pelas frestas das pálpebras, vislumbrou pedras a voar, como projéteis cuspidos em várias direções, o teto a tombar, nuvens de pó a levantarem-se à sua roda, em turbilhão, e sentiu-se a levantar voo, como se fosse uma pena levada pelo vento, e depois a cair, como por um poço abaixo, subitamente solta da corda. Antes de perder a consciência, pareceu-lhe que sobre ela caía também a cela inteira, como se

Deus a quisesse chupar para as entranhas da Terra, na companhia de uma enxurrada de argamassa e caliça. Só quando acordou e se libertou dos escombros é que compreendeu: tinha sido salva de morrer enforcada por um tremor de terra.

2

Ao longo daqueles dias que eu e irmã Margarida passámos juntos, depois do grande terramoto, senti várias vezes ciúme. Mas o mais intenso e perturbador foi-me causado pelo inglês. O capitão Hugh Gold, que se cruzou com os nossos caminhos, um homem que tentámos roubar e que depois nos armou uma cilada. É também por causa dele que eu, um ano depois desses acontecimentos, continuo preso. Mas isso quase não tem importância comparado com a força do ciúme que ele me conseguiu gerar no coração.

A passagem do tempo trouxe-me, porém, alguma calma e lucidez. Sou hoje capaz de lhe descobrir méritos, de reconhecer que era um homem bem-parecido, bonito mesmo, alto e com uns olhos azuis brilhantes e um cabelo solto e anárquico, que o faziam ao mesmo tempo parecer estouvado e meigo. Sou também capaz de aceitar que era um talentoso sedutor de mulheres. Mesmo com Lisboa em ruínas, milhares de mortos nas ruas e um caos desolador à nossa volta, mantinha as suas artes de galanteio, os seus truques experientes em questões de saias. Sabia falar ao coração das mulheres, e eu estava consciente disso desde o primeiro momento. Apesar de ser de certa forma nosso prisioneiro e de várias vezes ter tido vontade de o matar, tal era o meu ciúme, à medida que nos foi contando a sua história, e mesmo sem querer, fui-me afeiçoando a ele.

* * *

Na manhã do Dia de Todos os Santos, o capitão Hugh
Gold acordara maldisposto. Já passava das nove horas
e ainda estava na cama, na sua casa de Santa Catarina,
de onde se podia ver o rio Tejo e os barcos. E era isso
que o deixava maldisposto: a visão de dezenas de embarcações e a saudade que lhe davam dos seus tempos de
marinheiro, que agora lhe eram negados. Proibido
de comandar um navio de Sua Majestade, sentia a punição como uma amputação de uma parte do corpo.

Irritado, escutara na cama os barulhos domésticos.
A mulher devia andar no andar de baixo, a preparar-se
para sair. Estava há muito tempo desinteressado dela e
arrependido de a ter trazido de Inglaterra. Melhor teria
sido que ficasse em Londres, com a sua família, em vez
de o acompanhar, naquela azia magoada. Tinha a certeza de que fora isso que a fizera abortar mais uma vez,
impedindo-o de ter um filho. Pelo menos um legítimo,
pois desconfiava de que em Londres devia ter alguns
desconhecidos...

Sentia um dom natural para atrair as mulheres, mas
naquela manhã nem isso o estava a animar. Afinal, esse
tinha sido o motivo da sua perdição. Seduzira a mulher
de um almirante e o escândalo fechara-lhe as portas da
marinha inglesa, condenando-o a uma viagem apressada
para Portugal, uma espécie de exílio voluntário para
escapar à sede de vingança do almirante, que era bem
relacionado na corte e prometera fazer-lhe a vida negra.
Lisboa apareceu como uma escapatória. Conhecia bem
o embaixador, escrevera-lhe e metera-se a caminho logo
que foi possível, trazendo a mulher consigo. Zangada,
amarga e sempre a moer-lhe o juízo.

Três anos tinham passado, mas, apesar da vida boa
que levava, Hugh Gold continuava triste por não poder
navegar. Capitanear um barco inglês estava fora de questão e não se queria vender aos franceses ou aos espanhóis. Quanto aos portugueses, seguira os conselhos do

23

embaixador, evitando envolver-se nas tensões que começavam a aparecer entre as duas comunidades desde que D. José sucedera ao pai como rei. Assim, limitava-se ao seu trabalho numa casa comercial, uma labuta entediante e minuciosa, executada entre quatro paredes, e que o deixava macambúzio e arreliado.

É certo que, trabalho à parte, a vida até era divertida. Nomeou, sem qualquer pudor, as várias amantes que mantinha em Lisboa. Além da criadita, dormia regularmente com uma marquesa casada, amiga de D. João da Bemposta, irmão do rei; namoriscava freiras nas grades, em Odivelas ou em Alcântara; e ainda lhe sobravam noites para uns encontros furtivos com a mulher de um comerciante inglês, a senhora Locke. Aliás, na véspera do terramoto, encontrara-se com ela para uma folia, confirmou sorridente, com aquela gabarolice maliciosa, típica dos conquistadores bem-sucedidos.

No seu relato daquela trágica manhã, tantas eram as façanhas para exibir que demorou algum tempo até chegar ao terramoto. Regressou à criada, que lhe entrara no quarto, a sorrir, e lhe perguntara se desejava ovos com *bacon*. Gordita e roliça, Hugh Gold esquecia muitas vezes o nome dela. Sim, queria o *breakfast*, respondeu antes de a questionar:

— Ó menina, my wife, meu mulher, vai ao missa?

— Sim, senhor Gold, vai à missa.

— Tá claro, of course, today feriado...

Era feriado católico, mas não protestante. O que levava a mulher a ir a uma missa católica? Era-lhe cada vez mais difícil compreendê-la. Para Gold, ela estava a absorver as piores características dos portugueses católicos, a sua beatice, as suas rezas, a sua subserviência aos padres, aos frades, aos jesuítas, à Inquisição, às velas, aos incensos, a toda essa multiplicidade de símbolos idiotas que idolatrizavam.

Encolheu os ombros e ordenou à criada:

— Well, tá bem. Traz então the eggs. E very mexidos? Tás a perceber, ó girl?

— O senhor deseja mais alguma coisa?

Corada, a serigaita disponibilizava-se, como de costume. Muito dotada nas artes do sexo, Gold andava, porém, a estranhar o facto de, depois de um ano a fornicarem todas as semanas, ela ainda não ter engravidado. Segundo dizia, o responsável era um xarope, receitado por uma escrava negra, alquimia infalível que nunca deixara uma mulher ficar mal.

Contudo, Hugh Gold sentia-se sombrio naquela manhã, e já se satisfizera na noite anterior com a senhora Locke. Recusou a dádiva da moça com um aceno da mão, evitando olhá-la. Mal ela saiu, levantou-se e abriu a janela, saindo para a varanda. Estava um dia bonito, fresco mas com sol, e uma neblina suave cobria a cidade de Lisboa. Lá em baixo, na rua, as pessoas circulavam. A maioria vai a caminho das igrejas, pensou Gold. Viu uma criança, de mão dada com o pai, e isso provocou-lhe um pequeno mal-estar. «Porque nunca lhe dera a mulher um filho?», perguntou ele, na minha direção, como se eu lhe pudesse responder. Há dez anos que estavam casados e agora começava a ser tarde de mais para ela. Concluiu que devia procurar uma moçoila mais nova, de boa saúde e ancas fortes, capaz de emprenhar. Em Lisboa, muitos comerciantes ingleses tinham filhas em idades casadoiras. A esposa já não lhe servia: nem para a diversão, nem para a procriação.

Enchera o peito de ar, observara os brigues e as faluas no Tejo e tomara a resolução de pedir o divórcio. Não passaria daquele dia: mandaria a mulher recambiada para Inglaterra, ou, se ela quisesse ficar num convento em Portugal, que ficasse, mas não iria continuar algemado a ela. Na segunda-feira, começaria em busca de noiva, e certamente o embaixador iria ajudá-lo.

– Porque não uma portuguesa? – perguntei-lhe.
Exaltou-se:
Uma portuguesa é que não! Eram católicas, o que levantava um monte de problemas, perfeitamente dis-

pensáveis. Era bem melhor namoriscá-las nas grades dos conventos, ou à porta das igrejas, do que casar com elas e depois ter de aturar uma hipocrisia beata, cheia de missais e terços, e no fim ser encornado na mesma.

Refleti no que ele dissera. Estava há muitos anos afastado de Lisboa, mas lembrava-me de que a cidade, à superfície casta, era na verdade profundamente devassa. Pode parecer estranho que eu, um pirata, fale em moral, mas a verdade é que as histórias que ouvira de Portugal eram surpreendentes. Naquele reino, a extrema religiosidade andava de braço dado com a mais reles depravação. O exemplo mais bizarro era o anterior rei, D. João V, que construíra centenas de igrejas e até o Convento de Mafra, e ao mesmo tempo mantinha como amantes a madre superiora e algumas das freiras do Convento de Odivelas!

Da sua varanda, Hugh Gold fixou os olhos na Casa da Moeda, um edifício compacto e grande, próximo de Remolares, onde se guardava o ouro do Brasil. Avaliou as suas posses. Tinha algum dinheiro de lado, guardado num cofre da casa comercial, e mesmo que gastasse um bom bocado com o divórcio não ficaria na penúria. Fosse como fosse, o jeito que não lhe daria meter as mãos num pedaço daquele ouro... Sorriu-me. Por vezes, pensara em dedicar-se à pirataria, roubar um barco, juntar-se aos corsários argelinos, viajar até Madagáscar, apoderar-se do ouro que vinha do Brasil antes de chegar ali, à Casa da Moeda. Contudo, faltava-lhe a coragem para viver fora da lei.

Julgo que me tinha uma certa inveja, típica dos sedentários perante os nómadas, dos cumpridores perante os subversivos. Mas não me comovi com estes elogios indiretos. Havia já demasiado azedume entre nós para os elogios funcionarem como curativo. Notando-o, Hugh Gold regressou ao relato, naquela algaraviada original que usava, misturando o inglês e o português.

A criada voltara ao quarto e dissera:

– A senhora pedia se fazia o favor de descer para falar com ela.

– Ó menina, what ela wants? – perguntara Gold.

– Diz que precisa de dinheiro, para comprar umas coisas para ela.

– Dinheiro? All right, tá bem. How much?

– Isso não me disse.

– Damn woman! Tá bem, tell her que eu já go down. Primeiro eat, then descer.

A rapariga colocara no rosto um ar sério:

– Ela diz que está com pressa, quer ir à missa das nove e meia!

Hugh Gold irritara-se:

– Tá com pressa? Damn! Porquê? Why the hell? Ela não ser catholic!

A criadita concordara:

– Isso é verdade. Nem sabe rezar o terço...

– Ó menina, ela go missa e comeback! I give money depois missa! Cum raio, damn woman...

Irritadíssimo, o capitão inglês virara-se de novo para o rio, sem sequer tocar nos ovos ou no *bacon*. A moça descera à sala e depois voltara a subir e entrara no quarto de novo, anunciando, a arfar:

– Ela diz... que então vai... à missa primeiro...

O capitão permanecera à varanda, silencioso.

– O senhor capitão não quer comer? – insistira a criadita.

– No fome – respondera ele, sem se virar.

Observara lá em baixo a porta de casa a abrir-se e vira a sua esposa a sair para a rua, com um xaile sobre os ombros e um chapéu na cabeça. Suspirara. Nem olhara para cima e afastara-se pela rua fora, misturando-se com os caminhantes. Fora a última vez que a vira com vida, contou Gold. Parecia carregado de um sentimento de culpa, pois confessou que nesse momento pensara quão bom seria ela não voltar, resolvendo o seu quebra-cabeças sem conflitos nem vergonhas. Quão leviano e solto é o pensamento humano. Se Gold soubesse a tragédia que se seguiria, não teria sido capaz de desejar a morte da esposa...

Reentrou no quarto, e foi nesse preciso momento que um rumor profundo se começou a sentir. Virara-se para a varanda, para a rua e o rio, e, de súbito, o mundo desatara a tremer. As paredes da casa, os prédios em frente, era como se tudo estalasse. O chão moveu-se, a criada berrara e o teto do quarto aterrara sobre as suas cabeças. Traves soltaram-se e uma nuvem de pó e de caliça explodiu à sua frente, enquanto as paredes se dobravam, como se alguém as empurrasse de fora para dentro. Aterrado, Gold pasmara com o que via: a cidade que existia entre ele e o rio abanava, em ondas, como uma manta a ser sacudida, e depois os prédios caíam, alguns inteiros, outros aos pedaços, desaparecendo à frente dos seus olhos como se fossem sugados.

Dera um salto para a varanda, fugindo de um buraco que se abrira aos seus pés, estilhaçando as madeiras do soalho. Agarrara-se ao varandim, cheio de medo. Era como se toda a sua rua estivesse a cair, os prédios tombavam uns atrás dos outros. Estarrecido, ficou assim uns minutos, não se lembrava quantos. Uma nuvem de pó emergia, envolvendo a cidade. Por momentos, o barulho diminui, mas logo recomeçou, num novo e ainda mais violento abalo. Em pânico, e apesar de agarrado ao varandim, o capitão inglês sentira que nada podia fazer contra aquele monumental sismo. Estava nas mãos de um deus furioso, que o iria destruir, a ele e à cidade de Lisboa inteira. E então o seu prédio caiu também, com Hugh Gold agarrado ao varandim.

3

Sendo inglês e protestante, o capitão Hugh Gold era naturalmente bastante sarcástico com o que chamava a «beatice tonta e acéfala» dos portugueses. Por diversas vezes o ouvi, cáustico e cínico, criticar a submissão aos ídolos religiosos e aos frades. Contudo, e apesar de haver um fundo de verdade naquelas afirmações, infelizmente para a cidade de Lisboa e para muitos dos seus habitantes – entre os quais a mulher de Gold – o grande terramoto ocorreu num dia religioso e, pior ainda, à hora da missa. Era sábado, feriado, Dia de Todos os Santos, e quando a terra tremeu eram nove e meia da manhã e milhares de portugueses rezavam nas igrejas. Muitos encontraram a morte lá dentro. Talvez para os crentes morrer próximo de Deus até fosse belo, mas para mim era apenas irónico e triste.

Também houve quem sobrevivesse, como foi o caso do rapaz. Vou tratá-lo assim ao longo desta história, pois só soube o nome dele quase no fim daqueles dias, e por isso sempre que falávamos com ele, eu ou alguma outra pessoa do nosso estranho grupo – o inglês, irmã Margarida, o meu companheiro árabe, a escrava –, chamávamos-lhe simplesmente rapaz. «Ó rapaz, onde vais? Ó rapaz, és tão teimoso! O rapaz por onde anda, fugiu outra vez?»

Nunca deixei de estranhar a sua presença. Não sei explicar porquê, mas alguma coisa nele me causava não só curiosidade, mas também apreensão. Além disso, havia no seu comportamento uma hostilidade para comigo que nunca desapareceu. Antipático, era sempre agreste e arisco quando me dirigia a ele.

Por isso, o que se passou com o rapaz na Igreja de São Vicente de Fora, no dia em que a terra tremeu, não me foi contado por ele, que raramente me dirigia a palavra. Foi a irmã Margarida quem me contou a história do seu sofrimento. Foi através desse relato que tomei consciência da tragédia que vivera, e a partir desse momento compreendi-o melhor e à sua determinação em procurar a irmã.

Naquela manhã, antes do terramoto, o rapaz saiu da Igreja de São Vicente de Fora a pensar na sua irmã gémea. Estava preocupado, pois nem ela nem o padrasto tinham ainda chegado para a missa e já havia passado quase uma hora desde que ele saíra de casa com a mãe. Talvez viessem a caminho, próximo da Sé, ou já na subida para o Castelo de São Jorge, e ele se cruzasse com eles à ida para baixo. Ou talvez ainda não tivessem saído de casa... O rapaz não gostava de deixar a irmã sozinha com o padrasto. Ela tinha doze anos, já era uma rapariga com sinais de mulher, e via que o padrasto a comia com os olhos.

Para trás, ficava uma igreja repleta de gente, de comerciantes e das suas famílias, que aproveitavam para pôr as conversas em dia. Ouvia-se o riso das comadres, as crianças a brincarem à apanhada, enquanto os cavalheiros fumavam, observando-se uns aos outros e às suas fatiotas. Todos se haviam vestido com propriedade e vaidade, pois aquele era um dia feriado no reino, um dia de festa.

Meia hora passara antes de a missa começar, e a irmã e o padrasto não chegavam. O rapaz sabia que o homem estava cansado, pois na véspera, sexta-feira, haviam ido a Belas os dois, numa caleche, e enquanto o rapaz adormecera no regresso a Lisboa o padrasto não pregara olho. Por isso, deixara-se na sorna, enquanto a mãe se aperaltava para a missa.

A irmã gémea alarmara-se quando a mãe lhe ordenara que ficasse para trás e aguardasse pelo padrasto. O rapaz acalmara-a. Sugerira-lhe que, se ele se tornasse desagradável, fugisse para a rua e corresse na direção da igreja. Gordo como era nunca a conseguiria apanhar. Riram os dois, e o rapaz acrescentara que, além disso, o cão ficaria com ela, o cão negro que só aceitava ordens dos gémeos, pois haviam sido eles que o tinham descoberto na noite da cidade, e eram eles que o alimentavam.

Contudo, ao sair para a rua com a mãe, o rapaz não vira o cão. Todas as manhãs, costumava esperar a comida matinal, sereno e calmo, deitado à soleira da porta. Naquela manhã não estava, facto que o rapaz considerou mais um mau pressentimento. Já era o terceiro. Na véspera, em Belas, uma fonte jorrara água com enxofre, ao final da tarde, como se fosse a terra a vomitar a sua última refeição. Depois, durante a madrugada, não se ouvira o ladrar dos cães vadios da cidade. Era como se todos eles se tivessem posto de acordo na ideia de ficarem mudos em simultâneo. O que era invulgar, pois os cães de Lisboa eram muitos e passavam as noites a uivar, percorrendo as ruas à procura de restos de comida.

Quando não viu o cão à saída de casa, e com a tendência natural que todas as pessoas têm para pensar apenas no pequeno mundo que os rodeia, o rapaz temeu que algo de mau fosse acontecer a alguém da sua família naquele dia, e a irmã era a sua principal preocupação... Assim, meia hora depois de terem entrado na igreja, o rapaz foi ter com a mãe e anunciou-lhe que ia voltar a casa.

— Não vais não, agora a missa está quase a começar... — ripostou a mãe, ordenando-lhe que se sentasse num dos bancos corridos da igreja. — Senta-te aí quietinho que eu vou já ter contigo. E guarda mais dois lugarzinhos.

– Não, mãe – disse o rapaz. – Vou voltar a casa.

A mãe observou-o, ligeiramente incomodada. Era um rapaz teimoso e obstinado, quando metia uma coisa na cabeça. Suspirou:

– Vem cá, meu filhinho.

O rapaz aproximou-se dela.

– Vais deixar a tua mãezinha sozinha?

O rapaz olhou à sua volta:

– Aqui ninguém te faz mal.

A mãe voltou a suspirar e disse, em voz baixa:

– Gostas mais da tua irmã do que da tua mãezinha...

O rapaz interrompeu-a:

– Sabes bem que ela não devia ter ficado sozinha com aquele traste.

A mãe lançou-lhe um olhar severo, mas baixou ainda mais a voz:

– Olha que é pecado lançar falsos testemunhos. O meu homem não é desses!

O rapaz perguntou:

– Então, porque é que estão a demorar tanto?

A mãe justificou-se:

– Não vês que há muito movimento? É feriado, há muita gente nas ruas. Tiveram de vir devagarinho...

O rapaz não ficou convencido com aqueles argumentos e começou a afastar-se. A mãe ainda perguntou:

– Vais embora e nem me dás um beijinho?

O rapaz não pareceu ouvi-la e saiu da igreja, furando entre a multidão que queria entrar para a missa. Tinha dado talvez vinte passos quando um ribombar tremendo se fez ouvir, como se fosse um trovão ou coisa assim, e as pessoas suspenderam as conversas, espantadas. De seguida, a terra começou a tremer debaixo dos pés do rapaz, numa trepidação assustadora, e um novo ruído arrepiante se ouviu, como se alguma coisa descomunal estalasse.

As pessoas gritaram, desesperadas, como se os gritos delas fossem suficientes para pôr termo ao acontecimento, mas pouco depois os gritos deixaram de se ouvir, pois o barulho da terra a tremer era tão intenso que nada mais era audível. O rapaz viu os prédios a abanarem, como se fossem canas ao vento, para cá e para lá, e alguns começaram a rachar.

Fora então que olhara para trás, para a Igreja de São Vicente de Fora, e o seu coração enchera-se de pânico ao ver o teto do edifício abater, caindo para dentro da igreja, para cima da sua mãe. Um grito nascera-lhe nos pulmões e tentou correr, mas a terra não o deixava, não havia equilíbrio, e tropeçou e caiu. Voltou a ouvir os gritos, de pavor, e vinham de todos os lados da praça, das ruas, das janelas, e também da porta da igreja, onde os fiéis estavam apinhados, uns contra os outros, como se não fossem muitos, mas apenas uma massa de gente espalmada. Depois, as portas da igreja saltaram das enormes dobradiças e tombaram sobre os infelizes que ali estavam, e viu sangue, pessoas rasgadas, sem membros, seres a morrer num segundo.

A poeira apareceu, quase o cegando, ouviu mais estrondos e virou-se para de onde vinha o barulho e viu mais prédios a desmoronarem-se sobre as gentes, que corriam desesperadas, sem saber para onde ir. O rapaz fez um esforço para pensar no que fazer. Voltar a entrar pela porta principal era impossível, aquilo era só mortos e escombros e aflição humana, não podia ir por ali, e lembrou-se das portas laterais e olhou para lá, mas havia demasiada poeira, não conseguia ver se o caminho estava desimpedido.

Mesmo assim correu, agora que o chão parecia ter deixado de tremer. Rodeou a igreja pela esquerda, saltando por cima de infelizes que gritavam «misericórdia», tentando não pisar os corpos no chão. Viu uma criança com a cabeça esmigalhada, e a seu lado uma mulher, talvez a mãe, já sem cara, só uma massa vermelha e suja. Viu homens desesperados, como ele, a querer entrar na igreja, talvez para procurar as suas mulheres e os seus filhos, chocando com os que queriam sair, e todos lutavam uns com os outros, alucinados.

Um indivíduo, coberto de poeira e com sangue no alto da cabeça, deu uns passos na direção do rapaz, agarrado à perna, urrando de dores, e de repente a perna cedeu, um jato de sangue jorrou, e o homem perdeu a consciência, tombando sobre o rapaz, que não conseguiu aguentar com o peso e caiu também.

O rapaz não se magoou, mas o corpo, em cima das suas costas, impedia-o de se mover. Fora nesse momento que a terra voltara a tremer. O chão onde o rapaz estava deitado abalou, com violência renovada, o barulho voltou a crescer, como se tudo à sua volta estalasse de novo e a terra se rasgasse. E então ele viu que era isso que acontecia na praça, mesmo no local onde estava há minutos. Uma enorme fenda abrira-se no chão e havia seres a deslizarem nos seus bordos, esbracejando em vão, como pequenas baratas a escorregarem numa parede gordurosa.

Depois, a igreja caiu. O rapaz nem queria acreditar no que estava a acontecer! A Igreja de São Vicente de Fora, a igreja aonde a mãe estava, caíra! O teto, as paredes, a nave central, a estrutura do edifício, caíra tudo, desmoronando-se com estrondo, num vendaval de poeira e pedras, soterrando os que estavam lá dentro. O rapaz fechou os olhos e gritou, enquanto a terra tremeu mais algum tempo, e deixou de ouvir, de pensar e de sentir. Apenas cerrou os dentes e pediu a Deus que acabasse depressa com aquilo.

Um estranho silêncio apareceu, um momento de repouso na cólica das entranhas da terra. O rapaz abriu os olhos, e tudo era escuridão, uma nuvem escura de poeira envolvia-o. Por sorte, não estava ferido. Os detritos cuspidos naquela direção tinham atingido o homem com a perna ferida, e agora parecia morto. Tentou libertar-se e conseguiu. Levantou-se e sentiu dores nas pernas, mas não havia sangue, nem as dores eram tão intensas que o levassem a pensar que partira os ossos. Passou a mão pelas pernas e pelos pés para o confirmar. Depois, olhou para a porta lateral da igreja e soube-se afortunado. Não havia ninguém de pé, as pessoas estavam todas esmagadas pelas pedras ou pelas paredes que tinham caído em cima delas. Nascia um coro de gemidos, de sofrimentos, de moribundos, almas a sofrerem os horrores daquela violência bruta com que a terra os presenteara.

O rapaz lembrou-se da mãe e recomeçou a caminhar na direção do local onde antes existia a Igreja de São Vicente de Fora. Durante muito tempo procurou, no meio dos escombros. Encontrou-a finalmente, coberta de pó e de pedras. Estava ainda viva. O rapaz aproximou-se dela, removendo pedras, e chamou:

– Mãe, mãe!

A princípio, ela não o ouviu nem reagiu, mas uns minutos depois gemeu. Devia estar em grande sofrimento e o rapaz percebeu que ela não conseguia falar.

– Mãe, sou eu... – disse-lhe.

Tocou-lhe com a mão na cara, que estava fria. A mãe esboçou um sorriso. Reconhecera-o.

– Mãe – disse ele –, vou ficar aqui até que nos venham ajudar. Não te vou deixar sozinha...

Deu-lhe a mão, mas a mãe não disse nada e o rapaz sentiu o seu coração encher-se de culpa. Tinha-a deixado sozinha, uns minutos antes, e agora estava arrependido. Dissera-lhe que ali ninguém lhe fazia mal e agora a mãe estava a morrer, em agonia. Começou a implorar:

– Desculpa, mãe, desculpa... Não morras...

Mas, contou irmã Margarida com um suspiro triste, até um rapaz de doze anos sabia reconhecer a morte quando a via à sua frente. A mão da mãe perdeu a força, o seu sorriso perdeu-se no canto dos lábios, o seu olhar perdeu-se no vazio. O rapaz implorou de novo, mas não havia nada a fazer por ela. Ficou ali uns minutos, junto à mãe a quem ele recusara um último beijo em vida, e depois rezou pela sua alma. Beijou-a na cara e fez-lhe o sinal da cruz na testa, e quando a resolução começou a regressar-lhe ao espírito levantou-se e foi procurar a irmã gémea.

4

Nos quarenta anos que levo de vida, estive preso em três ocasiões. A primeira foi quando os piratas árabes atacaram o barco português onde era piloto, e me levaram refém para África, na esperança de conseguirem um bom resgate. Foram dois duros anos de cativeiro. A minha libertação teve um preço amargo e, ressentido como estava com o rei português, iniciei uma vida nova como pirata, em barcos árabes.

Mais de uma década passou, entre abordagens, abalroamentos e viagens pelo mundo. Contudo, três meses antes do grande terramoto de Lisboa tive azar. O meu barco – pois ao fim de tanto tempo já era capitão de um barco-pirata – cruzou-se a sul do Algarve com uma esquadra francesa, que nos perseguiu e acabou por apanhar. Muitos dos meus companheiros árabes – como anos antes acontecera aos portugueses – foram chacinados à minha frente pelos franceses. Só eu e o meu ajudante, o meu amigo Muhammed, fomos poupados.

Quando chegámos a Lisboa, o capitão francês revelou a sua boa vontade para com os portugueses entregando-nos como prémio. É sabido que as relações dos reinos de França e Portugal não eram, e não são ainda, as melhores. Sendo a França aliada da Espanha, e Portugal aliado da Inglaterra, temia-se uma guerra. A esquadra francesa tinha, pois, de cair nas boas graças lusitanas e diminuir as suspeitas quanto à sua presença. Que melhor forma do que entregar prisioneiros piratas, odiados e temidos por todos os reinos?

Pela segunda vez na vida fui preso, desta vez no Limoeiro, onde o terramoto me apanhou. Nessa manhã, aliás, o meu dia já se revelava emocionante. Pouco passava das nove quando um violento murro me atingiu, e caí para trás desamparado, estatelando-me no chão do pátio da cadeia. Os espanhóis tinham-me surpreendido. Não estava à espera de que me apanhassem ali, nas latrinas, a céu aberto, à frente dos outros prisioneiros.

Nas últimas semanas, a tensão entre mim e o chefe dos castelhanos era crescente. Na cadeia, embora existissem vários bandos, o dos espanhóis, composto por desertores da última guerra, era o maior e mais perigoso. O seu líder chamava-se Cão Negro, e era um homem enorme, de quase dois metros de altura, um colosso de força e maldade. Usava o cabelo negro longo a cair-lhe pelas costas e uma barba igualmente negra e igualmente longa, e impusera com violência a sua tirania sobre o estabelecimento. Ouviam-se relatos de gargantas cortadas, de homens asfixiados só por o terem confrontado, e até os guardas o temiam.

Quando eu e o meu amigo árabe chegámos, o Cão Negro deixou-nos em paz nas primeiras semanas. Muhammed não considerara isso um bom prenúncio.

– Ele ir atacar nós, Santamaria ir ver.

Muhammed, um pirata berbere, baixo e magro, há mais de uma década que me acompanhava nas aventuras marítimas. Várias vezes me desafiara para passar por Lisboa, mas eu nunca quisera voltar. Guardava um ressentimento congelado ao reino de Portugal por não ter pago o resgate que me salvaria das prisões árabes. Mas, agora que cá estava, nascera em mim um imparável desejo de justiça, uma necessidade urgente de corrigir o destino. Considerava que Portugal tinha uma dívida para comigo e que agora chegara o momento de a pagar, libertando-me do Limoeiro. Afinal, eu era português. Mesmo que tivesse dificuldade em prová-lo, teria de tentar.

Para mais, sabia que Sebastião de Carvalho e Melo, *o Carvalhão*, que eu conhecia dos meus tempos de juventude, era secretário dos Negócios Estrangeiros e da Guerra do reino. Certamente que ele se lembrava de mim, tínhamos vivido juntos alguns episódios inesquecíveis. Assim, no final do primeiro mês de cativeiro, escrevera-lhe uma petição, apresentando-lhe argumentos em defesa da minha libertação.

Muhammed ficara preocupado:

– E Muhammed? Se rei ir perdoar Santamaria, Muhammed ir ficar aqui sozinho?

Dissera-lhe que, mal fosse libertado, trataria de safá-lo também a ele. Mas o árabe era desconfiado.

– Santamaria mentir! Santamaria ir deixar Muhammed com Cão Negro, e eles ir enrabar e ir matar Muhammed!

Para minha desilusão, as semanas tinham passado e a petição não obtivera resposta. Entretanto, o ambiente na prisão tornara-se hostil. Os espanhóis estimulavam as quezílias, e certo dia um dos tenentes do Cão Negro exigira que eu fosse despejar as latrinas. Recusara e o Cão Negro aproximara-se uma manhã, no pátio da prisão, acompanhado do seu gangue. A um metro de mim, ameaçara:

– Cabrón, vais morrer aqui.

– És tu quem manda? – perguntei.

O Cão Negro acenou com a cabeça, confirmando a sua autoridade e acrescentou:

– E tu tiens de limpiar mi mierda.

Eu bufara e depois respondera:

– Assim será.

O Cão Negro ficou a observar-me uns segundos, e depois deu uma gargalhada, agradado com o resultado da conversa. Os correligionários riram-se também. Só Muhammed não se riu, e quando os espanhóis se afastaram avisou-me:

– Muhammed não ir limpar merda!

Dei-lhe um carolo no alto da cabeçorra e disse:

– Não te preocupes. Vais ver a merda que vou limpar...

Uns dias depois, as celas do Cão Negro e de alguns dos castelhanos apareceram borrifadas de fezes e de urina. Possessos com tal ato de rebeldia e desafio, prometeram vingança. O Cão Negro avisou-me:

– Cabrón, és um homem muerto!

Sem mostrar medo, respondi-lhe:

– Tens de comer melhor, a tua merda cheira mesmo mal.

Foi ousadia e inconsciência a mais. Quando, na manhã de sábado, Dia de Todos os Santos, levei aquele murro, senti a vida por um fio. Dois espanhóis levantaram-me do chão e arrastaram-me para uma antecâmara onde não podiam ser vistos pelos guardas. Atiraram-me de novo para o chão e pontapearam-me as costelas. Depois pararam e ficaram em silêncio, e o seu líder apareceu, com uma barra de ferro nas mãos. Contra aquele colosso, se ele estivesse desarmado ainda podia ter hipóteses, assim era difícil.

O Cão Negro sorriu, com raiva, mostrando os dentes castanhos.

– Vou-te enfiar isto en el culo, cabrón!

Recordei-me de uma cena, nas masmorras árabes. Tinham-me magoado e humilhado, mas nunca baixara os braços e sobrevivera. Levantei-me e dei dois passos atrás, procurando ganhar tempo. Olhei rapidamente à minha volta. Era uma sala deserta, não via nada que me ajudasse a vencer aquele combate. E Muhammed também não iria aparecer, pois os dois espanhóis bloqueavam a entrada.

– Vais chiar até morrer, cabrón – rugiu o Cão Negro.

O mastodonte avançou, a correr, com a barra levantada, mas esquivei-me com rapidez e dei-lhe um murro no estômago. Grunhiu de dor e investiu de novo. Desta vez não consegui afastar o corpo, e a barra acertou-me na coxa, magoando-me. O Cão Negro sentiu a sua superioridade e voltou a atacar. Consegui bater-lhe na cara, mas perdi o equilíbrio ao desviar-me, escorreguei e caí. O bruto golpeou-me num braço e no ombro, e depois saltou para cima de mim. Rolámos os dois pelo chão, aos murros. Procurava o ferro com os olhos quando uma violenta pancada no nariz me deixou atordoado. O Cão Negro levantou-se, a barra na mão, e gritou:

– Reza, cabrón.

A princípio, não percebi o que se passava. De súbito, havia medo nos olhos do Cão Negro. O chão tremia, as paredes abanavam e um rouco ruído nascia naquele espaço. Junto à porta, os dois espanhóis desapareceram. O barulho tornou-se ensurdecedor, caíram bocados do teto e o local encheu-se de pó. O chão, onde eu permanecia caído, saltou, e num dos cantos da divisão desabou parte do teto. Esquecendo a luta, o Cão Negro escapou para o pátio, enquanto mais pedras caíam, e eu me dobrava, protegendo a cabeça com as mãos.

Houve um breve interregno de calmaria e tentei levantar-me, afastando as pedras de cima do corpo. A poeira escurecera a sala e não via a saída. No teto, abrira-se um buraco enorme, e um prisioneiro estava pendurado, de cabeça para baixo, preso pelas pernas nas traves que separavam os dois andares. Ouvi-o gemer:

– Ajuda-me, ajuda-me...

Em agonia, não iria durar muito tempo naquela situação. Olhei à minha volta, mas as madeiras no chão, a maior parte delas partidas, eram demasiado curtas para chegarem ao homem, que só poderia ser salvo a partir do andar de cima.

– Vou procurar ajuda – gritei.

Nesse momento, o chão recomeçou a tremer. À minha volta tudo abanou, produzindo o estrondo mais assustador e tenebroso que ouvira em dias da minha vida. Sobre mim, o edifício da prisão caía, como se fosse um baralho de cartas, cuspindo pedras e madeiras e poeiras, e deixando-me encolhido de medo.

Uns minutos depois, regressou a tranquilidade à terra e acalmei. Tinha tido sorte: estava vivo, mas também soterrado por detritos, num local que me parecia irreal. Aquela antecâmara, antes escura e fechada, iluminava-se agora com feixes de luz verticais, que cortavam a poeira de forma irregular, produzindo um efeito surpreendente. Então, olhei para cima e, no meio da nuvem de poeira, distingui o céu azul. Fiquei siderado. Já não existia teto! Apenas um caminho até ao céu, barras de madeiras seguras de lado por paredes que, em desequilíbrio mas ainda de pé, rangiam.

Com horror, reparei que o tronco do homem que há pouco me pedira ajuda desaparecera, decepado, e só as suas pernas continuavam presas, a baloiçar no ar. Fechei os olhos, dei meia volta e, atabalhoado, trepei pelos escombros, saindo dali. Quando tive a primeira possibilidade de examinar o pátio, espantei-me... A prisão do Limoeiro, tal como a conhecera, deixara de existir! Ainda havia paredes de pé, mas os telhados e os interiores tinham desabado. O pátio era uma amálgama de destroços, de terra, de poeira e de cadáveres. Dezenas de corpos estavam soterrados, pernas e braços e cabeças espreitavam dos escombros. No chão, os moribundos, cobertos de sangue e pó e agonia, tentavam movimentar-se, lembrando sonâmbulos atordoados. Ouviam-se pedidos de ajuda, gemidos de dor e sofrimento. Compreendi imediatamente que a cidade fora atingida por um terrível tremor de terra. Escutara alguns relatos no passado, e destruição como aquela não era possível de explicar de outra forma. Quando a calma regressou, olhei para a saída da prisão. O portão desaparecera e podia ver-se a rua. Não havia soldados em lado algum, ou pelo menos não os via. Examinei de novo o pátio, à procura de Muhammed. A última vez que o vira fora ali, antes de ser apanhado pelos espanhóis. De repente, alguém me chamou:

– Ei, cabrón...

Era o Cão Negro. Preso debaixo de um monte de pedras, coberto de pó, sangrando da cabeça e dos braços, gritou-me insultos e promessas de morte e vingança, ao ver-me a andar para a rua. Sem responder, segui e só parei a cinco metros do portão. Lá fora, só se viam nuvens de poeira e montes de entulho.

Um desertor francês, chamado Maurice, passou por mim em passo rápido. Ia com um dos braços tombado, um esgar de dor na cara, o cabelo coberto de pó, e incentivou-me, correndo ao pé-coxinho:

– Foge, foge. Os soldados morreram...

Saltitou sete ou oito metros à minha frente, e depois ouviu-se um tiro e o francês caiu morto. Dobrei os joelhos e deitei-me sobre a terra irregular. O disparo viera de um local à minha direita, mas não sabia se o soldado estava sozinho ou acompanhado. Rastejei nessa direção, descrevendo um semicírculo, de forma a aproximar-me do soldado de lado. Mas, ao ouvir gritos, escondi-me atrás de umas pedras.

Pelo caminho que eu e o francês tínhamos percorrido aproximavam-se, lentos e de sobreaviso, o Cão Negro e os seus espanhóis. Escutei as ameaças verbais do guarda, prometendo novos disparos. O mastodonte castelhano não se intimidou. Fez um sinal aos seus acompanhantes e separaram-se, afastando-se entre eles. Depois, a um sinal do líder, desataram todos a correr ao mesmo tempo na direção do portão. Ainda se ouviu um tiro, mas nenhum dos espanhóis foi atingido. De repente, o Cão Negro deu um salto para a frente e aterrou sobre o soldado. Na sua mão surgiu a barra de ferro, e com ela rachou o crânio do pobre guarda num segundo. Depois, sacou-lhe a espingarda, uma faca e também uma sacola, talvez com munições. Sorriu para os amigos, triunfante, e ouviram-se gritos de satisfação. Reagruparam-se e caminharam para o portão, saindo para a rua, para a liberdade.

Deixei-me ficar uns minutos quieto, à escuta. Não parecia haver mais nenhum guarda junto ao que restava do portão, e decidi avançar. Contudo, ouvi nas minhas costas mais gritos e virei-me. No pátio, cerca de trinta metros atrás de mim, um soldado com uma pistola na mão perseguia Muhammed, que corria, aos ziguezagues, para evitar ser atingido. Meti os dedos à boca e assobiei, um som estridente, que ele de imediato reconheceu. Fletiu na minha direção, com o soldado atrás.

Fiz-lhe sinal para continuar a correr e escondi-me. O soldado estava de olhos postos no árabe e nem me vira. Mal Muhammed passou por mim, lancei uma trave à cara do soldado, que caiu, desmaiado. Para minha desilusão, a pistola voara, caindo no meio do entulho, e não a consegui descobrir. Retirei-lhe apenas uma faca e corri também para a rua, onde encontrei Muhammed à minha espera, recuperando o fôlego.

– O que ir passar? – perguntou o árabe, assustado.

– Um tremor de terra.

Levou as mãos à cabeça, sem saber o que dizer, os olhos aterrados a observarem o caos à nossa volta. Deixou-se ficar a arfar, até que comentou:

– Sorte nós ir estar vivos.

– Vamos – disse eu, e comecei a andar.

– Não – gritou Muhammed. – Olha, Santamaria!

Quarenta metros à nossa frente, o Cão Negro e dois dos seus rufias roubavam roupas aos cadáveres, na rua. Ao ouvir o grito de Muhammed, o gigante olhou para nós. Furioso, apontou a espingarda e disparou um tiro. Não nos acertou, mas mudámos imediatamente de direção e corremos antes para a Sé de Lisboa. Ao olhar para trás, pela última vez, Muhammed informou-me:

– Eles ir seguir nós! Eles ir atrás nós!

5

Nas primeiras horas a seguir ao terramoto, e ainda muito antes de nos termos conhecido, cada um viveu a sua história de confusão, dor e sobrevivência. Eu e Muhammed, o rapaz, o inglês, a escrava negra e também irmã Margarida, tínhamos tido sorte. Os caprichos do destino haviam-nos poupado, ao contrário do que se passou com milhares de habitantes da cidade. Um ano depois, no momento desta memória, há quem fale em sessenta mil mortos, há quem fale no mínimo em trinta mil. Bernardino, ajudante de Sebastião José, quando veio ver-me disse que «só tinham morrido quinze mil», o número oficial de mortos, mas isso é porque o todo-poderoso ministro quer diminuir a importância da tragédia, por razões políticas.

Acho que nunca ninguém terá a certeza de quantos morreram naquele terramoto e nos dias seguintes, mas foram muitos. Durante dias, convivemos com os corpos putrefactos e os cadáveres empilhados. Sim, foi uma espécie de inferno, acho que posso usar essa palavra para descrever o que vi.

Mas, como disse, todos os vivos tinham a sua narrativa pessoal de resistência. O facto de termos sobrevivido criou entre nós uma cumplicidade especial, que nos aproximava e humanizava, apesar dos conflitos desses dias. E é por isso que vale a pena recordar essas histórias.

* * *

Irmã Margarida, por exemplo, depois dos abalos perdeu a noção do tempo. Por vezes, contou-me, sentia-se acordada, embora confundida e atordoada. Noutras, sentia-se a sonhar, num mundo fantástico onde só existiam dor e fogo e nuvens de pó e gritos. O corpo doía-lhe, as pernas, as costas, as clavículas, o alto da cabeça e também o pescoço. A corda estava ainda apertada à volta da garganta, embora já não a asfixiasse. Apesar de saber que caíra, no seu cérebro reinava enorme baralhação, e não sabia explicar porque estava ali, nem o que se passara.

Ao fim de algum tempo, as forças voltaram-lhe, e conseguiu libertar-se do amontoado de destroços que a cobria. Sentou-se, a respirar com dificuldade. Havia muita poeira no ar e tossia constantemente, com a garganta áspera, como se a tivessem obrigado a mastigar terra. Um silêncio angustiante abatera-se sobre a prisão, entrecortado por horríveis gemidos.

Quando o estado de choque a abandonou, lembrou-se da tentativa de enforcamento, abruptamente interrompida pelo ruir do teto da cela. O que teria acontecido? Irmã Margarida apenas sabia que estava viva, que não morrera enforcada, e portanto amanhã iria morrer queimada, acontecesse o que acontecesse. Contou-me que este pensamento a desanimou e desejou de novo matar-se. Melhor seria esmagar a cabeça com uma daquelas pedras. Assim, pensariam que tinha morrido no desmoronamento do Palácio da Inquisição.

De súbito, viu novamente o fantasma, a sombra negra e escura, aproximando-se. A visão turvou-se e sentia-se tonta e enjoada. Passou as mãos pelo cabelo, e descobriu-o pastoso e quente. Examinou as mãos: pareciam pintadas com o vermelho do sangue, que escorria de uma ferida do lado direito da cabeça. Devia ter batido numa pedra, após a queda, e fechou os olhos satisfeita. Ia mesmo morrer.

A certa altura, escutou vozes. Algures, uma mulher gritava por ajuda.

Irmã Margarida olhou para a porta da cela, mas esta não estava no seu lugar e nem se dera conta disso. Tentou levantar-se, porém as dores na perna direita eram intensas. Observou a ferida: o sangue escorria, mas não viu nenhum osso. A perna não estava partida. Rasgou a bainha do vestido, limpou o rasgão na carne e fez um improvisado garrote para estancar o sangue.

Após alguns minutos levantou-se, mas uma forte tontura obrigou-a a sentar-se. Enjoada, vomitou. Quando estabilizou o estômago, tentou levantar-se de novo e desta vez já não se sentiu tão tonta. Caminhou no meio dos destroços, passou pela porta caída e saiu para o corredor. Exausta pelo esforço, sentou-se de novo. Deixou-se ficar assim uns minutos, até a sua respiração regularizar, observando o corredor. Um monte de detritos impedia a passagem. Em algumas das zonas, havia mais luz do que era habitual, pois do lado oposto ao da sua cela as paredes tinham ruído. Podia ver-se a cidade lá fora, coberta de nuvens escuras de pó.

Avançou uns metros no corredor, na direção da voz feminina que escutara. Viu um pé. Fechou os olhos, assustada, e quando os reabriu viu o outro pé, e depois as pernas e a barriga de um homem, cuja cara se encontrava tapada por traves. Afastou-as. Um arrepio percorreu-a quando tocou naquele corpo duro, e outro quando reconheceu o carcereiro, com quem trocara carícias e sei lá mais o quê, e que agora estava morto, hirto, os olhos vítreos, a cara num esgar de sofrimento.

Benzeu-se, fechou-lhe os olhos e rezou uma oração. De repente, viu o fio dela no pescoço dele, e ficou confusa. Aquilo não fazia sentido, dera o fio ao «profetista», não ao carcereiro... Ganhou coragem e, vendo que ninguém a observava, retirou o fio e colocou-o à volta do seu pescoço. Depois, benzeu-se pela segunda vez, como que pedindo desculpa a Deus por aquele estranho pecado que estava a cometer, e recomeçou a andar na direção dos gemidos.

O ruído vinha de uma cela ao fundo do corredor. Espreitou e, no meio da balbúrdia, descobriu uma mulher. Vestia um pano semelhante ao dela, mas era mais velha, os cabelos cinzentos. A mulher, ao vê-la, gemeu:

– Nã me consigo mexer.

Irmã Margarida aproximou-se e, com dificuldade, levantou as pedras que prendiam as pernas da outra e disse:

– Também tenho uma perna a sangrar.

A mulher mais velha forçou um sorriso:

– És jobem, eu não.

Irmã Margarida examinou a ferida:

– É um golpe profundo, mas não está partida.

Rasgou mais um pouco do seu vestido e limpou as escoriações, e depois fez-lhe um garrote com o pano, tal como fizera à sua perna.

– Como é que saves, és médica?

Irmã Margarida sorriu, mas não respondeu e a mulher mais velha percebeu que a rapariga só dissera aquilo para a animar, e ficou-lhe grata. Aceitou o seu ombro e começou a andar amparada a ela. Quando saíram para o corredor, a mulher mais velha ficou espantada ao ver tanta destruição:

– Deus me balha... O que aconteceu? – perguntou.

Irmã Margarida respondeu:

– Uma parte do palácio caiu. Olhe.

A mulher mais velha olhou para o outro lado do corredor, e viu que lá já não havia nada, a não ser ar e poeira, e a cidade ao fundo.

– Deus me balha... – murmurou.

As duas iam sair dali quando uma voz se ouviu:

– O fim do mundo tá chegando! O fim do mundo tá chegando!

Da cela ao lado surgiu um homem, o «profetista», com quem irmã Margarida falara no pátio uns dias antes. A mulher mais velha disse-lhe:

– Nã te caiu nenhuma pedra em cima, belho tonto?

O brasileiro riu-se, um riso que mais parecia um cacarejar, e ripostou:

– Se cala, velha! Cê percébe é dji mulher, não dji Deus ou do fim do mundo!

Olhou para irmã Margarida e abriu um sorriso maldoso:

– Pomba, se cuida! Olha qui essa tem garra d'águia, essa gosta delas tenrinhas, como tu...

Irmã Margarida contou-me que recordava perfeitamente o ligeiro alarme que sentira. Naquela prisão do Palácio da Inquisição estava uma freira condenada por desviar mulheres, por dormir com elas e lhes ensinar as artes do Diabo. E era essa mulher que amparava agora no seu ombro.

– Debíamos sair daqui – propôs a freira mais velha.

O «profetista» concordou e, agrupados, prosseguiram mais uns metros, até ao fim do corredor. Chegaram a uma pequena sala, que tinha duas saídas para mais corredores. O «profetista» primeiro investigou o corredor à direita deles, mas voltou para trás, dizendo que por ali não podiam passar. Então, avançaram pelo corredor da esquerda, afastando pedras e madeiras, e ao espreitar para dentro das celas só viram mortos. Irmã Margarida benzia-se sempre que via um, mas os seus companheiros não. Foram dar a uma antecâmara, onde encontraram três cadáveres no chão, deitados lado a lado. Dois deles eram guardas, vestidos de branco.

A rapariga benzeu-se mais uma vez. Nisto, apareceu um padre, o mesmo que confessara irmã Margarida nos últimos meses, e que supostamente lhe faria a confissão final, na manhã do dia seguinte. O sacerdote olhou para eles e exclamou, ao mesmo tempo surpreendido e contente:

– Deus seja misericordioso!!! Ao menos vós estais vivos!!! Neste andar é uma miséria.

Percorrera vários corredores e a mortandade era geral. Apontou para os três corpos:

– Estes morreram aqui. Ainda os tentei ajudar, mas...

Ficaram todos em silêncio, como sinal de respeito, e depois o «profetista» perguntou ao padre para onde deviam ir, mas antes que este dissesse alguma coisa a mulher mais velha falou.

– Debíamos fugir.

O padre apontou para irmã Margarida, exaltado:

– Ela merece a liberdade, mas tu não, pecadora!

A mulher mais velha ignorou-o e cruzou a porta, e depois voltou atrás e disse que por ali podiam descer para a rua. O «profetista» seguiu-a, mas irmã Margarida ficou junto do padre e dos três mortos. Pediu ao sacerdote:

– Padre, preciso de me confessar... Pequei...

Com ternura, o padre colocou-lhe a mão direita na cabeça e disse:

– Criança, nada que tenhas feito é grave neste dia terrível...

Irmã Margarida precipitou-se, numa ânsia de lhe contar que se tentara enforcar, com medo de morrer queimada; que perdera a vergonha com o carcereiro para conseguir uma corda; e que agora lhe tinha roubado um fio, que por acaso era dela. Mas, sem a ouvir, o padre interrompeu-a:

– Criança, sofreste muito e injustamente. As acusações contra ti são uma farsa... Porque não aproveitas e foges?

Nesse momento, irmã Margarida compreendeu pela primeira vez que podia aspirar a ser livre e perguntou:

– Fugir? Como?

O padre respirou fundo:

– Não sabes o que aconteceu?

Ela não sabia e ele explicou-lhe:

– Lisboa foi atingida por um terramoto. A cidade está destruída. Se olhares pelas janelas, vais ver... Devias aproveitar. Foge! Foge! – gritou o padre.

Mas irmã Margarida estava paralisada pelo que ouvira. Um terramoto... Olhou em volta, perplexa. O padre abanou-a pelos ombros e gritou:

– Olha para mim, rapariga!

Irmã Margarida assim fez e ele acrescentou:

– Eu não chamo os soldados. És a única pessoa que não merece morrer amanhã. A irmã Alice é outra história. Afasta-te dela, eles vão andar à procura dela. E do outro também... Mas, tu... Ninguém se vai preocupar contigo, não fizeste nada de mal. Foge, foge, e depressa!

É de certa forma compreensível que irmã Margarida precisasse de um incentivo para fugir. Ela não era como eu, um pirata, um homem que odiava estar preso e que fugia à primeira oportunidade, como aconteceu nessa manhã, e como já sucedera no passado, quando estive preso pelos árabes. Ela era uma jovem que tinha sido presa, torturada, julgada e condenada sem perceber bem porquê. Tinha desejado enforcar-se, e não o conseguira. Naquela situação não sabia o que fazer. Fugir para onde? Eu sabia para onde fugir, mas ela não, não tinha ninguém a quem pudesse recorrer, nem um destino geográfico que pudesse dar sentido à sua fuga. Nem sequer família, pois os pais haviam morrido. Para ela, a liberdade era ainda um território duvidoso e desconhecido. Contudo, pressentiu que aquela oportunidade podia poupá-la à morte na fogueira, e que a absolvição moral do sacerdote, seu confessor, era uma espécie de garantia da existência de um sentido de justiça superior, que lhe dava razão. Portanto, apoiou-se nessas palavras, ganhou forças e fugiu. Começou naquele momento a reinventar-se como pessoa, e ainda bem, pois foi esse primeiro passo que possibilitou o nosso encontro, dias depois. Se hoje a amo, devo-o também àquele confessor da prisão, que extinguiu a relutância do coração de irmã Margarida e lhe apontou um novo caminho.

Despediu-se do padre, e descobriu o local de fuga do «profetista» e da freira mais velha. Entre duas celas, havia uma escadaria de pedra que as derrocadas tinham colocado à vista. Formara-se uma espécie de cascata de destroços, por onde se podia descer até à rua. A meio, a freira mais velha e o «profetista» desciam, devagar, para evitar cair. Seguiu-os. Quase caiu por duas vezes, antes de chegar finalmente ao chão.

Os outros esperaram por ela, mas o «profetista» estava muito agitado, com medo de que os soldados os vissem. Na rua, tudo era confusão. Nuvens enormes de poeira pairavam, ouviam-se gritos lancinantes e desmoronamentos constantes de edifícios nas redondezas.

– Deus me balha... – repetiu irmã Alice.

A cerca de cem metros, apresentava-se uma das portas do Convento de São Domingos. E, um pouco antes, nascia uma travessa, que ia dar ao Rossio. Ao longe, irmã Margarida viu aparecerem vultos vestidos de branco. Eram os soldados da Inquisição e avisou os seus companheiros de fuga.

– Vamo fugi! – gritou o «profetista».

Desataram a correr, e nas suas costas ouviram alguns tiros. Contornaram um dos cantos do palácio, enfiaram pela estreita ruela, e o Rossio apareceu de repente à frente deles. Foi tal a surpresa com o que lá se passava que pararam, embasbacados.

6

Tal como irmã Margarida, também o capitão Hugh Gold ficou bastante atordoado nos minutos que se seguiram ao terramoto. No caso dele, pode mesmo dizer-se que aconteceu quase um milagre: caíra agarrado ao varandim ao mesmo tempo que o seu prédio se desmoronava, e sobrevivera. Num estado próximo da inconsciência, Hugh Gold sabia que algo verdadeiramente horrível acontecera, mas o seu cérebro recusava funcionar e mergulhou numa letargia profunda. Pela sua mente correram imagens descontínuas: o jantar da véspera, em casa de um amigo do embaixador inglês; a sua mulher a andar na rua; convivas a rirem, contando piadas; a criada aos gritos; pratos de carnes e garrafas de vinhos; a senhora Locke, nua nos seus braços. Parecia sonhar...

Mas, de repente, a dor no braço cresceu de intensidade e acordou daquele limbo onde vagueara, desligado da realidade. Estava coberto de pedras, madeiras, roupas, poeira, uma amálgama de detritos, mas escapara vivo àquela manifestação de fúria destrutiva da natureza. Não conseguia perceber como. Lembrava-se vagamente de se ter agarrado ao varandim, e depois tudo ficara escuro e perdera a consciência. Não sabia o que se tinha passado, quanto tempo havia decorrido nem onde estava.

As dores no braço eram violentas. Não se conseguia mexer sem sentir uma enorme dor, era como se estivessem a rasgar-lhe as carnes e os ossos do braço. Fechou os olhos e cerrou os dentes, lutando contra a dor, que passado algum tempo pareceu acalmar.

Olhou à sua volta. Não conseguia ver nada, só entulho. Na escuridão, deduziu que estaria dentro de casa. Com o braço saudável retirou pedras e madeiras de cima de si, e tentou levantar-se. O esforço cansou-o. Já habituado ao escuro, reconheceu bocados da sua casa: um guardanapo, umas panelas, duas cadeiras estropiadas, um pedaço de cerâmica do seu lavatório. Era como se estivesse enterrado naqueles vestígios domésticos, que uma hora antes faziam sentido, mas agora eram apenas uma barreira à sua mobilidade.

Contudo, depressa compreendeu que, se afastasse umas traves, conseguia sair dali. Com o braço bom demorou alguns minutos a removê-las, e depois avançou, sempre curvado. Sem aviso, chocou com a criada e gritou, assustado. Estava numa posição estranha: uma perna esticada para cima, presa numa trave, a outra puxada para baixo, tapada por várias pedras; o tronco torcido para trás e para a esquerda, como se fosse apanhar qualquer coisa do chão, e a cabeça tombada para o lado contrário. Morta.

O inglês permaneceu uns momentos a admirar o cadáver da criada. Depois, afastou-se, pois nada podia fazer por ela. Minutos mais tarde esquecera-se já dela, e tentou furar a parede com um pedaço de madeira. Para seu espanto, o material não resistiu, e rapidamente abriu um espaço suficientemente largo para passar. Olhou através dele, mas nada viu devido à penumbra. Com dificuldades, e nova dor lancinante no braço, forçou-se a atravessar o buraco. Enfiou primeiro os pés, e só depois a cintura, os braços e a cabeça. Quando já estava do outro lado, deixou-se cair e rebolou pelo chão, o que o deixou tonto. Para sua grande surpresa, ouviu um grito:

– Virgem santíssima!

A autora da exclamação era uma mulher gorda e baixa, que estava abraçada a outra mulher, muito mais velha. Reconheceu-as, eram as vizinhas da casa ao lado. Em pânico, os olhos de ambas rebolavam, como se estivessem com convulsões de medo. A octogenária emitia uma lengalenga, da qual Gold só compreendeu o fim:

– Deus tenha piedade de nós, Deus tenha piedade de nós...

Ao ouvi-la, a mais nova gemeu:

– Misericórdia, misericórdia.

Esconderam a cara com as mãos em aflição. O capitão Hugh Gold não lhes conseguiu arrancar uma palavra, e dirigiu-se ao que parecia ser uma porta, deixando-as onde as encontrara. Aquele prédio não fora tão massacrado como o seu, e momentos depois estava na rua, ou no que antes tinha sido a rua onde morava.

Embora muitas paredes ainda estivessem de pé, a maior parte dos prédios caíra. Montanhas de detritos haviam nascido no lugar da rua. O ar estava quase irrespirável, carregado de nuvens escuras de poeira que subiam aos céus. O capitão Hugh Gold reparou então que estava de camisa de noite e de chinelos nos pés. Sentiu um ligeiro embaraço, mas, ao ver quem passava à sua frente, aceitou melhor a sua sorte.

A maioria das pessoas estava nua. Homens e mulheres e crianças sem nada em cima da pele, só poeira e sangue e terra. Andavam sem falar, só a gemer, em pânico. Os olhos eram o mais impressionante: esgazeados, a fitarem o vazio, sem verem os outros, sem verem nada a não ser o horror das imagens que tinham visto momentos antes.

Ninguém se importava com a sorte de ninguém. Era como se cada um daqueles seres humanos estivesse a sós no mundo, a sós com o seu sofrimento e a sua angústia e o seu desespero, e nada mais existisse do que a vontade individual de escapar dali. Os maridos esqueciam as mulheres, os pais e as mães esqueciam os filhos. O egoísmo individual, contou-me Gold, era um imperativo totalitário. Nos primeiros momentos depois do grande terramoto, os humanos transformaram-se em seres que só pensavam na sua própria sobrevivência. Morrer era ficar para trás, como ficaram o carcereiro, a mãe do rapaz, a criada de Gold; e ficar para trás, mesmo que vivo, era morrer para os outros. Viver era só fugir, sair de onde se estava, e foi o que fizemos, os que sobrevieram.

Além disso, havia aquela comoção brusca e inesperada que provocava a visão dos cadáveres. As pessoas também fugiam disso. O capitão inglês relatou-me que, no espaço de apenas vinte metros, viu uma mulher sem cabeça, uma criança com o tronco e os braços esmigalhados, e também uma perna solitária, erguida para o céu, emergindo de um monte de caliça. Não admira que as pessoas também fugissem destes insuportáveis monumentos macabros.

Quando se libertou desse estado de perturbação, Gold lembrou-se da esposa. Decidiu subir a rua, na direção em que ela fora para a missa. Escalou os montes de entulho, cruzando-se com mais pessoas nuas. Caminhavam todas para o rio, descendo para o largo da Igreja de São Paulo. Ele foi no sentido contrário, à procura da mulher.

Encontrou-a ao fim de cinquenta metros, a touca ainda na cabeça, tingida de sangue. Encostada a uma parede, estava ligeiramente tombada para a direita, também morta. Hugh Gold reconheceu-me a culpa que sentiu nesse momento por, minutos antes, ter desejado que ela desaparecesse da sua vida. Sentou-se no chão, ao lado do cadáver da mulher, e pensou que, se tivesse vindo ao andar de baixo falar-lhe, dar-lhe o dinheiro que ela queria, talvez ela agora estivesse viva. Contudo, não lhe adiantava pensar desta forma. Poderia levá-la dali? Examinou as hipóteses, mas, com o braço naquele estado, não a conseguia carregar. Para mais, para onde a levaria, se a sua casa ruíra?

À sua frente, prosseguia a peregrinação de seres sujos, como que saídos de um banho de lama, mas notou que agora alguns já falavam. À medida que os abalos se afastavam no tempo, a voz das pessoas ia regressando, bem como uma certa estabilidade dos seus olhares. Hugh

Gold decidiu que era melhor descer também na direção do rio. Deixou a mulher no local onde a encontrara e recomeçou a caminhar, fazendo o percurso inverso. Ao passar perto de uma parede que se mantivera de pé, ouviu uma voz a chamar. Uma mulher tinha uma criança ao colo, mas estava incapaz de se libertar das pedras que a cobriam. O inglês ajudou-a, e ela levantou-se, sempre com o bebé ao colo, muda. Olhava para ele, e depois para a rua, e depois para o filho que trazia nos braços. O capitão perguntou:

– The criança is viva?

A mulher parecia alucinada, sem reação. O capitão tocou na criança, que abriu os olhos, e então ela recuou e gritou:

– Não!!!!

O capitão acalmou-a, mas ela segurou o bebé com mais força junto ao peito, como que para protegê-lo. Gemeu e soluçou. O capitão subiu um monte de entulho e, no topo, fez um gesto para a mulher o seguir. Foram subindo e descendo os escombros, escutando os gemidos dos moribundos, a mulher carregando a criança, uns metros atrás do capitão.

De súbito, um terceiro tremor abalou a terra, tão violento como os anteriores, mas de mais curta duração. Hugh Gold deitou-se numa cama irregular de pedregulhos, tentando proteger-se. Algumas estruturas que haviam resistido aos primeiros abalos tombavam agora, e quando tudo acabou, entre as nuvens de poeira, o capitão verificou que, na sua rua, já não restava nenhum prédio de pé.

Ficou longos minutos deitado à espera de que fosse possível caminhar de novo e, quando se levantou, pasmou-se. Daquele local, antes uma rua lateral de Santa Catarina, com prédios dos dois lados e sem vistas, podia agora ver o rio lá em baixo e a outra margem. A cidade desaparecera, não passava de um cobertor de entulho, de onde se elevava um capacete escuro de poeira.

Regressaram os gritos, os gemidos e os seres que, como répteis, saíam debaixo das pedras, para prosseguir a sua caminhada. O capitão Hugh Gold limpou o pó da cara e depois lembrou-se da mulher que ajudara há pouco. Viu-a, soterrada, só a cabeça acima do nível da terra. Na sua boca aberta, um grito parecia ter ficado paralisado por uma golfada de caliça. A um metro da mãe, a criança sufocara igualmente.

O capitão inglês deu meia volta, com o coração pesado, e desceu a colina. Quando chegou ao largo da Igreja de São Paulo encontrou muita gente como ele, almas perdidas que não sabiam o que fazer ou onde se dirigir. Todos estavam espantados com tanta desagregação, e havia já quem dissesse que Deus os castigava, até tinha destruído as igrejas, e assim era, pois a de São Paulo estava também ela em ruínas, e ninguém – nenhum dos milhares de padres ou frades ou freiras de Lisboa – aparecera para os confortar.

E Gold, o protestante, comentou comigo:

– Deus curioso, your God! Todo dia, everyday, padres everywhere! Today, terramoto, sofrimento, not one priest! Nem um, damn! Where are eles, quando we need?

Sorri perante o seu habitual sarcasmo. Mas não era verdade. Naqueles dias, a vaguear pela cidade destruída, encontrámos muitos homens e mulheres de Deus, e percebemos que estavam tão perdidos como nós.

7

Dos vários personagens que conheci naqueles estranhos dias, o rapaz foi curiosamente o primeiro que vi. Cruzámos os nossos destinos logo na primeira manhã, e quando falei com ele já sabia o que tinha feito, a coragem que revelara. Hoje, tenho pena de não o ter elogiado. Talvez as coisas tivessem sido diferentes, talvez tivesse olhado para mim com outros olhos. Mas não foi assim e não há nada que possa fazer para mudar a história.

O rapaz estava ainda próximo da arruinada Igreja de São Vicente de Fora quando se deu o terceiro abalo. Embora determinado a procurar a irmã, não lhe fora fácil atravessar aquele descalabro. Não existiam ruas, nem casas, nem prédios onde antes tinham existido. Quando a nuvem de poeira levantou, viu no meio daquela irrespirável bruma o Castelo de São Jorge e mais em baixo a Sé, e foi assim que se orientou em direção a sua casa, próxima da Igreja da Madalena.

Naquelas circunstâncias, andar era difícil: havia fendas inesperadas e fundos precipícios no terreno; as ruas apresentavam-se impedidas, atulhadas de pedras. Demorou a aproximar-se do Castelo e das suas muralhas. Os mortos atapetavam o chão, em posições complexas, semelhantes a estátuas esculpidas por desvairados.

As pessoas corriam, atarantadas, como as crianças perdidas, aos berros.

O rapaz prosseguiu, determinado. Próximo da Graça, uma pequena multidão observava o Rossio, em baixo, e a colina oposta, do Bairro Alto. Nada era como tinha sido. A cidade abatera, como que deitando-se no chão, e nem os seus edifícios mais simbólicos haviam escapado. Na praça, o Hospital de Todos os Santos era o único que parecia intato, mas ao seu lado tanto o Convento de São Domingos, como o Palácio da Inquisição, haviam sido fortemente atingidos.

Na encosta do Castelo de São Jorge e mesmo em Alfama, o rapaz também só via desolação, e perguntou a si próprio o que teriam feito para merecer tal castigo, mas não encontrou razão. Por isso, cessou de procurar motivos e continuou a descer para a Sé, e com ele desciam muitas pessoas que tinham subido para as festas em São Vicente de Fora e agora regressavam às suas casas. Eram já pessoas diferentes, mudadas para sempre, partidas por dentro, cheias de mágoa e desespero e medo do futuro. Tinham ido encontrar-se com Deus naquele feriado e haviam sido massacradas de uma forma inimaginável.

Ao passar perto da Sé ouviu tiros. Deviam ter fugido prisioneiros do Limoeiro e os soldados tentavam abatê-los, foi a sua conclusão, e decidiu ter precaução, receando ser apanhado no fogo cruzado dos confrontos. Algumas casas tinham ficado intactas, bem como a Sé, que, orgulhosa, apenas mostrava os flancos danificados.

Foi então que, mesmo à sua frente, viu três homens a sair de uma casa. Arrastavam um desgraçado, provavelmente o proprietário. Atiraram-no ao chão e deram-lhe um tiro, abatendo-o. O rapaz escondeu-se atrás de um monte de pedras e ficou a observar. Um dos homens, mais alto do que os outros dois, parecia ser o chefe. O seu cabelo e as suas barbas eram negros e dos seus olhos e dos seus gestos emanava uma energia maligna. Vasculhou os bolsos do proprietário e retirou um relógio. Depois, os três bandidos reentraram na casa e ouviram-se mais gritos, seguidos de um silêncio mais assustador do que o barulho.

O rapaz aproveitou o momento e recomeçou a andar, mas foi surpreendido pelo regresso abrupto do homem mais alto, que se dirigiu ao morto. O rapaz sentiu medo. O grandalhão observou-o, enquanto vasculhava as roupas do defunto. Sorriu quando encontrou uma chave e depois perguntou ao rapaz:

– Qué passa?

O rapaz não respondeu, mas percebeu que o ladrão era espanhol. Um dos seus companheiros saiu também de casa, trazendo uma mulher pelos cabelos, que implorava:

– Não, não, por favor, não!

O homem enorme olhou para o rapaz e riu-se, e depois perguntou:

– Hay visto una mujer morrer?

O rapaz respondeu:

– Sim. A minha mãe.

O energúmeno soltou uma gargalhada e perguntou-lhe:

– Como hay morrido tu pobre madre?

O rapaz contou-lhe:

– Morreu lá em cima, em São Vicente de Fora, na igreja.

Executando uma mímica maldosa, o bisonte benzeu-se e murmurou:

– Paz à su alma... Pero, esta vai gozar mucho más que tu madre...

Aproximou-se da mulher, agarrou-a pela nuca e depois ordenou ao seu subordinado:

– Leva-la!!!

O outro riu e acatou a ordem, mas antes aconselhou-o, apontando na direção do rapaz:

– Matá-lo. Muertos no hablam con soldados...

O homem mais alto deu nova gargalhada, aproximou-se do rapaz e perguntou:

– Chico, quieres morrer?

O rapaz disse que não. O mastodonte agarrou-o pelo cachaço, levou a mão ao cinto e empunhou uma faca, que depois lhe encostou à garganta.

– A mi me gustan los chicos...

Apesar do medo, o rapaz disse:

– Eu só queria água...

O cafajeste, ao ouvir falar em água, pensou uns segundos.

– Sabes onde hay água?

O rapaz respondeu:

– Há uma fonte numa rua, ali por detrás daquelas casas...

Fazendo uma careta assustadora, o salafrário ameaçou-o novamente:

– Se me mientes, te arranco el corazón com los dientes...

– Não – gemeu o rapaz –, é verdade, há água ali.

O Cão Negro libertou-o e ordenou:

– Ven.

Entraram os dois dentro de casa. No meio da sala, em cima de um sofá, a mulher estava deitada de costas, com as saias levantadas, e um dos outros espanhóis, já com as calças a meio dos joelhos, preparava-se para penetrá-la.

– Ei cabrón – gritou o Cão Negro.

O companheiro voltou-se para trás, aflito, e riu nervosamente.

– Ei, Cã Niegro, también tenemos derecho...

O chefe ergueu-lhe o punho à frente dos olhos e perguntou:

– Quien manda?

– Tu.

– Entonces, sou yo lo primero.

O Cão Negro baixou as calças enquanto o outro se afastava um pouco. O rapaz assistiu aos seus atos. A mulher chorava; e depois do chefe veio o homem que ele afastara, e depois o terceiro homem praticou o mesmo ato, sempre com ela a chorar. O rapaz não podia fazer nada e quando aquilo acabou estava com medo que o quisessem a ele, mas nenhum dos três o quis. O Cão Negro proclamou que ela ainda aguentava outra rodada geral, e todos se riram muito e só depois se lembraram do rapaz, e o Cão Negro mandou-o procurar um jarro, ou uma panela grande, para ir buscar água à fonte, acompanhado por um dos espanhóis.

Dirigiram-se até à fonte pública e, quando lá chegaram, perceberam que muitos outros tinham tido a mesma ideia, havia muita gente próxima da fonte, incluindo dois guardas da prisão. De imediato, aos gritos, o rapaz denunciou o bandido como um fugitivo do Limoeiro. Ao ouvi-lo, o homem fugiu, deixando cair no chão o jarro e a panela. O rapaz contou aos soldados o que se passara e eles partiram, a correr, na direção da casa onde estava o Cão Negro.

Foi nesse momento que vi o rapaz pela primeira vez. Muhammed e eu, escondidos atrás de um casebre, assistimos ao que se passou de seguida. Junto à fonte, o rapaz esperou a sua vez de beber água. Entretanto, ouviram-se tiros e apareceu o Cão Negro e os seus dois homens, que o teriam apanhado, se ele não tivesse fugido. Só o voltei a ver horas mais tarde, mas irmã Margarida contou-me que estes acontecimentos obrigaram o rapaz a demorar mais tempo a chegar ao que restava da sua morada. Ficou desolado e alarmado. A sua casa já não existia. Não sabia onde procurar a irmã e uma grande tristeza invadiu a sua alma, ao pensar que o mais certo era ela ter morrido.

8

Muhammed e eu permanecíamos há longos minutos na Sé de Lisboa, onde se aglomerara muita gente. O velho edifício não caíra, e à medida que iam passando por ele muitos iam entrando. Feridos, de braços ao peito, nucas ensanguentadas, vestes rasgadas, coxeando, cobertos de pó, imploravam por ajuda e água. Sentados em grupos ou solitários, no chão, os desgraçados choravam, gemiam, soluçavam, rezavam, criando na igreja um murmúrio geral lúgubre, uma ladainha triste e soturna. Muhammed e eu fomos circulando no interior, sempre a vigiar as portas, para ver se o Cão Negro também lá entrava à nossa procura. No entanto, nem ele nem os seus dois companheiros apareceram.

– Pedras ir cair em cima deles – murmurou Muhammed.

Sorri e depois coloquei no rosto um ar exageradamente sério e disse:

– Isso querias tu, seu rato traidor.

Espantado, Muhammed perguntou:

– Rato traidor? Muhammed não ir trair Santamaria!

Olhei-o fixamente, fingindo-me zangado:

– Deixaste-me sozinho a levar pancada! Se não fosse o tremor de terra, a esta hora já tinha esticado o pernil!

Muhammed estacou, sinceramente admirado:

– Eles ir atacar Santamaria?

Eu indignei-me:

– O Cão Negro quase me matou com a barra de ferro! Olha!

Mostrei os sítios onde o espanhol me acertara:

– Apanharam-me à saída das latrinas e depois enfiaram-me na sala ao lado. Se não fosse o terramoto, tinha morrido! E tu, meu sacana, meu crápula cobarde, escondido como um rato! Nada de vires ajudar o teu amigo!

Foi a vez de Muhammed se indignar:

– Muhammed não ir ver eles ir bater em Santamaria!

Ignorei-o e prossegui, sempre em tom acusatório:

– Onde é que tu andavas, salafrário? A fazer poucas-vergonhas com os franceses logo de manhã? Eu ao menos ajudei-te. Se não fosse eu, o soldado tinha-te varado com um balázio!

O árabe, tão falsário como eu, manteve uma indignação intensa:

– Eu ir no pátio, ir jogar dados com franceses! Ir ganhar dinheiro antes de tudo ir cair!

Bufei, fingindo que não acreditava nele, mas depois sorri. Muhammed era tudo menos corajoso, mas mesmo assim sabia que podia contar com ele. Perguntei:

– Tens dinheiro?

O árabe abriu um grande sorriso, levou a mão ao bolso das calças e mostrou-me umas moedas. Suspirei, com algum alívio:

– Não é muito, mas já é alguma coisa.

– E Santamaria ter faca... – acrescentou ele.

Com a faca e o dinheiro, as nossas possibilidades de fuga aumentavam. Observei a azáfama no interior da Sé e comentei:

– Que confusão, cada vez chega mais gente.

Um homem dirigia as operações de ajuda, executadas por um grupo de padres e frades. Ao examinar melhor a sua cara, descobri que era Monsenhor Sampaio, o patriarca de Lisboa. Recordava as suas homilias, anos atrás.

– Ir conhecer ele? – perguntou Muhammed.

– Sim – respondi –, mas ele não me conhece. Ainda por cima, assim vestidos, vai perceber que somos presos e chama os soldados.

Muhammed mostrou-se preocupado:

– Então, melhor nós ir fugir!

Tínhamos de sair dali. Dirigimo-nos à saída principal, e foi nesse momento que se deu o terceiro abalo, aterrador como os outros, embora mais curto. A Sé abanou e ouviu-se um clamor, pois muitos pensaram que tinha chegado a sua hora. De cócoras, encostados a uma parede, Muhammed e eu esperámos que o teto nos caísse em cima, o que não aconteceu. Vimos, do lado oposto da igreja, um desmoronamento, mas foi tudo. Mais uma vez, a antiga Sé romana resistiu. Porém, as pessoas descontrolavam-se, em pânico. Algumas levantavam-se e corriam, caíam ao chão, voltavam a levantar-se e tornavam a correr, saindo à pressa da igreja. Outras, ajoelhadas, erguiam os braços ao alto e berravam:

– Misericórdia, misericórdia!!!

Muhammed e eu aproveitámos o alarido para sair por uma porta lateral da igreja. Na rua, nas redondezas, uma enorme nuvem de poeira quase nos cegou. O árabe espirrou e tossiu, antes de afirmar:

– Pó ir queimar garganta, ir precisar água...

Também eu estava cheio de sede, com a boca e a língua e a garganta ásperas. Inesperadamente, uma memória veio-me ao espírito. Há muitos anos, num domingo, viera à missa à Sé, seguindo uma rapariga formosa. Conversara com ela junto a uma fonte, enquanto outras mulheres enchiam os cântaros de água e os homens tagarelavam.

– Há uma fonte aqui perto – disse. – Só preciso de me lembrar para que lado era...

Dirigimo-nos à porta principal da Sé, para me situar, e visualizei o local da fonte. Apontei nessa direção, mas o árabe disse-me, preocupado:

– Cão Negro ir andar ali, nós não ir.

Bufei, chateado. Ele tinha razão.

– Devíamos ir rio, ir fugir – sugeriu.

– Eu sei. Mas sem água vai ser difícil.

Então, o árabe olhou para uns prédios em frente, que ainda estavam de pé, e declarou:

– Casas ter água.

Abanei a cabeça:

– Não, não depois do que aconteceu... Não deve haver uma vasilha que tenha resistido. Temos mesmo de ir à fonte... Estás com medo, rato?

O árabe irritou-se:

– Muhammed não ter medo!

Insultei-o, a rir:

– Mentiroso. És um rato medroso e foi por isso que fugiste e não me ajudaste! Só pensavas era no cu do francês!

A expressão no rosto dele mudou, passando de séria a divertida. Deu uma gargalhada:

– Santamaria ter mania, Santamaria só falar disso!

Coloquei um ar indignado:

– Eu?! Tu é que és assim! Alá fez-te ao contrário e, em vez de gostares de mulheres, gostas é de franceses bonitinhos!

Parei e rimo-nos de novo, bem-dispostos, e depois ficámos em silêncio, apenas sorrindo e compreendendo, dentro de nós, a sorte que havíamos tido, pois estávamos vivos e a dizer piadas. Quando esse efeito passou, o árabe perguntou:

– Santamaria ir fugir de Lisboa ou ir ficar?

Recordei a petição que enviara a Sebastião José e que ficara sem resposta, e depois revelei o meu sentimento:

– Já passaram muitos anos, ninguém se lembra de mim aqui. Se me apanharem, prendem-me outra vez. E a ti também.

– Melhor fugir – afirmou o árabe.

Apontou de seguida para as casas que haviam resistido:

– Ir procurar roupas novas?

Sorri: o árabe tinha boas ideias. Dirigimo-nos a uma das casas e entrámos. Passámos largos minutos a vasculhar, até descobrirmos um armário com roupas, de homem e de mulher. Brinquei com Muhammed:

– As de homem para mim, as de mulher para ti!

Bem-disposto, Muhammed pegou num vestido e colocou-o à sua frente, como se o provasse a ver se lhe servia, e começou a dançar, divertido, imitando os trejeitos de uma prostituta numa estalagem de Tortuga. Rimo-nos. Por momentos, senti a nostalgia das nossas viagens de piratas, e saudades daquelas bailarinas sempre disponíveis a troco de umas moedas. Muhammed pigarreou, numa voz rouca e desagradável:

– Soy una vieja putana, se me quieres vien...

Dei uma gargalhada: o árabe era um comediante talentoso, sempre me haviam divertido as suas pantominas. Embalado, virou-se de costas para mim, desceu as calças e abanou o seu rabo branco à minha frente, enquanto trauteava:

– Yo soy para ti, ven, ven!

Explodi numa sonora gargalhada e atirei-lhe com os sapatos ao rabo. Mais surpreendido do que irritado, parou a sua exibição e enfrentou-me:

– Que passar?

Gritei-lhe:

– Para com isso, velho palerma, temos de mudar de roupa!

Fingiu-se ofendido, como uma donzela:

– Santamaria muito sério, Santamaria nunca ir folgar...

Encolhi os ombros, despi as roupas de prisioneiro e vesti umas calças e uma camisa que encontrara no armário. Contrariado, o árabe mudou também de roupa. Contudo, não encontrámos sapatos que nos servissem e tivemos de manter os que trazíamos da prisão, uma espécie de socas de pano, nada úteis para correr naquele solo escavacado. De repente, ouvi o árabe a falar sozinho, e vi-o perto de outro armário, onde descobrira dois casacos castanhos. Eram demasiado pomposos para nós, e disse-lhe:

– Quem nos vir com eles vai desconfiar.

Com pena, Muhammed atirou os casacos para o soalho. Estava na altura de ir embora, mas pediu-me que esperasse mais um pouco, e abriu mais gavetas, ao fundo da sala.

– O que fazes? Vamos – protestei.

– Esperar, haver sempre joias...

Esvaziou as cómodas, mas desistiu, desiludido.

– Gente sovina – murmurou.

– Se calhar, tiveram tempo para levar as joias – afirmei.

Saímos da casa, em direção à fonte. Quando lá chegámos, vimos os soldados, e escondemo-nos. Foi aí que assistimos à cena que há pouco contei: a chegada do rapaz, os seus gritos, os soldados a correrem atrás do espanhol, o Cão Negro a aparecer e o rapaz a fugir.

Esperava que o Cão Negro o perseguisse, mas, ao ver a fonte, o espanhol parou de correr, e a sua escolta também. Havia pessoas, feridas e combalidas, à espera da sua vez de beber, mas o Cão Negro passou à frente delas e, quando um homem o tentou parar, ele abateu-o com a barra de ferro. Assustadas, as outras pessoas afastaram-se imediatamente, e o Cão Negro e os dois espanhóis beberam e depois lavaram-se.

Dois homens ganharam coragem e voltaram a aproximar-se da fonte, mas cometeram um erro. Os três bandidos desataram a bater-lhes, mataram-nos e roubaram-nos. Só depois beberam mais água e se foram embora, carregando às costas a roupa roubada.

Muhammed e eu saímos do esconderijo dez minutos mais tarde, dirigimo-nos à fonte e bebemos água. Mais gente estava a aparecer e, mesmo que observassem os corpos dos caídos no chão, ninguém se importava com eles. As pessoas só queriam beber água, não queriam saber quem tinha morrido, nem como, nem porquê.

9

Só vários meses depois do terramoto, já de novo preso, é que tomei conhecimento do que acontecera naquelas horas em Belém, onde o rei D. José e a corte foram confrontados com o sismo. Nos dias que se seguiram, soube-se que o rei não morrera, ao contrário do que chegou a correr nas primeiras horas, e nem sequer ficara ferido. Também se soube que, em Belém, os estragos haviam sido menores do que no centro da cidade; não se sentiram os efeitos das ondas gigantes que inundaram o Terreiro do Paço; e os terríveis incêndios, que alastraram durante dias nas zonas por onde nós andávamos, nunca chegaram lá. Poupada a corte a males maiores, o monarca conseguiu, com a ajuda de Sebastião José de Carvalho e Melo, reorganizar a vida do reino.

Tudo isto era do conhecimento geral, mas os detalhes, os pormenores do que se passara em Belém, só me foram revelados na visita que Bernardino, um ajudante de escrivão ao serviço do rei, meu conhecido do passado, e que por golpe do destino iria acabar como ajudante principal de Sebastião José de Carvalho e Melo, me fez à prisão. Naquela manhã do dia 1 de novembro de 1755, Bernardino tinha acompanhado a corte desde o Terreiro do Paço até Belém, num passeio matinal que se iniciara muito cedo, pois o rei queria ir ouvir missa junto aos Jerónimos, e obrigara todos a madrugarem, para que a comitiva não se atrasasse. Sonolento e contrariado,

Bernardino apresentara-se no pátio do Paço para acompanhar a família real naquela expedição.

Na sua carruagem, viajavam também duas aias e um padre jesuíta, chamado Malagrida, um homem agreste e desagradável, que o rei tinha em grande estima e a quem se confessava. Tal como muitos outros, Bernardino considerava-o enervante e sinuoso, e não conseguia trocar com ele mais do que duas palavras, além de embirrar com a sua barbicha de bode, um triângulo pontiagudo que se prolongava até meio do peito.

Como as aias eram gordas e feias, e o padre rezava o terço em silêncio, apenas mexendo os lábios sem produzir qualquer som, à medida que avançava ave-marias no seu rosário, Bernardino adormeceu entre Remolares e a ponte de Alcântara. Só acordou na Junqueira, onde apreciou os estéticos palacetes dos muitos nobres que se haviam ali instalado. Sorumbático, o padre Malagrida produziu comentários pouco abonatórios sobre a luxúria dos proprietários, um exemplo mais da perdição geral que, segundo ele, contaminava a cidade.

Sem lhe dar troco, Bernardino fingiu adormecer de novo, mas mais não fez do que passar mentalmente em revista os seus afazeres. Depois da missa, o rei certamente desejaria conhecer os assuntos pendentes, mas, tirando aquela invulgar petição, não havia nada de especial com que valesse a pena incomodar Sua Majestade num sábado.

Com o secretário do Reino cada vez mais velho e doente, os assuntos acumulavam-se, e muitos tinham de ser diretamente levados ao rei, ou então dirigidos ao secretário dos Negócios Estrangeiros, a quem Sua Majestade recorria cada vez mais. Bernardino intimidava-se bastante na presença de Sebastião José de Carvalho e Melo. O homem era altíssimo e os seus modos ríspidos causavam apreensão. Não era boa ideia cair em desgraça junto dele. Além disso, Bernardino temia que Sebastião José de Carvalho e Melo o reconhecesse dos tempos da juventude, quando pertencera ao grupo de jovens arruaceiros liderados pelo atual secretário dos Negócios Estrangeiros.

Era sabido que Sebastião José não gostava que lhe relembrassem esse passado desviante e de má reputação, quando era conhecido por o *Carvalhão*, e por isso Bernardino sempre evitara reavivar as memórias desses tempos, curtos, em que ambos tinham convivido.

Contudo, aquela estranha petição tinha de obter uma resposta. Provinha de um prisioneiro do Limoeiro, conhecido pelo nome de Santamaria, um pirata árabe que tinha sido entregue às autoridades portuguesas pelos franceses, e que agora revelava ser português. Segundo dizia, nascera em Portugal, aqui se tornara marinheiro, e só depois fora preso pelos árabes. O anterior rei, D. João V, recusara-se a pagar o resgate do navio, abandonando os seus tripulantes.

Esta parte da história era verídica, pois Bernardino lembrava-se bem do caso, apesar de já terem passado muitos anos. No entanto, o autor da petição acrescentava que fora obrigado, para sobreviver, a enveredar pela vida de pirata, caso contrário seria morto pelos árabes. Agora, que estava de volta a Portugal pela primeira vez, relembrava a sua nacionalidade original, a sua fidelidade ao rei e pedia clemência e liberdade.

Bernardino espantara-se com a assinatura da petição. Conhecia o nome, e lembrava-se bem daquele rapaz, muito jovem, que também fizera parte do grupo dos amigos fiéis de Sebastião José de Carvalho e Melo. E esse era, obviamente, o problema. Ao longo de mais de um mês, Bernardino não tivera coragem de falar no caso a Sebastião José. Até que chegara o dia em que não fora possível adiar mais.

– Como dizes que o homem se chamava? – perguntara Sebastião José.

– Agora ou no passado? – questionara Bernardino.

– No passado.

Ao ouvir o meu nome português, Sebastião José ficara silencioso. Depois comentara:

71

– Passaram muitos anos...

Temeroso, Bernardino contou-me que acrescentara de imediato:

– Não acredito nesta história. O tal Santamaria, um pirata, deve ter ouvido falar no barco português que ficou por lá, sem o resgate ser pago, e agora está a tentar fazer-se passar pelo verdadeiro português que ia no barco, que provavelmente está debaixo de terra há muitos anos. É uma artimanha, de certeza.

Sebastião José relera a petição. Depois, levantara-se e, pensativo, dera uns passos pela sala. Bernardino insistira:

– Este Santamaria foi preso pelos franceses, que o entregaram como um ato de boa vontade. Se o libertarmos, vamos ficar malvistos...

O ministro só se decidiu a falar algum tempo depois:

– Um pirata é um criminoso. Pela minha parte, fica na cadeia, seja ele quem for. Mas, formalmente, não tenho poderes para libertar presos. Com o secretário do Reino doente, só o rei pode aceitar ou negar essa petição. Terás de levar-lhe o caso amanhã.

Bernardino assim fez, e era essa a razão de viajar agora naquela carruagem, acompanhando a corte até Belém. De certa forma, espantava-o um homem tão resoluto como Sebastião José não ter tomado qualquer decisão acerca daquela estranha petição, mas só podia especular sobre as razões.

De repente, a carruagem parou. Tinham chegado ao destino. As duas aias sacudiram as suas saias e compuseram-se, com trejeitos femininos. Uma delas, mais afoita, dirigiu-se ao confessor real:

– Padre Malagrida, não leve a mal, mas estou em pecado e gostaria de me confessar antes da missa. O senhor padre pode fazê-lo?

O jesuíta franziu a testa:

– Não tenho tempo para ti, pecadora. Mas que fizeste? Como conspurcaste a tua alma?

Aflita, a aia não ousou revelar as suas faltas em frente de estranhos. O padre Malagrida fez uma careta:

– Não interessa... As mulheres são filhas do mal, transportam o demónio dentro delas. Não tenho tempo para ti, pecadora, vou confessar o rei antes da missa...

A criada fez um aceno submisso com a cabeça, e o confessor Malagrida saiu pela porta da carruagem. Bernardino encolheu os ombros e incentivou a rapariga:

– Há mais padres na igreja, arranjas um confessor de certeza.

Saltou da carruagem e apreciou os pátios, atulhados com a chegada da comitiva real. Centenas de pessoas tinham acompanhado o rei desde o Terreiro do Paço. Além dos cocheiros, dos soldados, das criadas e das aias, das cozinheiras e dos ajudantes de campo, dos escudeiros e das dezenas de escravos e escravas, havia também muitos nobres que tinham querido ouvir a missa junto da família real. Bem dizia Sebastião José que aquela gente se alapava ao rei, como carraças a um cão, mas pensamentos desses não eram admissíveis a alguém como Bernardino.

O ajudante de escrivão observou a rainha e as suas filhas a recolherem aos seus aposentos, e viu o padre Malagrida aproximar-se de D. José, que o saudou. Trocaram palavras, e depois Malagrida seguiu uns passos atrás do rei, a caminho do palácio. Iria certamente apoderar-se dos pecados reais com voracidade, o jesuíta.

Deixando-se ficar nos pátios, Bernardino refletiu na misteriosa petição. Seria eu quem dizia que era? Bernardino recordava-se de um bom moço em jovem. Pelos vistos tinha tido azar na vida, fora abandonado pelo rei anterior e enfiado nas masmorras árabes. Custava-lhe ter dito mal de mim, mas a última coisa que desejava era escarafunchar nas feridas do passado de Sebastião José de Carvalho e Melo. Era melhor deixar as coisas correrem o seu curso. Talvez o rei decidisse a minha libertação, reparando o erro do seu pai.

A missa começou a horas e a maioria dos fiéis ou entrou na pequena igreja ou ficou junto à porta, escutando os padres e os seus cânticos em latim. Porém, Bernardino depressa perdeu a paciência. Sem dar nas vistas, decidiu-se por umas voltas aos jardins do palácio. Conhecia a predileção especial do rei pelos animais exóticos, e tinha mais uma boa oportunidade para os apreciar sem que ninguém o incomodasse. Aproximou-se da zona das jaulas e entusiasmou-se ao ver os leões, enormes, com frondosas jubas a envolverem-lhes o focinho. Corriam de um lado para o outro, pareciam agitados e nervosos, mas sempre tivera a ideia de que eram assim por natureza.

Quando a terra começou a tremer, Bernardino assistiu, horrorizado, à queda daquelas enormes estruturas. A terra tremeu duas vezes no espaço de pouco tempo, e o improvisado parque animal nos jardins reais entrou em convulsão. Pássaros voaram, aos guinchos; macacos fugiam das árvores em queda; leões e pumas rugiam, provavelmente tão aterrados como os poucos humanos que por ali andavam; e até os elefantes e os rinocerontes pareciam siderados pela fúria dos tremores da terra.

Uma nuvem de poeira castanha subiu da terra para o céu, e Bernardino afastou as folhas das árvores e os ramos que tinham caído por cima dele. Dois domadores de leões surgiram, preocupados, pois as jaulas tinham abatido e as feras começavam perceber que podiam abandonar os locais de cativeiro.

Ouviam-se muitos gritos, vindos da igreja, e Bernardino alarmou-se. Teria o rei sido ferido pelo terramoto? Decidiu regressar à igreja, mas deu conta de movimento perto de si, e viu um pequeno puma, do tamanho de um gato, a correr na sua direção, assustado. Seguiu-se um rosnar desagradável, vindo de trás de uma árvore, e nem parou para pensar. Desatou a correr, atravessando o jardim aos pulos, enquanto os pássaros cacarejavam nas suas costas. Só parou junto do portão do jardim, que caíra com os abalos. Viu alguns homens e gritou-lhes:

– Cuidado! Há leões e pumas à solta!

Assustados, os guardas rapidamente tentaram recolocar o portão nos fechos. Bernardino seguiu, a correr, até à igreja, e só se tranquilizou quando viu a figura do rei. D. José estava de pé. Combalido, mas vivo.

10

Pelos meus cálculos, mais ou menos ao mesmo tempo que o rapaz se cruzava connosco próximo da Sé de Lisboa, uma extraordinária visão se apresentava aos olhos de irmã Margarida. Ainda hoje me lembro da emoção com que ela me descreveu o Rossio. Ao ver a praça, irmã Margarida deduziu que a cidade inteira ali acorrera ao mesmo tempo. Havia milhares de pessoas a correrem de um lado para o outro, ou sentadas no chão a rezarem ou a chorar, e era como se naquele momento de infelicidade geral uma voz superior aos habitantes os tivesse mandado reunirem-se ali, para partilhar a dor e tentar sobreviver em conjunto.

Caminhava uns metros atrás do «profetista» e da freira mais velha quando reparou que, à sua esquerda, o Hospital de Todos os Santos não caíra, embora apresentasse fendas na fachada, que a rasgavam de alto a baixo. Às janelas, os doentes observavam o Rossio.

Ao ver a freira mais velha estacar à sua frente, com cada vez mais dores na perna, irmã Margarida perguntou:

– Consegues continuar?

A perna também lhe doía, mas não tanto que se visse forçada a parar.

– Se ficar pra trás, eles boltam a prender-me – protestou a mulher mais velha. – E a ti tamvém. Num acredites no confessor, eles num bão deixar-te à solta. Estamos os três cundenados à morte pela Inquisição. Temos de fugir juntos.

No entanto, o «profetista» não esperara por elas, e já ia muitos metros à frente, fundindo-se com a multidão.

– Pelo menos nós duas – sugeriu a freira mais velha.

Irmã Margarida sabia que o desejo da outra mulher em ficar junto dela não era inocente, mas o seu bom coração não lhe permitia deixá-la para trás.

– Vamos – disse.

Irmã Alice passou o braço por cima dos ombros de irmã Margarida, e a rapariga carregou-a. Dias depois, confessou-me que sentira a mão da mulher mais velha a tocar-lhe levemente no peito, mas, como não sabia se era um gesto intencional ou fortuito, não a afastou. As duas foram caminhando, agora mais lentamente, observando a loucura geral que se apoderara dos habitantes de Lisboa.

Havia quem puxasse corpos pelos pés, arrastando-os pela praça, sem se perceber qual o destino que lhes iriam dar. Havia mulheres coxas, que gritavam de dor ao andar, usando traves cheias de pregos como bengalas. Havia homens deitados no chão, a sangrarem e a gritarem, que pareciam loucos, fazendo gestos rápidos, como se estivessem a afastar as moscas no ar, mas que só combatiam as terríveis visões que lhes povoavam a mente. Havia crianças, sem pernas ou sem braços, e até sem cabeça.

Muitos estavam agrupados e rezavam, pedindo perdão pelos seus pecados. As pessoas não sabiam o que fazer a seguir, e não havia médicos, nem ninguém para minorar as dores.

– Meu Deus – murmurou irmã Margarida, aterrorizada.

– Num olhes, criança – ordenou-lhe a mulher mais velha. – Bamos, bamos. Temos de nos afastar, para que os guardas num nos encontrem.

Foram atravessando aquela miséria até que chegaram a meio da praça e viram o «profetista», sentado no chão, junto a um grupo de pessoas, como se fizesse parte dele.

Pareciam ser duas famílias amigas, com homens, mulheres e crianças, e alguns lamentavam-se, mas outros recordavam a sorte que tinham tido, e as coisas que tinham conseguido tirar de casa a tempo. Ao lado, estavam pousados alguns baús de madeira, em cima dos quais se viam peças de roupa soltas.

Irmã Margarida compreendeu de imediato qual era a ideia do «profetista», e segundos mais tarde viu-o, pelo canto do olho, a roubar um casaco. Ninguém reparou, e o «profetista» levantou-se, veloz, e afastou-se cerca de vinte metros, escondendo-se no meio de quem passava.

– Tenho de me sentar – avisou a freira mais velha. – Estou cum munta sede.

Sentaram-se no chão, lado a lado. Uma mulher do grupo viu-as naquele estado e ordenou a uma menina que lhes desse um gole de água. A menina aproximou-se, com um pequeno jarro, e ofereceu-o à freira mais velha, que bebeu por ele. Depois, a menina passou o jarro a irmã Margarida.

– Obrigada – disse ela, depois de beber.

A menina sorriu e a seguir olhou para a freira mais velha, que não lhe sorriu. A mulher que enviara a menina olhou também para a freira mais velha e ficou subitamente séria, como que incomodada com o olhar que recebera de volta. Chamou a menina para perto dela, e depois comentou qualquer coisa com um homem. Este examinou as duas freiras, e irmã Margarida não gostou do olhar que ele lhes deitou. Ia levantar-se, mas nesse momento Lisboa foi vítima de um novo abalo de terra, o terceiro, o mais curto, e a vontade do homem foi imediatamente esquecida, pois todos gritaram na praça e o caos tomou conta do local.

Quando a agitação terminou, as duas freiras já se tinham afastado e já ninguém se lembrava delas. Atravessaram a praça, a caminho da Baixa da cidade, na direção do rio, para ficarem cada vez mais longe do Palácio da Inquisição e do Convento de São Domingos. Mas a freira mais velha tinha muita dificuldade de andar, e sentaram-se outra vez. Então, irmã Margarida reparou que a outra trazia um casaco na mão, mas não se dera conta a quem ela o roubara nem quando.

Será que estou a ser injusto com irmã Alice, traçando dela um desenho desfavorável? Não tenho nada contra mulheres que gostam de outras mulheres, até me diverti bastante com elas, juntando várias em certas noites na minha cama, para folgar. Mas esta era uma situação diferente: irmã Margarida provocava-me um sentimento forte, e ao ouvir estas histórias dela, fossem os seus companheiros homens ou mulheres, sentia de imediato uma picada forte no coração, o ciúme a castigar-me, e não conseguia ser benévolo na minha opinião sobre essas pessoas, como era o caso do inglês, ou desta freira que tentou seduzir a rapariga.

Passados alguns minutos em silêncio, irmã Alice perguntou:

– Porque disse o cunfessor que merecias a liverdade?

Como a rapariga não se dignou a responder, a outra insistiu:

– Dizem que tu lebaste o Demónio para o conbento, que se oubiam os gritos dele lá dentro...

Irmã Margarida defendeu-se:

– O que dizem nem sempre é verdade.

A freira mais velha ficou calada uns segundos e depois aprovou:

– Tens razão. De mim, tamvém dizem muita mentira... Quem dera ser tão má cumo dizem que sou.

Irmã Margarida não estava a gostar do rumo da conversa, mas não produziu qualquer comentário. Irmã Alice encolheu os ombros e perguntou:

– Tens família em Lisvoa?

– Não. Os meus pais morreram. Foi por isso que fui para o convento...

A rapariga bonita sentiu uma súbita vontade de chorar. Já ficara sozinha no mundo uma vez, e agora estava de novo na mesma situação. Mas isso, apesar de tudo, era melhor do que morrer queimada.

– Bais fugir pra donde? – perguntou a freira mais velha.

– Não sei. Não tenho família, nem amigos.

– Saves que, se ficares em Lisvoa, és presa outra bez e matam-te?

– Sei.

– Debias fugir prò mar, apanhar um varco para o Vrasil. No meio desta cunfusão, ninguém bai reparar...

Curiosa, irmã Margarida perguntou:

– E onde se apanham esses barcos para o Brasil?

– Lá em vaixo, no Terreiro do Paço...

– E tu, vens comigo? – perguntou irmã Margarida.

A outra sorriu:

– Estou belha de mais para uma biagem tão longa.

– Então o que vais fazer? Se te apanharem, também te prendem outra vez.

Ficaram as duas caladas, agora durante longos minutos. Correra mais de uma hora sobre o último abalo e o Rossio enchia-se cada vez mais, as pessoas vinham de todos os lados, da Baixa, do Bairro Alto, do Castelo.

Surpreendidas, as duas freiras viram reaparecer o «profetista». Nervoso, avisou-as:

– Tá perigoso, tá muito perigoso. Andam à nossa procura. Já conseguiram pegá os outros...

– Havia outros como nós? – perguntou irmã Alice, curiosa.

O «profetista» informou que mais prisioneiros se tinham evadido.

– Das celas do outro lado do Palácio. Mais dji vintji, mas já os pegaram a todos. E já sabem dji nós. O padri os avisou, tá na cara...

Irmã Margarida recordou as palavras do seu confessor: os guardas da Inquisição iriam andar à procura do «profetista» e de irmã Alice, casos mais graves, mas ninguém se ia preocupar com ela. Não sabia se tais palavras eram sábias, mas, a dar-lhes validade, se permanecesse junto daqueles dois seria presa fácil.

– Se sairmos do Rossio, nunca nos vão encontrar – disse.

O «profetista» revelou o seu acordo com a sugestão: queria dirigir-se depressa ao Terreiro do Paço, à procura de um lugar num barco.

– Bão bocês os dois – disse irmã Alice – e fujam prò Vrasil. Eu num cunsigo. É muito longe, a perna nã me dexa caminhar.

Decidido a pôr-se a caminho, o «profetista» perguntou a irmã Margarida:

– Cê vem?

Ela queria ir, mas não podia deixar irmã Alice ali, naquele estado. Abanou a cabeça:

– Não a deixo aqui sozinha. Vai andando, nós vamos mais devagar.

Ficaram as duas a vê-lo afastar-se, a caminho da zona a que chamavam Baixa, onde antes havia tantos prédios e tantas ruas e agora só existiam ruínas e poeira. Sempre com o seu terror íntimo das chamas, irmã Margarida contou-me que já àquela hora se começavam a ver colunas de fumo negro, provenientes de pequenos incêndios. A freira mais velha comentou que o «profetista» não devia ter tomado aquela direção, pois ia cruzar-se com os fogos. Um arrepio percorreu a espinha de irmã Margarida, ao lembrar-se do destino que lhe estava reservado, o de morrer numa fogueira. Benzeu-se.

– Tens medo do fuago? – perguntou irmã Alice, ao vê-la benzer-se.

– Sim.

A freira mais velha observou-a e depois tocou-lhe com um dedo no pescoço, nas marcas da corda com que ela tentara enforcar-se.

– Qué isto?

A rapariga bonita baixou os olhos envergonhada. A outra esperou que ela falasse, mas como isso não aconteceu ofereceu voluntariamente uma história.

– Mê pai morreu tinha eu oito anos. Matou-se, tinha díbidas e vevia muito. Saves cumo ele se matou?

– Não – respondeu irmã Margarida.

– Atou uma corda a um carbalho grande que habia perto de nossa casa, e enforcou-se. Lemvro-me de ber o corpo dele, já morto, pendurado lá no alto, e lemvro-me de uns bizinhos nossos o terem vaixado, e lemvro-me da cara dele, e das marcas da corda no pescoço.

Olhou para a rapariga:

– Cumo essas...

Depois, sorriu e acrescentou:

– Tens mesmo de fugir...

Determinada, fez um esforço para se levantar. Irmã Margarida deu-lhe o braço e as duas recomeçaram a caminhar.

– Num bamos por aquele lado – decidiu irmã Alice, apontando para os fumos dos incêndios. – Num te quero mais assustada do que já tás.

Irmã Margarida sorriu-lhe, com um sentimento de gratidão. Saíram do Rossio pelo canto esquerdo, como se fossem para a Sé ou para o Castelo, e a última vez que irmã Margarida olhou para trás viu ao longe as vestes brancas de dois guardas da Inquisição, que procuravam prisioneiros evadidos.

Irmã Alice era, sem dúvida, uma mulher inteligente. Conseguira afastar-se do palácio e do convento, fugindo aos guardas, e conseguira também afastar o «profetista», fingindo-se incapaz de ir até ao Tejo. Depois, manipulara o medo do fogo que a rapariga sentia, um medo que ela associava à prisão, à solidão, à morte. Em pouco tempo, dominara-a, obrigando-a a acompanhá-la.

11

Quando recordamos uma história que se passou há um ano, tentamos colocar os acontecimentos por ordem cronológica, para que possamos olhar para o que aconteceu de uma forma lógica e compreensível. É evidente que não assisti a muitos dos factos aqui descritos, e só soube deles através dos próprios, quando me contaram, ou de terceiros. Não sei, por isso, se tudo o que conto é verdade, se aconteceu exatamente assim, mas não tenho outra forma de o fazer, pois não? Além disso, é evidente que as histórias que conto, e a forma como o faço, também transportam os meus sentimentos sobre as pessoas, sejam elas boas ou más, e as minhas opiniões, sejam elas justas ou injustas. Mas como poderia ser de outra forma? Recorro à minha memória para ordenar as emoções e os factos, mas a minha memória não é independente de mim, das minhas ideias e dos meus sentimentos, pois não?

Quando Hugh Gold conseguiu finalmente raciocinar, pensou no que fazer a seguir, como reorganizar a sua vida. Talvez se devesse dirigir a casa do embaixador. Se continuasse até ao Rossio, podia depois subir até Santa Marta, e o seu amigo certamente o acolheria. Sorriu, ao pensar que ainda na véspera, antes de ir ter com a senhora Locke, estivera a jantar com o embaixador na casa do marquês de Marialva, no seu grande palácio, cujo pátio estava cheio de cavalariças e estrumes e onde os porcos passeavam alegremente, à solta. A fauna era vasta e colorida, criados e criaditas, frades e boticários, toureiros e brigadeiros, todos a escutarem, contentes, os fadinhos cantados no pátio e as anedotas contadas à varanda.

O repasto fora suculento, numa sala aquecida pelos braseiros, e haviam saboreado os doces e os guisados com gosto. Fora um serão divertido e, no final, tanto ele como o embaixador seguiram para os encontros amorosos, com as respetivas amantes. A do embaixador era a condessa de Vila Meã, uma portuguesa cujo marido passava em Paris uma temporada, e que se sentia muito sozinha. Quanto ao capitão, fora visitar a senhora Locke, cujo marido se deitava sempre com as galinhas, pois era um comerciante avarento, que trabalhava de sol a sol. A pobre senhora há muito que não recebia mimos do marido, e ao ver o capitão pela primeira vez soltara os seus olhares, sedutores e desejosos. Apesar de, na sua atividade, se cruzar com o senhor Locke por diversas vezes, o capitão não desincentivara as investidas da senhora, bem pelo contrário. O facto de ela ser casada com o representante de uma casa concorrente era mesmo uma vantagem, pois podia dar-lhe acesso a informação útil, tanto para os seus negócios, como para partilhar com o embaixador, que gostava de saber as novidades na comunidade inglesa da cidade.

Com uma natureza semelhante, o capitão e a senhora Locke caíram nos braços um do outro dois dias depois de se conhecerem. No último ano, encontravam-se, com regularidade semanal, às sextas-feiras à noite. Hugh Gold batia no postigo da janela da senhora, ela abria a porta das traseiras e conduzia-o até uma sala, que fechava à chave, não fosse o marido acordar subitamente.

Recordar a senhora Locke, fê-lo recordar a sua mulher e a criada. Hugh Gold não acreditava ainda que ambas tinham morrido no tremor de terra. E o que teria acontecido à senhora Locke e ao marido? Teriam sobrevivido? E a sua outra amante, a marquesa, estaria bem?

Vivia na Rua da Junqueira, num pequeno palacete. Será que os danos teriam sido tão graves nessa parte da cidade? Pensou em ir até lá, mas convenceu-se de que era impossível. Teria de atravessar a ribeira de Alcântara, andar vários quilómetros, e não se achava com forças para tal.

Sentiu de repente muita sede, e percebeu porquê. À sua frente, a cerca de dez metros, uma popular oferecia um jarro de água a duas crianças. Hugh Gold caminhou até ela e pediu-lhe se podia beber. Desconfiada, perguntou:

– És um herege?

Hugh Gold suspirou fundo, enfadado. Era sempre a mesma coisa, a mesma embirração dos católicos com ele.

– Sou inglês, english. E with sede, water!!

A outra não lhe estendeu o jarro e o capitão ouviu a sua proclamação indignada:

– Deus castigou a cidade por causa dos hereges!

Deu ordem às crianças para se levantarem e afastaram-se os três. O capitão observou-as, incrédulo, enquanto se juntavam a outro grupo de ajoelhadas, e ajoelharam também. Pouco depois, a ressabiada espalhou a sua opinião, enquanto apontava para ele. Gold deduziu que era melhor afastar-se: aquele grupo de fanáticas andava à procura de culpados e ele seria o primeiro a ser importunado.

Uma distração veio em seu auxílio. No canto oposto da praça, começou uma luta, vários homens envolveram-se na refrega, e as mulheres olharam para lá. O capitão reparou que dois dos envolvidos usavam vestes de prisioneiros. Deviam ter fugido do Tronco. A prisão dos marinheiros era próxima dali, e também devia ter sido atingida. Contudo, não havia guardas à vista. Era uma questão de tempo até as escaramuças tomarem conta da cidade...

Lisboa já era perigosa nos dias normais. Depois do pôr-do-sol, havia grupos de jovens a causarem distúrbios, bandidos a percorrerem as ruelas, e quase todas as semanas se ouvia falar de alguém morto à facada, pela calada da noite. Ele e o embaixador andavam sempre protegidos por quatro escravos negros, e mesmo assim às vezes eram incomodados.

Previa o pior. O caos e a anarquia eram o ambiente propício aos fora da lei. Ao pensar nisso, lembrou-se do seu dinheiro, guardado num cofre da casa comercial. Ainda era bastante. Se lhe roubassem tais possessões, aí é que ficava numa situação complicada. Sem casa, ainda se safava, sem dinheiro é que não.

Decidiu ir à casa comercial, que ficava por detrás dos mercados do Terreiro do Paço. Recolheria o dinheiro e depois pensaria no que fazer a seguir. Talvez fosse para a residência do embaixador, ou talvez a marquesa o deixasse pernoitar no palacete.

Reuniu forças e, mesmo sem ter bebido água, recomeçou a andar. Sentia-se ridículo, em pijama e chinelos, mas sempre estava melhor do que os nus, que vagueavam pela cidade como Deus os colocara no mundo. Atravessou Remolares, onde havia também muita gente junto ao rio, e pouco depois vislumbrou a Ribeira das Naus, as traseiras do Paço Real e a nova Igreja Patriarcal, que lhe pareceu muito danificada.

Sem aviso, um homem veio na sua direção, mas, como a sua cara mais parecia um bolo de poeira, não o reconheceu. O desconhecido entusiasmou-se:

– Capitão Gold! Está vivo?

A pergunta era estúpida e inútil, pensou o capitão, e a sua cara de espanto deve ter sido tal que forçou o homem a apresentar-se de pronto:

– Sou eu, Ferdinand Locke, da casa Locke & Grover!!!

Hugh Gold parou, boquiaberto. Era o próprio marido da senhora Locke, com quem estivera a divertir-se na véspera à noite, que lhe aparecia ali, no meio da hecatombe, o pó tornando-o irreconhecível, qual alma penada de um conto assustador! Balbuciou:

– Senhor Locke! Good lord, hell...

– Isto é horrível, insano – comentou o homem. – Está tudo destruído, não ficou nada de pé... Para onde vai?

Curiosamente, o senhor Locke falava um português quase perfeito, o que irritou o capitão, que apesar dos esforços misturava, e mal, as duas línguas. Explicou que ia à sua casa comercial.

– Não faça isso! – exclamou o homem. – Venho de lá agora, trouxe o dinheiro comigo, mas tive de fugir!

Bateu com a mão numa grande bolsa que carregava às costas.

– Trouxe só uma parte, não conseguia trazer mais! O resto ficou no cofre, debaixo da terra... Assim, os ladrões não vão descobri-lo... O senhor não vá lá agora, que já andam para aí muitos larápios... Se vai, ainda o matam!

Estava histérico, tolhido de receio, e o capitão suspeitou de que o senhor Locke estivesse a exagerar intencionalmente as suas narrativas, talvez quisesse que Hugh Gold não recuperasse o dinheiro, para que a sua casa ficasse mais afetada pelo desastre do que a dele. Porém, o capitão não temia os assaltantes e, mesmo ferido, podia dar-lhes luta. Não era nenhum cobardolas, como o senhor Locke, que fugia com o rabo entre as pernas.

– Good lord, nobody me mata! – insurgiu-se Gold. – Cos diabos, got to go, tenho de ir, my money!!

O senhor Locke franziu a testa, desconfiado, mas desistiu perante tanta determinação, e já se afastava quando o capitão lhe perguntou:

– And senhora Locke? Is she bem, all right?

O esposo da dita abriu os braços, torcendo a boca, numa careta preocupada:

– Não faço ideia. Saí de casa pelas sete da manhã, ainda ressonava. – Forçou um pouco mais a careta: – Ela ressona muito...

O capitão Hugh Gold contou-me que cometera nesse momento um pequeno deslize, ao dizer:

– Sim, I know.

Que erro, meter a pata na poça assim! Apesar da poeira que lhe pousava na cara, o senhor Locke esboçou um sorriso amarelo, embaraçado com o significado daquele enigmático «sim». Mas recompôs-se e disse:

– Espero que ela esteja bem, vou para lá agora.
– I'm sure, está bem – rematou o capitão.

Ao narrar-me este episódio, Hugh Gold agarrou-se à barriga, à gargalhada:
– «Sim, I know»!
Divertidíssimo, virou-se para mim:
– Good lord, cos diabos, where was my cabeça, my head? Tell this ao marido da senhora Locke, to the husband? Hell, he could ask: «Como senhor sabe? How do you know, capitão?» O que lhe respondia, what, hell? «I know porque folgar fridays with your wife! And ela adormece, sleeps, and ressona, seu cornudo!»
O capitão Hugh Gold deliciava-se com o ascendente que tinha sobre o senhor Locke por cobrir a mulher dele. É sempre assim com os amantes das mulheres casadas: há aquele sentimento de superioridade sobre o outro macho que os inebria, e os faz sentirem-se mais fortes do que o enganado.
– Good lord, cornudo e avarento, the poor man – rematou Hugh Gold. – More money than me! Mas, what the hell, cos diabos, me fucks his mulher, wife dele!
O capitão Hugh Gold não conseguia parar de rir, talvez para me impressionar, ou ao meu amigo Muhammed, sem saber que, nessa noite, mais alguém o ouvia e refletia seriamente sobre aquelas palavras.

12

Além de procurar a irmã, o rapaz andava também à procura do cão. Desde a noite anterior que não sabia dele, e estranhara aquela ausência. E agora, ao olhar para o que fora a sua casa, pensava no cão e no que lhe teria acontecido, e no quanto ele o poderia ajudar a procurar a irmã. O cão era muito inteligente e sabia perfeitamente o que fazer quando ele falava no nome da irmã. Por vezes, o rapaz perguntava ao cão:

– Onde está a Assunção?

E o cão lá ia procurar a irmã e depois ladrava para avisar o rapaz de que a tinha encontrado. Portanto, se num dia normal ele era capaz disso, naquele dia tenebroso ainda seria capaz de mais. Só que o cão não estava em parte alguma, nem respondia aos chamamentos. Após algum tempo, o rapaz parou, desanimado, e sentou-se no chão.

Na verdade, estava tão espantado e confundido que nem sequer tinha a certeza de aquela ser a sua casa, pois nada parecia o que era dantes. Pessoas nuas ou vestidas apareciam e desapareciam, almas perdidas a vaguearem por caminhos que julgavam que conheciam, mas agora desconheciam. Às vezes, quando passavam mulheres e crianças, o rapaz olhava os seus corpos nus e sujos e tinha vergonha por eles.

Decidiu explorar os escombros, mas a enormidade do esforço que encontrou pela frente fê-lo pensar em pedir ajuda. Explicou aos caminhantes que a irmã estava dentro de casa, que poderia ainda estar viva, que precisava de a procurar. Mas ninguém sequer parava para o escutar.

Algum tempo mais tarde, o rapaz encontrou um dos seus vizinhos, já de uma certa idade, que tinha o braço cheio de sangue e os olhos turvos de lágrimas, e lhe disse:

– Perdi a minha filha e o marido dela. Estão mortos, ali – apontou. – Não sei da minha mulher.

O rapaz contou-lhe a sua história e o homem benzeu-se e disse:

– Ninguém sobreviveu dentro destas casas... – E depois acrescentou: – Vem comigo, vamos para o Terreiro do Paço. Aqui ninguém nos vai ajudar.

O rapaz não quis seguir o conselho do vizinho. Este insistiu:

– Isto está cheio de ladrões. Entram nas casas e roubam tudo e, se lhes fazemos frente, matam-nos. Não é lugar para um rapaz.

O rapaz sabia disso e contou-lhe o que se tinha passado próximo da Sé, com os espanhóis, e acrescentou:

– Não vou deixar que eles façam mal à minha irmã.

O vizinho fez uma pausa e depois perguntou:

– Acreditas que ela está viva?

O rapaz disse que acreditava.

– És um rapaz com muita fé – comentou o vizinho. – Mas Deus castigou-nos, castigou os pecadores desta cidade.

O rapaz garantiu que a irmã não era uma pecadora. O vizinho interrompeu-o:

– Ela não, mas o teu padrasto...

O rapaz emudeceu. A fama do padrasto era conhecida da vizinhança.

– Ainda hoje de manhã – recordou o vizinho –, depois de tu e a tua mãe terem saído para a missa, vi o teu padrasto a conversar com a tua irmã e pela cara dele percebia-se o que estava a dizer...

Foi a vez de o rapaz o interromper:

– Ela nunca deixaria que ele lhe fizesse alguma coisa. Não é dessas.

O vizinho confirmou com um aceno de cabeça, mas acrescentou:

– Mas ele é um homem forte...

– Não – gritou o rapaz. – Ele não lhe fez mal! Se lhe fez, mato-o!

O vizinho sentiu a sua raiva, baixou os olhos e disse:

– Lisboa está perdida... Deus castigou-nos...

O rapaz, agora muito agitado, perguntou:

– Viu o meu padrasto depois do que aconteceu?

– Não. A última vez que o vi foi aqui à porta, a falar com a tua irmã, a rir-se para ela contou o vizinho. – Depois, ela entrou em casa e fechou a porta, e ele...

O rapaz interrompeu-o:

– Não fale do que não viu.

O vizinho questionou-o:

– Estás a acusar-me de lançar falsos testemunhos?

O rapaz respondeu:

– Não. Vá-se embora, se quiser, deixe-me sozinho, vou continuar à procura da minha irmã.

Depois de dizer isto, o rapaz regressou ao local onde antes ficava a porta de sua casa e começou a afastar as pedras e as traves. O vizinho deu meia volta e foi-se embora.

Esta conversa entre o rapaz e o vizinho deve ter ocorrido cerca de meia hora antes de eu o ver pela segunda vez. Muhammed e eu ficámos junto à fonte, a beber e a descansar, e depois, não vendo o Cão Negro nas redondezas, decidimos descer, a caminho do Terreiro do Paço e do rio. A encosta onde ficava a Sé apresentava enormes danos nos edifícios, a grande maioria deles tinham sofrido derrocadas ou estavam esventrados ao meio, com os interiores à mostra.

Como se fossem bolos a quem alguém havia cortado uma grande fatia exibiam os interiores, partes de quartos, camas, cadeiras, até lavatórios, suspensos no ar, presos por traves periclitantes. Roupa, utensílios íntimos, penicos, sapatos, colchas, formavam uma estranha mistura de cores, pedaços de madeira e tijolos soltos.

Fomos descendo, quase sempre em silêncio, como que fazendo uma homenagem muda às vítimas do cataclismo, até chegarmos à zona da Igreja da Madalena. De repente, vimos um cão, um animal bonito, preto, com o pelo brilhante, bem escovado. Passou por nós a abanar o rabo e a correr. Subiu um monte de entulho e começou a ladrar, entusiasmado, na direção de outro monte de entulho. Depois, desceu, colocando as suas patas com cuidado, para não se ferir nas pedras e nas pontiagudas madeiras que emergiam do chão. Um vulto saiu de um buraco na terra e abraçou o cão com contentamento. Percebi que era o mesmo rapaz que vira na fonte. Muhammed e eu aproximámo-nos e, quando chegámos a poucos metros, o rapaz viu-nos e ficou tenso. Examinava as nossas roupas desconfiado.

– Quem são vocês? – perguntou.

Muhammed tossiu e chamei o cão com um assobio. Veio ter comigo e passei-lhe a mão pela cabeça, fazendo-lhe festas. O cão parecia contente e abanava muito o rabo. O rapaz observou-me sem dizer nada.

– É bonito, o teu cão – afirmei.

O rapaz assobiou e o cão correu para ele. Depois, deu umas passadas rápidas para o lado, e enfiou-se por um buraco. Ouvimo-lo ladrar, e era um ladrar persistente, como se estivesse a chamar por alguém. O rapaz, ao ouvi-lo, desinteressou-se de nós e correu para o buraco, enfiando-se lá dentro. Espreitei: era uma espécie de passagem, onde uns degraus nasciam, um metro abaixo do nível do solo. O rapaz e o cão reapareceram.

– Acho que a minha irmã está lá em baixo. E tenho a certeza de que está viva – disse o rapaz.

Examinei aquele aglomerado de pedregulhos e cascalho, e perguntei:

– A tua casa era aqui?

O rapaz contou que estava em São Vicente de Fora, com a mãe, na missa, quando o terramoto os atingiu. A igreja abatera em cima da mãe, que morrera. Salvara-se porque saíra da igreja um pouco antes, pois queria regressar a casa, à procura da irmã, que ficara para trás com o padrasto.

– E o teu padrasto, onde está?

O rapaz baixou a cabeça, desanimado.

– Está morto, vi o corpo dele lá em baixo. Mas o cão está agitado, sente que ela está viva.

Bufei:

– Não sei, isto está tudo destruído. Chamaste por ela?

O rapaz chamara, mas não ouvira a voz da irmã a responder.

– Podem ajudar-me a procurá-la? – perguntou. – Já pedi ajuda a vários homens, e ao meu vizinho, que estava aqui há pouco, mas ninguém me quis ajudar.

Olhei para Muhammed. O árabe roía as unhas, nervoso. Sabia que ele ficava assim na presença de rapazinhos, e sabia também que nós éramos prisioneiros em fuga, e que devíamos sair da cidade o mais depressa possível.

O rapaz insistiu:

– Posso dar-vos comida, se quiserem. Descobri lá em baixo carne e pão, e uma panela com batatas cozidas. Devia ser o nosso almoço, quando voltássemos da missa.

Ao ouvi-lo falar em comida, Muhammed aproximou-se, sorridente.

– Santamaria, Muhammed ir ter fome. Muhammed ir comer, depois ir ajudar.

Sorri e aceitei a oferta do rapaz. Então, ele desceu ao buraco e regressou com uma panela. Sentámo-nos os três a comer, saboreando o repasto. Quando acabámos, o rapaz olhou para mim:

– Tu és mais alto, podes chegar mais longe.

Concordei e desci pelo buraco. O rapaz seguiu-me e o cão também. À minha frente, num espaço escuro e coberto de argamassa e caliça, existiam elevações irregulares de pedras e madeira. Uma trave grande impedia o avanço. O rapaz explicou:

– Isto é a entrada da cave. Se conseguires remover essa trave, podemos passar.

Lutei com o toro até que o consegui rodar. Empurrei--o para a direita, deixando uma abertura maior por onde podia passar. Contudo, muita poeira e pedras caíram em cima de mim, do rapaz e do cão.

– É melhor irem lá para fora – disse eu. – Isto é perigoso.

O rapaz e o cão saíram. Avancei, passando pela trave, e vi-me numa espécie de corredor, mas as suas paredes estavam destruídas, e havia uma enorme quantidade de pedras no chão, que se confundiam com o teto daquele local. Podia acontecer um desabamento a qualquer momento, mas fui avançando até onde podia. Uns metros à frente, o monte de entulho crescia, impedindo-me de continuar até ao fundo da cave. Gritei, procurando saber se estava ali alguém vivo, mas ninguém me respondeu. Ainda tentei escavar um pouco, afastar o entulho, mas depressa concluí que só avançaria se tivesse uma pá.

Dei meia volta e de repente vi um vulto deitado. Rastejei até lá. Era um homem e estava morto, mas o que me chamou a atenção foi o facto de a sua garganta ter sido cortada por uma facada. Saí e expliquei ao rapaz ser impossível ir mais longe.

Convicto, ele afirmou:

– Então, vou procurar uma pá e tu ajudas-me a remover a terra.

Bufei de novo.

– Há um homem morto, lá em baixo. Foste tu que lhe cortaste a garganta?

O rapaz ficou muito sério, mas disse que não, e repetiu o que já me contara: encontrara o padrasto morto, mas não sabia que ele estava com a garganta cortada.

– Não tenho nada que ver com isso, mas também não quero vir a ter – disse eu. – O homem foi assassinado. Não vou ficar aqui para me acusarem depois.

Muhammed concordou. O rapaz ficou indignado:

– Mas, eu ajudei-vos! Dei-vos de comer. Prometeste que me ajudavas a procurar a minha irmã!

Dei dois passos na direção dele e disse:

– E ajudei, fui lá abaixo. Chamei e não se ouve nada. Não vi a tua irmã e vi o teu padrasto degolado. Para mim, chega.

Saímos dali e nas minhas costas só ouvia os protestos e os insultos do rapaz:

– Mentiroso! És um mentiroso! Vocês são uns bandidos, se vir os guardas denuncio-vos!

Duas pedras aterraram próximo de mim, e virei-me para trás. Com receio, o rapaz mergulhou no buraco, seguido pelo cão. Depois, espreitou, colocando só a cabeça de fora e gritou mais uma vez:

– Mentiroso!

Irmã Margarida contou-me que o rapaz lhe dissera o mesmo que me disse: encontrara o padrasto morto. Mas ela também não sabia da facada na garganta, e o rapaz nunca esclareceu se tinha alguma coisa a ver com isto. Hoje, quando recordo os eventos daqueles dias, sei que há partes da história que naquele momento eram difíceis de esclarecer, como este episódio. Quem terá proferido o golpe mortal? Terá sido o rapaz, para se vingar do mal que o padrasto causara à sua irmã? Mas onde encontrou ele uma faca que pudesse golpear uma garganta daquela maneira?

Sempre que via o brilho dos seus olhos, a sua determinação, a sua coragem, sentia que havia nele um poderoso lado bom, mas também um poderoso lado sombrio, e não me era impossível admitir a hipótese de que fora ele quem, num momento de raiva e vingança, degolara o abusador da irmã.

Aqueles foram dias terríveis, dias em que perdemos os nossos gestos e os nossos pensamentos mais bondosos; dias em que o imperativo da sobrevivência e a presença constante do sofrimento e da morte nos alteravam, nos faziam praticar atos desagradáveis e até injustos ou criminosos; dias em que as regras se suspenderam e vieram ao de cima as vontades mais primitivas de cada um, o seu lado irracional, os seus medos e as suas raivas; dias em que deixámos de ser humanos e nos tornámos praticamente animais, sem razão ou compaixão, onde tudo o que queríamos era fugir e viver, e para isso faríamos o que fosse preciso, mesmo que horrível. Apesar de todos falarem de Deus, aqueles foram os dias em que Deus abandonou as pessoas e as deixou totalmente sós no confronto com uma natureza brutal. Nesses dias, fomos como os primeiros seres que existiram na Terra, há muitos e muitos anos, antes de no mundo haver sabedoria ou cortesia ou solidariedade.

13

Andámos talvez duzentos metros no meio daquele absurdo circo de uma cidade arrancada aos seus alicerces, levantada no ar por uma força tremenda, e depois deixada cair no chão com estrondo. A zona baixa, situada entre o Rossio e o Terreiro do Paço, estava em cacos. Cansados, sentámo-nos, Muhammed e eu.

A minha ideia era apanhar um barco para sair de Lisboa o mais depressa possível.

– Há sempre barcos a chegar e a partir, no Terreiro do Paço – disse. – Podemos ser contratados como marinheiros e vamos para o Brasil, buscar ouro!

Como tínhamos comido há pouco, estávamos de novo com os espíritos animados.

– Ir buscar ouro? Santamaria ir estar louco! Nós piratas, nós ir roubar ouro!

– Sim – concordei –, mas antes temos de sair daqui.

– Santamaria já não ir querer perdão de el-rei?

Encolhi os ombros, desconsolado:

– Nem me responderam. O reino de Portugal não quer saber de mim, mais uma vez.

Há muitos anos, ninguém se importara com a minha sorte. A história repetia-se e a minha petição nem sequer obtivera resposta.

– Já não me sinto português – afirmei. – Quero fugir daqui o mais depressa que puder. E o rio parece-me a melhor saída.

Muhammed esperou algum tempo antes de fazer a sua pergunta:

– Santamaria não ter família em Portugal?

Abanei a cabeça.

– Santamaria não ir conhecer ninguém?

Bufei, enfadado. Por acaso conhecia alguém, o seu nome era Sebastião José de Carvalho e Melo, o secretário dos Negócios Estrangeiros do reino, mas tinha muitas dúvidas de que se lembrasse de mim.

– Santamaria não ir conhecer mulher em Lisboa? Impossível! Santamaria ir gostar mulheres! Santamaria ir lembrar mulheres portuguesas!

Sim, pelo menos uma... Entre os vinte e os trinta andei a maior parte do tempo nos barcos, como marinheiro, piloto, e só vinha a Lisboa uma ou duas vezes por ano. Frequentava alcovas de meretrizes, ia às vezes às grades dos conventos namoriscar, mas nenhuma dessas mulheres deixara marca em mim. Apenas recordava uma rapariga, a que seguira até à fonte, e com quem conversara numa manhã de domingo. Sim, por onde andaria ela, por onde andaria Mariana, por quem eu me apaixonara um dia?

– Havia uma rapariga...

Muhammed bateu as palmas, encantado:

– Muhammed ir saber! Santamaria conquistador! Em Lisboa ou em Tortuga!

Irritei-me:

– Cala-te, palerma, não sabes o que dizes! Ela não era dessas...

Sim, Mariana era diferente. Conversáramos junto à fonte e ficara de imediato fascinado com a sua beleza serena, a sua cara redonda e os seus olhos negros. O seu cabelo era da mesma cor dos olhos e do seu rosto transparecia uma doçura e uma gentileza feminina que me encantaram. Acompanhara-a pela rua, namoriscáramos a partir dessa hora, e passáramos juntos cinco dias e cinco noites. Dissera-lhe que iria partir de barco, para África, e que só voltaria três a quatro meses depois. Isso não pareceu perturbá-la, e confortara-me, a sorrir:

– Sei que voltarás um dia, e eu estarei cá à tua espera.

Infelizmente, nunca voltei, a não ser agora, muitos anos depois. Provavelmente, já nem se lembrava de mim.

– Não sei onde ela vive agora – disse.

Muhammed perguntou:

– Aonde ir viver, quando Santamaria ir conhecer?

Recordei onde dormira com ela:

– Na encosta, a subir para o Bairro Alto. Vivia com uma tia velhota, quase surda.

Dei uma curta gargalhada e Muhammed quis saber porquê.

– A tia dormia num quarto cá em baixo e ela lá em cima. Ela disse à tia que eu vinha arranjar um telhado, e a tia perguntou, desconfiada: num domingo? Mas lá subimos para o quarto dela...

– E ir ser bom? – perguntou Muhammed.

– Sim.

Lembro-me dos abraços fortes que me dava depois de horas de sexo. Era como se pressentisse que não me iria ver mais, como me quisesse manter para sempre agarrado a ela, prendendo-me por amor no seu peito. Era uma mulher tranquila, mas ao mesmo tempo muito quente, e amara-me com entusiasmo, dedicando-se a mim com uma intensidade que tantos anos depois ainda recordo com saudade. Forniquei muitas outras, mas nenhuma me deixou impressionado como Mariana. Não as amei, só a amei a ela. É claro que, na minha vida, houve mulheres mais sabidas e até mais bonitas, mas Mariana foi a única que se entregou a mim totalmente, de corpo e alma e sonho e energia e fantasia. Foram noites saborosas que passei, com o calor de Mariana a aquecer-me, com os seus braços a envolverem-me. E nunca mais senti mulher nenhuma a vibrar tanto comigo como ela vibrou. Bastava tocar-lhe no peito, naquelas mamas redondas e bonitas e cheias que tinha, e endoidecia de prazer, revirando os olhos e gemendo por cima de mim, acelerando os movimentos do seu corpo para aumentar a sua excitação. Sim, Mariana era inesquecível e teve de ser Muhammed, com a sua habitual verve grosseira, a fazer-me descer à terra.

– Santamaria ir estar com peru de pé – disse ele, a rir.

Dei também uma gargalhada. Aquele momento nostálgico deixara-me quente por dentro, desejoso de ver uma mulher. Muhammed dera-se conta e gozava-me.

– Se Santamaria ir quiser, Muhammed ir vestir-se de mulher...

Bufei, divertido com as investidas do árabe. Fora sempre assim ao longo de muitos anos.

– O que eu preciso é de uma mulher a sério, não de um árabe tonto...

Muhammed fingiu-se ofendido.

– Santamaria mau, Santamaria bruto.

Sorri e depois perguntei-lhe:

– Achas que a devíamos procurar?

Muhammed encolheu os ombros, ainda sentido. Olhei na direção do Bairro Alto.

– Temos de atravessar a cidade, o Bairro Alto fica naquela colina à nossa frente. Mas, se tudo estiver como está deste lado, não vou nunca lembrar-me da casa da tia... Achas que vale a pena tentar, ou vamos para o rio?

Muhammed ficou uns segundos em silêncio e depois disse o que pensava.

– Melhor nós ir esconder uns dias. Lisboa ir ser grande confusão agora, muitos soldados ir estar no porto...

O árabe fazia bem em recordar que, num dia daqueles, haveria certamente mais gente à nossa procura. Decidi esquecer por umas horas o porto e subir ao Bairro Alto, à procura de Mariana. Levantámo-nos, mas de repente Muhammed puxou-me e gritou:

– Soldados!

Um pequeno grupo, talvez uns sete ou oito, vinham na nossa direção. Pareciam sujos e feridos, mas traziam espingardas a tiracolo. Muhammed murmurou:

– Se eles ir ver nós, ir prender nós.

A única possibilidade que tínhamos era recuar pelo mesmo caminho por onde tínhamos vindo e foi o que fizemos. Mas, para nosso azar, os soldados seguiram-nos. Deviam ir para a Sé, foi o que pensei. Voltámos à rua da casa do rapaz. Os soldados pararam de repente, conversando. Apontavam os braços, uns na direção do Rossio, outros na nossa direção. Depois, decidiram separar-se. Quatro foram na direção da praça e outros quatro continuaram no mesmo sentido que nós.

Tivemos de recuar mais uma vez. De repente, ouvi o ladrar zangado de um cão. Olhei na direção do ruído e vi o Cão Negro a levantar o rapaz no ar, pela gola da camisa. O rapaz esperneava, mas não conseguia libertar-se. O cão tentava morder as pernas do Cão Negro, mas este deu-lhe um pontapé e o cão ganiu, com dores.

Então, um dos outros espanhóis tentou espetar-lhe uma faca na barriga, mas o animal esquivou-se e o rapaz deu um grito, ordenando ao cão que fugisse, e o cão assim fez e desapareceu atrás de uns blocos de pedras. O Cão Negro ameaçou de morte o rapaz, mas ele não se assustou nem reagiu. Furioso, o espanhol pregou-lhe uma rasteira e o rapaz caiu, desamparado. O mastodonte pousou a sua enorme bota sobre ele, riu-se e retirou uma faca do cinturão. O rapaz permaneceu quieto a olhar fixamente para o seu carrasco, e nesse momento senti que era altura de intervir.

– Ei, cabrón – gritei. – A tua mierda continua a cheirar mal, hijo de puta!

O Cão Negro virou-se e reconheceu-nos, raivoso. Deu um pontapé forte no rapaz e procurou a espingarda.

Gritei-lhe:

– Luta com as mãos, cabrón. Vem cá cobarde, ou estás com tanto medo que só sabes lutar com a espingarda?

A palavra medo produziu o efeito que esperava, e tanto o Cão Negro como os outros dois espanhóis lançaram-se a correr na nossa direção. Muhammed gemeu:

– Santamaria...

Esperei uns segundos, só para me certificar de que o rapaz estava bem, e vi-o levantar-se, e olhámo-nos durante um segundo ou dois, e aquele seu olhar frio voltou a perturbar-me. Contudo, agora não era tempo para pensar nele, pois o Cão Negro e os dois outros estavam já a pouco mais de quinze metros de nós, saltando por entre os destroços. Era tempo de fugir deles, mais uma vez.

– Muhammed, por aqui! – gritei ao meu amigo.

Apontámos na direção de Alfama. As estreitas ruas do bairro seriam certamente nossas aliadas na fuga. Com tanta perdição, seria mais fácil de enganar o Cão Negro, que, cada vez mais perto, jurava, aos gritos, esquartejar--nos sem piedade. Fomos saltando por cima dos escombros e dos cadáveres que se multiplicavam pelo bairro. Chocávamos também com muita gente, que ficara junto às suas casas, contemplando com espanto e paralisia a destruição, como se não soubessem o que fazer a não ser admirar a força demolidora do terramoto, e sofrer com o que haviam perdido, que era tudo ou quase tudo.

Por causa das nossas socas, os espanhóis eram mais rápidos, e sabia que só tinha hipóteses naquele labirinto, em campo aberto seríamos presas fáceis. Foi então que passámos junto a uma mulher, que remexia uma panela, colocada por cima de um improvisado lume de carvão. O cheiro da comida chegou-me ao nariz, e vi pessoas a encherem de sopa umas malgas. Continuei a correr, com Muhammed uns passos atrás, quase sem fôlego.

Dez metros depois, ouvimos uma gritaria nas nossas costas, e espreitei. A cozinheira desatinava com o Cão Negro, que lhe apontava uma faca, e os dois outros espanhóis pegavam nas malgas e colocavam-nas dentro da panela, para retirarem sopa para eles. As outras pessoas, com medo, afastaram-se dali, e a mulher continuava a gritar com o Cão Negro, dizendo-lhe que a comida era para todos, pois todos estavam com fome. Farto de a ouvir, o gigante desembainhou a faca do cinturão e, num golpe rápido, cortou-lhe a garganta, e ela caiu para trás como se fosse uma folha seca, sem vida. Ouviram-se gritos, mas ninguém enfrentou o Cão Negro, e eles começaram a comer, esquecendo-se de nós, que corríamos para o rio. A única alma que vira, naquelas horas, ajudar alguém morrera, salvando-nos a vida.

14

– Como saves que a tua irmã está biba? – perguntou irmã Alice ao rapaz.

– Sei. Sinto que está.

A velha freira fez um sorriso escarninho, duvidando dele.

– Tens poderes de adibinho? Cuidado qu'isso nesta terra é perigoso – avisou irmã Alice.

O rapaz estava parado à frente delas, a cara suja, os cabelos desgrenhados e o cão sentado a seus pés, esperando instruções. O que impressionou irmã Margarida foi o olhar determinado dele, e a forma convicta como falava. Minutos depois de nós termos saído dali a correr, tinham-no encontrado, quando subiam para próximo da Sé, numa rua onde ficava a agora destruída Igreja da Madalena. Irmã Alice sentia-se dorida e cansada do esforço de andarem a pé, fugindo dos guardas que as procuravam no Rossio, mas não queria parar. Contudo, irmã Margarida convencera-a. E foi aí que viram o cão. Veio ter com elas, e roçou-se nas pernas de irmã Margarida. A freira mais velha tentou logo enxotá-lo para longe, como se o cão fosse um empecilho, mas o animal ignorou-a, pois a rapariga bonita fazia-lhe festas.

– Não gosta de cães? – perguntou ela.

– Não. Há cães a mais em Lisvoa, uibam a noite toda, num deixam ninguém dormir – disse irmã Alice. – São porcos. Comem as fezes e urinam nas portas das casas...

– Este parece muito caloroso – afirmou irmã Margarida.

– Debíamos matá-lo e comê-lo – propôs a outra freira.

– Num tás cum fome?

A rapariga bonita escandalizou-se:

– Comer um cão? Nem pensar! Não seria capaz!

A outra mulher riu-se:

– Na China comem cães... Espero que daqui a umas horas num te arrependas do que tás a dizer. Cum os guardas a perseguirem-nos, se num comemos nada...

– Não estamos na China – disse a rapariga.

– Mas estamos cum fome – ripostou a mais velha.

Sem elas terem reparado, o rapaz escutava-as e decidiu intervir.

– O cão é meu. Ninguém o vai comer.

As freiras olharam para ele, e a mais nova sorriu-lhe, mas a mais velha ficou nervosa, como se não tivesse gostado do seu aparecimento. O cão levantou-se logo e correu para o dono, roçando-se nas suas calças. O rapaz fez-lhe umas festas no focinho e continuou a observar as duas mulheres.

– Qué que queres? – perguntou irmã Alice.

– Nada – respondeu o rapaz. – Vocês é que querem alguma coisa...

A freira mais velha sorriu ligeiramente e perguntou:

– Qué qu'achas que queremos?

– Fugir.

Irmã Margarida pousou os olhos no chão. A mulher mais velha não se inquietou e perguntou:

– De quem?

– Ouvi-te a dizer que os guardas vos estão a perseguir – disse o rapaz, fazendo contacto visual com a freira.

– Fugiram da prisão?

Irmã Margarida mordeu o lábio. Irmã Alice aguentou o olhar do rapaz e disse-lhe:

– És muito descarado para um rapaz tão nobo. Porqu'é que num te metes na tua bida?

Foi a vez de ele sorrir.

– Eu é que devia dizer isso. Vocês estão sentadas na minha casa.

As freiras ficaram surpreendidas com esta afirmação e olharam à volta, como que procurando perceber onde era a casa, mas não havia nada que se assemelhasse a uma casa, só uma amálgama de materiais desorganizados, que de manhã tinham sido uma habitação e agora não eram mais do que uma lembrança na cabeça do rapaz.

– Era aqui a tua casa? – perguntou irmã Margarida.

O rapaz descreveu um vago círculo com a mão, delimitando a casa.

– Como é que não morreste? – quis saber a rapariga.

– Não estava cá.

– Tiveste sorte.

De repente, a expressão do rosto do rapaz mudou, entristecendo.

– Não. A minha mãe morreu nos meus braços.

– Aqui? – perguntou irmã Margarida, chocada.

O rapaz contou que fora na Igreja de São Vicente de Fora, onde morrera muita gente, com o desmoronamento.

– Salvei-me porque saí da igreja um pouco antes...

Irmã Alice comentou, sarcástica:

– Biraste costas a Deus... ele castigou-te.

O rapaz cerrou os olhos e irmã Margarida percebeu que ele não estava a simpatizar com irmã Alice. Comovida, intercedeu a seu favor:

– Irmã, não diga isso, a culpa não é dele. Foi a terra que tremeu.

Irmã Alice sorriu, desdenhosa:

– É tudo castigo de Deus, para todos! Esta terra de loucos foi castigada! Finalmente...

Irmã Margarida encolheu os ombros. O rapaz continuou a olhar para irmã Alice e contrapôs:

– Não me interessam os desígnios de Deus. Só quero encontrar a minha irmã.

A rapariga bonita perguntou-lhe onde estava a irmã e ele contou que ela ficara em casa, e que já encontrara o padrasto morto, mas não a irmã, embora sentisse que estava viva. Irmã Alice acusou-o de ter poderes de adivinho e o rapaz ripostou.

– Não tenho esses poderes, mas sei que ela está viva. O meu coração sabe. E o meu cão também.

– Cumo? – perguntou a freira mais velha, cética.

O rapaz explicou:

– Ele desapareceu debaixo dos escombros algum tempo, e voltou a abanar a cauda. Tenho a certeza de que a viu ou a cheirou. É muito ligado à minha irmã. Se ela estivesse morta, não abanava a cauda.

Irmã Alice desdenhou daquele disparate.

– Já bi gente a acreditar em estrelas, em cartas, em magias negras, mas nunca bi ninguém a acreditar na cauda d'um cão! Ó moço, acorda! Os cães avanam a cauda sempre, num qué dizer nada!

Muito calmo, o rapaz afirmou:

– Sei o que estou a dizer. Ela está viva.

Irmã Margarida estava impressionada com a crença do rapaz e perguntou, apontando para os escombros:

– Achas que ela está debaixo disto tudo?

O rapaz elucidou-a:

– A nossa casa tem uma cave. Ela pode estar lá presa, e agora não consegue sair.

A freira mais velha continuava cética.

– Bais demorar dias até cunseguir tirar esta porcaria toda e descovrir a cabe. Quando o fizeres, estará morta. Isto se num tiver morrido quando a casa lhe caiu em cima...

Irmã Margarida não gostou destas palavras carregadas de pessimismo, e indignou-se:

– Irmã, é claro que ela pode estar viva! Porque é que havemos de pensar o pior? Se ela se conseguiu abrigar, sobreviveu!

A outra ripostou:

– Num dês esperanças inúteis às pessoas! Tás a ber o qu'eu tou a ber? Num há uma casa em pé! Andamos em cima dos mortos! E tu achas que quem ficou dentro de casa sobrebibeu? Bamos mas é embora, prò rio, aqui num podemos ficar.

Irmã Alice começou a levantar-se, olhou mais uma vez para o rapaz e perguntou-lhe:

– Saves onde podemos encontrar água ou comida?

O rapaz olhou para ela e depois para irmã Margarida.

– Aqui – disse. – Tenho água e comida comigo.

Deu meia volta e contornou um monte de destroços, desaparecendo da vista delas. O cão foi atrás dele. Uns minutos mais tarde regressaram. O rapaz trazia um cântaro numa mão e um bocado de pão na outra e ofereceu-lhes. Elas beberam água e comeram o pão, e depois irmã Margarida disse:

– Obrigado. Vais ficar aqui? – perguntou.

– Sim – disse o rapaz.

– Porque não vais procurar ajuda?

– A Sé está um pandemónio, dezenas e dezenas de feridos e moribundos. Não têm gente para enviar...

– Debíamos ir – avisou irmã Alice.

– Porque não ficamos aqui a ajudá-lo? – perguntou-lhe a rapariga bonita.

O tom de voz da outra demonstrou a sua irritação:

– Os guardas bão aparecer... Quanto mais depressa sairmos daqui, melhor. E eu num consigo ir sozinha, preciso da tua ajuda.

O rapaz informou-as:

– Os únicos soldados que vi subiram há pouco, para o Limoeiro. E, se forem no sentido do rio, tenham cuidado, que andam por aí prisioneiros à solta.

– Cumo é que sabes? – perguntou irmã Alice, sempre cética.

– Já me cruzei com eles.

Contou que sobrevivera a dois encontros com o gangue do Cão Negro e não queria voltar a cruzar-se com eles.

– Violaram uma mulher à minha frente, depois de matarem o marido. Lá em cima, junto à Sé, numa casa.

– E mataram a mulher também? – perguntou a rapariga.

– Sim. E junto à fonte mataram mais gente. São perigosos. Tive sorte. Uns homens que também fugiram da prisão é que os chamaram, e eles foram atrás deles.

Desapareceram todos por ali e apontou na direção de Alfama. – Se fosse a vocês não ia por esse caminho – repetiu.

– O que tu queres sei eu! – exclamou irmã Alice. – Tás praí a assustar-nos com histórias pra ficarmos cuntigo! És esperto, mas num te bai serbir de nada. Bamos!

Com resolução, a freira mais velha começou a caminhar, embora cambaleando um pouco. Mas irmã Margarida ficou sentada, sem mostrar vontade de a seguir.

– Num bens? – perguntou a freira mais velha.

– É perigoso. Devíamos ficar aqui, ajudávamos o rapaz e evitávamos os bandidos.

A freira mais velha inflamou-se:

– Qués ser presa? Num perceves que boltas prà cadeia e bais ser queimada biba?

Ao ouvir estas palavras, o rapaz fitou irmã Margarida, espantado. Envergonhada, a rapariga bonita baixou os olhos, enquanto a outra prosseguiu:

– E olha práli, bês o fuago, o fumo dos incêndios? Há bários fuagos, a única saída possíbel é o rio!

Irmã Margarida viu as colunas de fumo, cortando em fatias o horizonte. Se ficassem ali, podiam ser apanhadas pelos guardas ou pelos fogos. Perguntou ao rapaz:

– Não queres vir connosco?

– Não – disse o rapaz.

Enquanto se iam embora, irmã Margarida levava o coração apertado, pois queria ter ficado. Irmã Alice apoiou-se nela e caminharam as duas em silêncio algum tempo. Depois, quando já estavam longe, a freira mais velha disse à mais nova:

– É um rapaz, mas parece um homem. Só pensam neles...

15

Enquanto nos lançávamos em correrias, fugindo do Cão Negro, e as freiras se cruzavam com o rapaz pela primeira vez, por onde andava o capitão Hugh Gold? Depois do encontro com o atarantado senhor Locke (que lhe provocou uma sensação íntima de superioridade e muito gozo), o capitão prosseguiu na direção do Terreiro do Paço, contornando a Igreja Patriarcal, recente e já tombada, qual pequena torre de papel amachucada por uma brincadeira de crianças. Mandada erguer por D. João V, um maníaco das grandezas religiosas, a destruída Patriarcal surgia-lhe agora como um símbolo da precariedade das construções humanas perante o poder destruidor da natureza.

Em redor das ruínas, centenas vagueavam, como peregrinos perdidos. Viam-se frades ajoelhados, de cabeça baixa, homens incrédulos, escravos negros a correrem, fugindo sabe-se lá de quê ou de quem. Nas traseiras das ruínas da igreja, Hugh Gold observou os contornos do Paço Real. Embora se notassem rachas nas suas fachadas, estava de pé e o seu altivo torreão ainda mirava o Tejo. O inglês questionou-se: estaria o rei lá dentro?

Avançou para o Terreiro do Paço. Teria de atravessá--lo para chegar à sua casa comercial, onde iria verificar se os seus dinheiros se haviam salvado. Aos habituais vândalos, era preciso somar os prisioneiros, como os vários que vira, fugidos do Tronco, que certamente não deixariam escapar aquela oportunidade para saquear todas as casas que pudessem. Por fim, Gold temia os escravos, aos milhares, cujos proprietários poderiam não os dominar no meio daquela barafunda...

Quando me referiu os escravos, em geral, Hugh Gold lançou sobre eles esta espécie de anátema com uma intenção que logo a seguir se me tornou evidente. Não eram os escravos em geral que desejava denegrir, mas um escravo em particular. Ou, melhor dizendo, uma escrava. Chamada Ester, era um ser misterioso e perturbador.

A começar pelo seu estatuto, houve sempre dúvidas sobre Ester que ninguém conseguiu dissipar. A mim disse-me várias vezes que já não era escrava, mas sim aia do palácio. Porém, o inglês sempre a contestou. Quando falava dela, referia-se «à escrava», e declarou várias vezes que ainda não era livre quando a conheceu.

Aliás, as circunstâncias do encontro inicial entre os dois são ligeiramente nebulosas. Hugh Gold contou-me que a vira a sair de uma das portas secundárias do Paço, carregando no regaço joias roubadas ao tesouro real. Ao vê-la, dera-se conta de que o saque no interior do palácio se tinha iniciado, e escravos como Ester aproveitavam a situação. Contudo, dias depois Ester contou-me uma versão diferente, revelando que carregava no regaço os valores para os salvar, pois havia salas onde já grassava o fogo e alguém – nunca me soube explicar quem – decidira evacuar o magnífico tesouro que D. João V acumulara durante décadas, dando ordens aos escravos nesse sentido.

Seja o que for que tenha acontecido, a verdade é que o encontro entre Ester e Gold foi um golpe fortuito do destino. Junto ao local onde o inglês estava, caiu parte de uma parede lateral do Paço, de forma inesperada e abrupta, e a escrava ficou soterrada parcialmente. Gold aproximou-se para tentar socorrer, não só a rapariga, mas quatro ou cinco outros escravos, que haviam sido colhidos pela massa de pedras, madeiras, varandins, alvenaria e argamassa. Os seus esforços revelaram-se inúteis: a maior parte estava morta ou em vias de esticar o pernil.

– Vi dois, two of them, cabeça rachada, broken head, miolos à mostra, good Lord. Hell, they scream, gemiam, on their way to outro mundo, heaven... Only escrava was viva!

Gold removeu os obstáculos e puxou-a para si. Desmaiada, respirava e à vista desarmada não tinha qualquer ferimento grave. O inglês tentou reanimá-la e pouco depois acordou. Exprimiu-se no seu dialeto africano, mas Gold explicou-lhe que não a entendia e ela saltou para o português. Carregando-a ao colo, o inglês afastou-a do local, por temer mais desmoronamentos.

Chegou com ela nos braços ao Terreiro do Paço, onde encontrou milhares de pessoas. Uns mantinham-se próximos do Paço, outros no centro, e grupos numerosos aproximavam-se do Cais da Pedra, na esperança de fugirem de barco. Do lado oriental da praça, junto às feitorias e à Alfândega, viam-se também multidões agitadas.

Gold e Ester permaneceram próximos do Paço, junto ao canto esquerdo da praça, e essa decisão veio a revelar-se essencial perante o que se passou a seguir. O inglês verificou que a rapariga recuperava as forças e, embora ainda dorida, estava até em melhor estado do que ele, que continuava com dores intensas no braço.

Foi nesse momento, de descanso e recuperação mútua, que Gold lhe perguntou onde estavam o rei e a corte.

– Não estão cá – respondeu Ester.

– Não, no? – perguntou Gold. – Then aonde?

– Belém. Saíram muito cedo, pelas sete da manhã, com uma grande comitiva. A missa estava marcada para as nove, junto ao palácio. Não sei o que se passou por lá...

A corte inteira deslocara-se com o rei e com a rainha, deixando para trás apenas alguns escravos e aias secundárias. Foi nesse momento que se intitulou a si própria como aia, e não como escrava, revelando que adquirira esse estatuto devido às novas leis, promulgadas recentemente por D. José.

– Cos diabos, hell, se és livre, why roubar joias? – perguntou Gold.

Ester negou este facto, mas é óbvio que o inglês não acreditou. De qualquer forma, as joias que a rapariga trazia haviam ficado soterradas nos escombros, não existindo já qualquer prova física para sustentar as acusações de Gold.

– Well, ouvi dizer that o tesouro real é magnífico, fantastic! – afirmou o inglês.

– Sim – confirmou a rapariga. – São milhares de pedras preciosas, joias, moedas. Dizem que o falecido D. João V apreciava muito essas riquezas, e tinha um dos maiores tesouros do mundo...

O inglês ficou a matutar e depois perguntou, curioso:

– And... há soldados, guards?

– Não. Quase todos acompanharam o rei para Belém. Os que ficaram, ou fugiram ou morreram.

Ester acrescentou que o Paço abalara fortemente. Mas, apesar de muitas paredes terem aberto rachas e da queda de alguns tetos de divisões interiores, no geral o edifício parecia seguro nos seus alicerces. Apenas o fogo, que grassava em certas áreas, representava um perigo iminente.

– Well – contou Gold –, the rest of cidade down. Lisboa irreconhecível, a disgrace!

O inglês descreveu à rapariga o que acontecera em Santa Catarina, junto à sua casa, e o que vira durante a sua caminhada, passando pelo Largo de São Paulo, por Remolares, até ao Terreiro do Paço.

– You know Patriarcal ruiu? Disgrace – comentou. Ester benzeu-se como uma católica.

– És catholic? – perguntou o inglês.

– Tive de ser – respondeu a rapariga.

Não devia ter mais de vinte primaveras, e era uma mulher pequenina, com uns olhos negros vivaços e formas redondas no corpo. O seu cabelo era curto, uma carapinha rala, e usava um pequeno turbante encarnado. Nascera em Portugal, mas os seus pais eram africanos, tinham vindo como escravos num navio negreiro. Como eram saudáveis, haviam sido escolhidos para trabalhar na construção do Convento de Mafra, uma obra do rei. Uns anos mais tarde, depois do nascimento de Ester, a mãe revelara dotes culinários e fora colocada nas cozinhas do Paço. A rapariga crescera em ambiente real e, chegada à adolescência, tornara-se também ela uma criada. Adotara os hábitos católicos da corte, mas nos dias seguintes todos nós iríamos perceber que a alma africana da rapariga não desaparecera, apenas submergira.

– O que achas que se vai passar agora? – perguntou Ester.

– Cos diabos, não sei, don't know – respondeu o inglês. – Lisboa é uma disgrace. See there, ali?

Apontou para o rio:

– Hell, they querem é fugir, to the river, cos diabos!

Junto ao Cais da Pedra, as multidões engrossavam. No entanto, os navios tinham dificuldades em aproximar-se, pois o mar estava agitado.

– Será que a terra vai tremer de novo? – perguntou a rapariga, assustada.

– Good lord, impossível saber! – exclamou Gold.

Em silêncio, Ester observou a praça, e depois afirmou:

– Dizem que foram as cavernas que há debaixo da terra. Estão cheias de gás, e quando o gás se escapa as cavernas abatem e a terra, cá em cima, treme...

O inglês olhou-a e perguntou:

– Cos diabos, quem disse that?

Orgulhosa, Ester respondeu:

– Um homem velho, um escravo que sabe tudo... Chama-se Abraão, e viajou muito pelo mundo antes de ser preso e de ter vindo para Lisboa.

Gold franziu a testa:

– Hell e onde está, where he is agora?

A rapariga suspirou:

– Não sei. Vi-o de manhã, mas depois não o voltei a ver.

Nesse momento, Ester fez contacto visual com ele, dizendo:

– Ele previu tudo isto, sabias?

De testa franzida, estranhando aquela conversa, o inglês ficou calado. Ela continuou:

– Quando o vimos, de manhã, disse que as conchas tinham falado e os animais fugido, que vinha aí grande mal para o mundo e que muita gente ia morrer.

O inglês suspirou:

– Well, he was right, tinha razão.

A sua voz apenas um murmúrio, Ester prosseguiu:

– Não há cães, nem gatos, nem pássaros na cidade. Há várias horas. Fugiram... Eles sabem primeiro do que nós, foi o que disse Abraão.

O inglês fez um sorriso amarelo:

– And what more? Said mais?

A rapariga prosseguiu:

– Disse que a terra, a água, o fogo e o ar iam fundir--se num só elemento que libertaria as forças do mal, e que os homens e as mulheres que sofriam se iam revoltar contra os senhores da terra, e muitas coisas más iam acontecer durante muito tempo até que tudo voltasse a ficar calmo e sereno.

O capitão Hugh Gold ouviu um rumor crescente. Virou a cabeça para o Cais da Pedra, onde nascera um tumulto. Dezenas de pessoas lutavam umas com as outras para tentar subir a bordo de uns barcos ali atracados. Não se viam soldados para acalmar aquela agitação.

– Cos diabos, hell, gonna end bad, vai acabar mal – disse o inglês.

Levantou-se para tentar ver melhor e o braço doeu--lhe. A rapariga disse:

– Queres que te trate o braço?

O inglês sorriu:

– Do you know, tu sabes?

– Sei muita coisa – disse Ester.

O inglês suspirou e voltou a sentar-se, junto a ela. A rapariga pediu-lhe que esticasse o braço, mas ele não conseguiu. Então, ela apalpou-lhe o braço com cuidado, tentando não provocar dor, e depois disse:

– Está muito mal. Aqui e aqui – disse, apontando com o dedo dois locais entre o cotovelo e o ombro.

O inglês ficou espantado, a olhar para ela, sem saber o que dizer.

– Devias vir comigo – continuou a rapariga.

– Hell, where, onde?

– Ao Paço. Lá dentro há quem te possa tratar.

O inglês abriu um sorriso jocoso.

– Oh, Abraão médico, doctor? «Profetista» and doctor?

A rapariga empertigou-se:

– Não devias brincar com coisas sérias. Vamos, vem comigo.

O capitão Hugh Gold seguiu-a. Tinham andado pouco mais de cinco metros quando escutaram um barulho estranho, intenso mas longínquo, embora parecesse sempre mais perto.

– O que é – perguntou Ester, preocupada. – Será outro abalo?

– Não, no – disse o inglês, em voz baixa. – Hell, outra coisa.

O barulho não vinha da terra, mas sim do mar, e estava a aproximar-se muito depressa.

16

Enquanto se corre depressa e se foge do perigo, há uma emoção permanente que atravessa o nosso corpo, uma intensidade interior que nos excita. Mas há também uma tremenda sensação de liberdade, uma alegria esfuziante, que nos contagia e nos absorve os pensamentos. À medida que Muhammed e eu íamos atravessando Alfama a correr, passando próximo da Casa dos Bicos, e nos íamos acercando do rio, do Cais da Pedra, do Terreiro do Paço, aonde desembarcáramos há meses como prisioneiros e agora chegávamos como fugitivos, uma inebriante sensação de libertação invadia-me. O terramoto fora uma oportunidade única para sairmos da prisão, e nem mesmo a perseguição que o Cão Negro nos movia, fruto do seu ódio por mim, me impedia de sentir que o mar estava finalmente mais perto, a liberdade mais próxima, e aquele arruinado mundo onde estávamos a viver desapareceria mal conseguíssemos colocar os pés a bordo de um barco!

Que saudades sentia do mar, do vento e das velas e das ondas. À medida que o rio aparecia à minha frente, subitamente feliz, prometia a mim mesmo que nada, nem ninguém, me iria agora impedir de fugir, de voltar ao mar e à liberdade. Contudo, quanto mais perto do nosso destino escolhido, mais confusão existia. Famílias inteiras, escravos, frades e freiras, todos deviam ter tido a mesma ideia que nós, apostando no rio como porta de saída da hecatombe. Reduzimos o passo, não porque assim o desejássemos, mas porque correr se tornava impossível no meio de tanta gente.

– Eles ir atrás de nós? – perguntou Muhammed.

Sem fôlego, o meu amigo árabe não conseguia falar, e teve de parar. Tentei distinguir a silhueta inimitável do Cão Negro, mas não o vi.

– Se calhar, ficaram para trás a comer – disse. – O Cais da Pedra é já aqui à frente. Vamos!

Muhammed seguiu-me, em dificuldades. O meu amigo árabe é mais baixo e magro do que eu e, embora seja um osso duro de roer, não é homem para grandes correrias.

– Soldados ir prender nós, Santamaria, cuidado!

Num dia normal, o aviso de Muhammed fazia sentido. Mas aquele não era um dia normal. Durante a aproximação ao Cais da Pedra, percebi que o que iria acontecer ali não havia soldado algum que conseguisse parar. A multidão engrossara, e as pessoas estavam descontroladas, apertando-se, tentando passar à frente umas das outras. Junto ao Cais da Pedra flutuavam três barcos, mas os pilotos tinham dificuldade para os controlar, e vi pessoas a cair ao mar enquanto tentavam saltar para dentro das embarcações. O cais encontrava-se repleto, centenas de pessoas gritavam, em estado febril, exigindo aos pilotos a estabilidade dos barcos e que as deixassem subir para o convés.

– Isto má ideia – murmurou Muhammed, nas minhas costas.

Depressa concluí que era impossível furar aquela massa histérica que se interpunha entre nós e os barcos. Decidimos então contornar as pessoas, aproximando-nos do Cais da Pedra pelo lado oposto, mais próximo do Paço. Descrevemos um semicírculo, e a meio do caminho, Muhammed puxou-me o braço:

– Santamaria!

O Cão Negro chegara e debatia-se, abrindo caminho à paulada no meio da multidão. Tal era a fúria que ele e os seus dois correligionários aplicavam nas agressões às pessoas, que várias haviam caído, com as cabeças a sangrar. Então as outras, sentindo-se muitas, começaram a reagir, revoltando-se contra aqueles atos ignóbeis e selvagens dos malfeitores. A luta aumentou de intensidade, e no meio da confusão surgiram três soldados, com pistolas, que tentaram cercar os espanhóis. Mas o Cão Negro dominava as artes militares e conseguiu rapidamente esquivar-se dos guardas, matando um e ferindo outro com o seu bastão. Aproveitando-se da refrega, os populares tentavam atingi-lo pelas costas, mas não conseguiam mais do que irritá-lo, e sofriam as consequências.

Num efeito imprevisto, a força da multidão desviara aquele estranho combate na nossa direção, pois as pessoas continuavam a empurrar-se para os barcos, e centenas mais, a quem a luta não interessava, iam chegando.

Muhammed olhou nesse momento para o rio e comentou:

– Rio ir doido, Santamaria.

A princípio, não percebi o que quis dizer. Mas uma sensação de estranheza fez-me olhar para o rio. Era como se as águas estivessem a recuar, se afastassem de nós... A maré parecia descer subitamente, e em certos locais o leito, castanho e enlameado, ficara à mostra. Ao mesmo tempo, e por causa desta inesperada e súbita movimentação fluvial, os barcos no Cais da Pedra quase tinham encalhado, com pouca água debaixo deles, e havia agora muitas pessoas que saltavam para as areias e caminhavam para as embarcações, agarrando-se aos cascos, tentando trepar.

Entre nós e o Cais da Pedra, a luta não amainava. Os soldados haviam desaparecido, mas dezenas de homens, talvez familiares de pessoas que o Cão Negro magoara ou ferira, haviam tomado a iniciativa de o castigar, e o combate aproximara-se de nós, estando a pouco mais de dez metros.

Muhammed continuava a observar o rio, preocupado.

– Estás preparado para nadar? – perguntei-lhe.

– Muhammed não ir saber nadar...

Dizia sempre que não sabia nadar, mas das várias vezes que o vira cair ao mar tinha-se safado, por isso não liguei.

– Estás a ver aquele barco?

Uma pequena falua ficara encalhada, no leito do rio, a cerca de vinte metros de nós.

– Vamos – disse.

Saltei do cais para a lama do rio, dois metros abaixo. Muhammed seguiu-me, com os pés enterrados no lodo. Inquieto, mantinha o seu olhar focado na direção da foz.

– O que é? – perguntei.

– Rio ir doido, Santamaria, muito perigo – murmurou.

Estava cada vez mais pálido e atribuí isso ao cansaço, à fome, à sede e a todas as emoções fortes que vivêramos aquela manhã.

– Vá, estamos quase lá! – incentivei-o.

De repente, ouvi um grito nas minhas costas.

– Cabrón!

O meu sangue gelou-se nas veias. O Cão Negro saltara também para o leito do rio, seguido pelos seus dois cães de fila. Mas o que era mais surpreendente é que muitos homens, talvez dez ou doze, saltavam também atrás dos espanhóis, perseguindo-os. Vinham todos na nossa direção. Pelas caras, já haviam adivinhado a nossa ideia e, para perseguidores e perseguidos, o bem mais valioso era agora o pequeno barco.

Tentámos empurrá-lo para o rio, para que começasse a navegar, mas o casco encalhou nas lamas, pois a água continuava a escapar-se.

Gritei a Muhammed:

– Empurra, força!

Mas o meu amigo árabe já não me ouvia. Correra para a frente do barco, para tentar apontá-la para o rio, e agora estava parado, como uma estátua, virado na direção do Bugio e do mar.

– Muhammed, ajuda! – gritei.

Vi o Cão Negro a três metros de mim. Os seus dois ajudantes pararam, e viraram-se para trás, como que a defenderem o barco dos populares. O Cão Negro sorria, e trazia na mão direita o seu habitual bastão e na esquerda uma faca. Rosnou:

– Cabrón, finalmente...

Três ou quatro populares avançaram contra os espanhóis, mas eles escorraçaram-nos. Enquanto os ouvia, o Cão Negro recuperava o fôlego. Puxei da minha faca e esperei pela sua investida. Chegáramos tão próximos da liberdade... Se não fosse a maré ter descido daquela estranha maneira, já estaríamos a navegar. Contudo, a sorte não quisera nada connosco e teria de matar o Cão Negro se quisesse ficar com aquele barco e ser livre. Este pensamento deu-me uma força adicional, e senti uma calma interior invadir-me. Teria de ser hábil e esperto para chegar ao fim daquela luta vencedor, mas tinha a certeza de que isso ia acontecer.

Nesse momento, o Cão Negro correu, gritando e brandindo as suas armas. Esquivei-me e passei-lhe uma rasteira, como fizera no Limoeiro. Não aprendera com o erro. Desequilibrou-se na lama, sem cair. Mas, para meu azar, ficou entre mim e a falua.

Ouvi então um rumor profundo, um estranho barulho que parecia longínquo, mas em aproximação. O Cão Negro também o ouviu e olhámos ao mesmo tempo para a foz do rio, mas nada nos pareceu diferente ou invulgar. Segundos depois, avançou e, nesse momento, vi que Muhammed estava dentro do barco, nas costas do Cão Negro. Esperei vê-lo pegar num remo para atingir o espanhol à traição, mas o árabe não fez nada disso. Branco como as bandeiras de paz, não se mexia, nem deixava de olhar para a foz do rio. E, de repente, urrou:

– Aaaaaaaaaaaaaaaaaaaaaah...

Foi um grito lancinante, como eu nunca o ouvira gritar. Tentei perceber se fora atingido por um tiro ou coisa assim, mas continuava paralisado, a olhar e a gritar e não percebi porquê. O Cão Negro também se virara para trás, confundido pelo horripilante uivo de Muhammed, mas depressa se desinteressou e voltou a dedicar-se à luta. Tentei esquivar-me das suas facadas e bastonadas e movimentar-me de maneira a voltar a ficar próximo do barco, mas o Cão Negro percebeu a minha ideia e não mo permitiu. Atrás de mim, os dois espanhóis haviam contido os populares e todos pareciam esperar o fim do nosso corpo a corpo para iniciarem depois a disputa do barco.

Nisto, Muhammed lançou um segundo grito, e agora apontava o dedo para a foz do rio, querendo mostrar--me o que se estava ali a passar. Porém, tinha o Cão Negro à minha frente e depois só via o barco e mais nada. Só escutava o barulho, que crescia. O Cão Negro fustigou-me novamente e a barra atingiu-me no ombro, mas, com rapidez, consegui atingi-lo também com a faca na perna, e vi o sangue a correr. Ajoelhou subitamente, dorido do golpe, ainda mais raivoso.

Aproveitei este segundo de vantagem para rodeá-lo e aproximar-me do barco. Notei que algo estranho estava a acontecer. Os populares, no meio da lama, apontavam para o mar, gritando também, e alguns desataram a fugir, regressando à margem. Os espanhóis também berraram, alarmados, e chamaram o Cão Negro. Ouvi Muhammed também a gritar:

– Santamaria, saltar!!!

E foi então que vi o que assustara o meu amigo e o meu coração encheu-se de medo. Sendo um homem do mar, já vira tempestades sinistras e vivera momentos de susto e mesmo pânico. Mas nada como isto. À minha frente, a cerca de quinhentos metros, erguia-se um muro gigante de água, que ligava as duas margens do Tejo e avançava para nós com uma velocidade impressionante. Uma onda colossal, a maior que alguma vez vira, com mais de trinta metros de altura, disparava na nossa dire-ção! Agora compreendia o grito aterrorizado do meu amigo árabe, que, em cima do barco, a vira antes de todos nós. De repente, senti que a morte estava ali para me abraçar. Durante breves segundos, pelo meu cérebro passaram imagens muito rápidas, sem sentido, e só uma delas pareceu real. Vi Mariana, aquela mulher que amara em Lisboa anos antes, a dizer-me que sabia que eu ia voltar.

Olhei por uns segundos a cidade. Dali, no meio da lama do rio Tejo, consegui ver o Terreiro do Paço, o Castelo de São Jorge, orgulhoso lá no cimo, as colinas do Bairro Alto, e senti que aquela linda cidade ia ser a última imagem que levaria comigo para as profundezas do inferno, para onde Deus me iria enviar, certamente para me castigar do mal que fiz a tanta gente, durante tantos anos.

Mas o que me entristecia era saber que ia morrer sem ver Mariana. Fechei os olhos e bufei. Depois, voltei a abri-los. A onda estava a chegar e era uma coisa indescritível: uma montanha de água cada vez mais alta e poderosa, uma vaga espetacular e majestosa. E iria tragar Lisboa, varrer Lisboa, com a sua imparável energia!

Corri para a falua, deixando o Cão Negro ajoelhado na lama, a tentar levantar-se. Icei-me para o pequeno convés. Muhammed mirava a onda, pálido e mudo. Aquela coisa gigante ia cair-nos em cima dentro de segundos. Num gesto rápido, agarrei no cabo da vela, em volta da cintura de Muhammed e depois passei-o também à volta da minha cintura. Cerrei os dentes e os punhos e disse:

– Coragem, amigo.

Muhammed começou a chorar e lamentou-se:

– Muhammed ir ter medo de morrer...

Coloquei o braço à volta dos ombros dele e apertei-o:

– Coragem, amigo...

E a monumental onda caiu sobre nós.

Parte II

ÁGUA

17

Nas horas que se seguiram ao terramoto, uma espécie de anarquia reinou em Belém. Apavorado, o rei recusou-se a entrar no palácio, por ver rachas e fendas nas paredes, e temer o desabamento dos periclitantes telhados. Numa balbúrdia de ordens, contraordens, desejos e medos, a corte instalou-se nos jardins. Muitas mulheres, incluindo a rainha, desmaiavam constantemente, obrigando as aias a grandes transtornos e esforços de reanimação; e os homens cirandavam, alarmados, à procura de respostas que ninguém tinha.

Por sorte, o teto da igreja onde decorria a missa não abatera, nem havia por isso feridos a registar, mas dentro do palácio havia danos e criados feridos. Enjoadas com o sangue avistado nas testas dos servos, a rainha e as suas acompanhantes regressaram à pressa para os jardins, em pânico. Sem sucesso, todos procuravam acalmar-se mutuamente. Os nobres improvisavam audiências com o rei nos bancos do jardim, mas do encontro dos espíritos não saía qualquer ideia útil.

Para mais, ninguém sabia o que se passara no centro da cidade, não havia notícias. O rei enviou uns poucos soldados para Lisboa, e alguns dos nobres decidiram partir, em carruagens, para as suas casas e palacetes da Junqueira, temerosos pelas famílias, filhos e criadagem.

Quando se soube que os ferozes animais andavam à solta, e assim era, pois os rugidos facilmente se ouviam, uma nova onda de pânico instalou-se, produzindo gritarias e fugas desconexas. O rei mandou cercar os animais e deu ordens para abater de imediato qualquer fera que se aventurasse fora do perímetro fechado do parque zoológico. Domadores e tratadores faziam o que podiam para reconstruir as jaulas e reconduzir os animais para dentro delas, mas várias horas passaram até que leões, pumas e panteras deixassem de ser um perigo permanente. Bernardino contou-me que houve mesmo uma vítima: um vistoso leão foi abatido, sem dó nem piedade, quando colocou as patas em cima de um muro e rugiu na direção do rei.

A meio da manhã, uma carruagem entrou pelos portões do palácio em grande velocidade, e Bernardino viu chegar Sebastião José de Carvalho e Melo, cujo andar sereno e vertical demonstrava não estar o seu espírito tão afetado como quase todos em Belém. O secretário dos Negócios Estrangeiros fora surpreendido pelos abalos em casa, na Rua do Século. Embora danificado, o edifício havia resistido e não havia mortos a registar. Sebastião José dera-se conta, quase de imediato, que estava perante um acontecimento de proporções gigantescas. Num curto passeio, dado próximo de casa, verificara um alarme geral e uma enorme destruição, seja para as bandas do Poço dos Negros ou Santa Catarina, seja para o Bairro Alto.

Perante tal situação, decidiu partir para Belém, preocupado com o rei. Durante a viagem, visionou mais estragos na cidade, embora a gravidade deles fosse diminuindo à medida que se afastava do centro. Um êxodo de habitantes havia-se já iniciado: as pessoas pareciam procurar refúgio nos campos, à volta de Lisboa.

Ainda antes da sua chegada, receberam-se notícias vindas do centro, e não podiam ser mais trágicas. Falava-se numa nuvem negra que cobria a cidade, em igrejas destruídas, em prédios tombados, numa mortandade geral sem precedentes. O rei ficara naturalmente impressionado e logo ali fora decidido iniciar uma reza especial, dedicada às possíveis vítimas. Sua Majestade pediu também aos presentes que não contassem nada, para já, à rainha, pois temia que ela perdesse de novo os sentidos.

A primeira boa notícia do dia chegou quase ao mesmo tempo que Sebastião José de Carvalho e Melo: o Aqueduto das Águas Livres, recentemente inaugurado, não abatera. Lisboa continuaria a ser abastecida de água, os seus habitantes não morreriam à sede. Contudo, as más notícias não paravam. Muitos faziam fabulosas referências a uma onda gigante, que supostamente teria inundado a cidade.

Confrontado com um cenário tão catastrófico, o rei deixou-se invadir por uma enorme angústia, que lhe paralisou as capacidades, e ninguém à sua volta, nenhum nobre ou ajudante, lhe dava qualquer conselho útil. Uns reforçavam a necessidade das rezas, outros invocavam os castigos de Deus, e ainda outros alvitravam que o rei se devia afastar de Lisboa, prevendo a continuação dos abalos e concluindo não ser seguro manter-se o monarca num local onde corria risco de vida.

A chegada de Sebastião José de Carvalho e Melo produziu, porém, um efeito imediato. Aproximou-se de D. José, congratulou-se por ele e toda a família real estarem a salvo, e relatou o que vira no caminho. O rei benzeu-se mais uma vez, desolado, mas logo o seu secretário dos Negócios Estrangeiros propôs soluções para reagir à calamidade, infundindo ânimo no detentor da coroa.

Muito se disse mais tarde sobre a célebre frase que Sebastião José terá proferido, mas Bernardino nunca me foi capaz de confirmar se foi mesmo ele a proferi-la. Seja como for, todos atribuíram a Sebastião José a máxima: «Enterrar os mortos, tratar dos vivos e fechar os portos», e essa lucidez, esse pragmatismo, essa capacidade para manter o sangue-frio no coração daquela tempestade, revelou ser ele o único que não se deixava abater pelas circunstâncias.

Sob o seu comando, e perante a perplexidade dos nobres e da criadagem que por ali vegetava, várias equipas foram formadas, com voluntários e soldados, para partir de pronto para o centro da cidade, com o objetivo de avaliar os estragos. Uma equipa foi especialmente encarregada de ir ao Cais da Pedra, fechar o porto à navegação; e outra ao Paço Real, proteger os tesouros reais.

Uma das preocupações fundamentais de Sebastião José de Carvalho e Melo foi a segurança, e logo um emissário foi enviado a casa do marquês de Alegrete, presidente da Câmara, para saber como estava ele a preparar as tropas. Além disso, tentou-se também organizar a ajuda médica, saber onde viviam médicos, saber se os hospitais da cidade estavam em funcionamento ou se a destruição os atingira. Alguns dos nobres envolveram-se nestes esforços, mas a maioria permaneceu numa passividade estranha, uma recusa calada de cederem o controlo da situação ao secretário dos Negócios Estrangeiros. O rei, pela sua parte, confiou cegamente nele, e a tudo dizia que sim, aliviado por alguém saber o que fazer naquele dia terrível.

Quanto a Bernardino, concluiu que seria absurdo incomodar D. José com a sua petição. Perante um acontecimento extraordinário, cujas consequências sobre o reino eram ainda desconhecidas e totalmente imprevisíveis, uma singela petição de um pirata preso no Limoeiro soava como um pormenor ridículo.

Por volta do meio-dia, um criado veio chamar Bernardino, que se encontrava próximo do portão dos jardins, examinando a azáfama com que os domadores tentavam subjugar as feras. Um deles levara uma patada numa perna, e sentara-se ferido e exausto. Bernardino confortava-o quando o criado lhe disse:

– Tem de se apresentar de imediato junto à carruagem do secretário dos Negócios Estrangeiros. Ordens de Sua Majestade!

O ajudante de escrivão sentiu um arrepio na espinha:

– Mas porquê? Sabes qual a razão?

– Não me disseram – confessou o criado. – O secretário chamou por si, mas, como não estava presente, ordenou-me que o viesse procurar! Acho que vai a Lisboa...

– Quem? – perguntou Bernardino, espantado. – O rei vai para Lisboa?

O criado estacou:

– O rei? Cruzes credo! O rei iria para Lisboa fazer o quê? Dizem que está tudo destruído por lá! Caiu a Patriarcal, a nova; caiu o Paço Real; até o Convento de São Domingos caiu!

Bernardino encolheu os ombros e murmurou:

– Esse também não faz muita falta...

O criado benzeu-se, assustado:

– Não fale assim, olhe que o padre Malagrida ainda o ouve!

Em passo apressado, chegaram às carruagens, e Bernardino viu a figura envelhecida do padre Malagrida à sua direita. O jesuíta rezava o terço, às voltinhas, seguindo um círculo imaginário no chão, ora aproximando-se das carruagens, ora afastando-se. Estava de olhos cerrados, indiferente ao barulho dos cocheiros e dos cavalos.

Bernardino parou junto do transporte de Sebastião José e pouco depois viu aparecer o ministro, em passo apressado, que lhe perguntou, numa voz ríspida:

– Tens papel e caneta?

Bernardino mostrou-lhe a pequena pasta. Trazia-a sempre consigo e nela viajavam um tinteiro e uma pena, como se exigia a um ajudante de escrivão.

– Temos de ir para Lisboa. Quero que anotes a destruição, o que vamos vendo, tudo – ordenou o ministro.

Num gesto determinado, abriu a porta da carruagem, deu ordens ao cocheiro e impulsionou-se para dentro. Nisto, ouviu-se uma voz a proferir bem alto:

– Isto foi castigo de Deus!

Em volta, os presentes pararam, aflitos. A três metros dele, Bernardino ouviu o padre Malagrida, de olhar inflamado, dizer:

– Deus está a punir esta cidade de gente pecadora e vil! Deus quis pôr um fim à desordem moral, à luxúria, à baixeza dos homens e mulheres de Lisboa!

Sebastião José enfrentou-o, ainda com um pé fora da carruagem:

— Padre Malagrida, temos de socorrer as pessoas, não lhe parece?

O confessor real deu dois passos em frente, com o terço nas mãos, e afirmou:

— O rei já se confessou dos pecados, mas nem todos o fizeram! E é por isso que Deus nos infligiu este terrível castigo...

Bernardino captou a crítica implícita nas palavras do velho padre: Sebastião José de Carvalho e Melo nunca se confessava aos jesuítas e muito menos a Malagrida.

O ministro ripostou:

— Mais tarde teremos tempo para tudo, padre Malagrida. Tempo para nos confessarmos, tempo para rezarmos, tempo para pensarmos nos desígnios de Deus. Mas, por agora, há coisas mais urgentes...

Com um sorriso cínico, Malagrida perguntou:

— Há coisas mais urgentes do que Deus?

E elevando a voz, olhou em volta, para uma audiência formada por cocheiros, criados, soldados e alguns nobres e gritou:

— Se não nos arrependermos todos, a terra vai continuar a tremer! A cidade vai ficar em ruínas! Só Deus nos pode ajudar, só Deus, na sua infinita misericórdia, nos pode salvar!

Ouviu-se um rumor de aprovação geral. Muitos benzeram-se e alguns murmuraram:

— Misericórdia!

Malagrida fechou os olhos, num êxtase, e começou a rezar em latim. Sebastião José cerrou os dentes, irritado com aquele espetáculo, e disse, bem alto também:

— O senhor padre que organize as suas rezas, que eu trato do resto!

Sentindo-se desrespeitado, Malagrida abriu de novo os olhos, furioso, e apontou o dedo ao ministro:

— Não devemos desafiar Deus! A sua misericórdia é grande, mas a sua fúria é infinita!

Sério, Sebastião José ripostou-lhe:

– Padre Malagrida, o temor a Deus não pode fazer-nos esquecer as nossas obrigações. E a minha obrigação, neste momento, é socorrer a cidade de Lisboa. Há muito a fazer e não tenho tempo para polémicas consigo. Compreende?

Dito isto, Sebastião José entrou finalmente na carruagem, logo seguido por Bernardino, que fechou a porta nas suas costas e se sentou. Olhou pela janela e viu o confessor, furibundo.

– Vim com ele para cá na carruagem – murmurou Bernardino. – É um homem muito sisudo e amargo...

Sebastião José franziu levemente a testa e acrescentou:

– Está sempre a desmoralizar as pessoas. Há quem use Deus para tudo e para nada...

Ficaram em silêncio, enquanto o coche se afastava do palácio. Subitamente, Sebastião José perguntou a Bernardino:

– Chegaste a levar a petição ao rei?

O ajudante desculpou-se: antes da missa, faltara-lhe o tempo, e depois dos abalos faltara-lhe a coragem para incomodar Sua Majestade com o assunto.

– Melhor assim – comentou o ministro.

18

Irmã Margarida nunca pensou que o rio lhe podia molhar as pernas numa rua no meio de Lisboa, mas foi o que aconteceu quando uma vaga de mais de meio metro de altura rodopiou pela esquina à sua frente, e depois subiu, contra os escombros das casas, em redemoinhos inesperados, coberta por uma espuma castanha, nojenta. As duas freiras nem tiveram tempo de reagir. Num segundo estavam encharcadas até à cintura, agarradas uma à outra, para evitarem cair e serem levadas pelas águas. A sua surpresa foi imensa, mas conseguiram equilibrar-se e assistiram, receosas, à passagem da corrente de lamas, que só perdeu a força ao enfrentar a elevação do terreno, no início da rua que conduzia à Igreja da Madalena.

Vieram três ondas. A primeira foi a mais intensa, as outras duas não adicionaram nem estragos nem medos, limitando-se apenas a transportar mais porcaria.

Um pau submerso bateu nas pernas de irmã Margarida e ali ficou, incomodando-a. Baixou-se e tentou afastá-lo com a mão, e foi com horror que percebeu não se tratar de madeira, mas sim do corpo de um homem, que viera debaixo daquela mistela castanha. Estava despido, afogado, e pedaços de terra saíam-lhe da boca, misturados com uma baba de cuspo esbranquiçado.

Irmã Margarida afastou o cadáver. Viu os olhos abertos da criatura, aterrorizados, enquanto o corpo rodopiou sobre si próprio e ficou de costas, a boiar, acompanhando o movimento das águas até parar uns metros depois, encalhado num monte de madeiras, como se fosse apenas mais uma delas.

– Cristo – murmurou a rapariga –, o que se passou?

Irmã Alice não sabia.

– O rio nunca sove até aqui...

Estavam já na zona baixa da cidade, a caminho do rio. Tinham deixado o rapaz e descido em direção ao Terreiro do Paço. Quietas, esperaram que o rio voltasse para o seu lugar. Assim aconteceu: as águas foram recuando, em refluxo, levando muito do que tinham trazido, mas deixando um rasto de terra enlameada, de detritos e também de cadáveres. De súbito, à frente delas surgiram homens e mulheres e crianças, os seus corpos molhados a descoberto, e nenhum se mexia, nem se iria mexer nunca mais.

Ao olhar para uma ruína, irmã Margarida sentiu o seu coração gelar. Encostado a um varandim, torcido e tombado no chão, estava um vulto negro, um homem, o fantasma que ela vira na cela, quando se tentara enforcar. Assustada, fechou de imediato os olhos, durante uns momentos, e depois voltou a reabri-los, e viu-o de novo, ainda lá. Tocou no braço de irmã Alice e perguntou-lhe se via alguém naquele local. Quando apontou para lá, o seu dedo indicou algo inexistente, e naturalmente a outra respondeu-lhe que não via ninguém. A rapariga concluiu que talvez a sua perturbada mente lhe estivesse a pregar partidas.

As duas mulheres receavam que novas ondas viessem, mas tal não se passou. O que apareceu foi pior: pessoas em pânico, cobertas de lama, a tentar correr, aos trambolhões, como se fossem espantalhos, animados mas desengonçados, com medo do que tinham vivido, querendo afastar-se do rio no qual confiavam e que as traíra.

– Fujam, fujam! – gritou um homem, enlameado e nu.

Irmã Margarida baixou os olhos, envergonhada, pois ele mostrava o seu baixo-ventre, onde um minúsculo pénis parecia ridículo, frágil e vulnerável.

– O que acunteceu? – perguntou irmã Alice.

O nu deu dois passos na direção das freiras, o seu corpo coberto de terra molhada e de sangue também, os seus cabelos pingando sobre a cara e os ombros. À irmã Margarida lembrou-lhe um Cristo, sofrido e magoado.

– Veio uma onda gigante e matou milhares! – exclamou.

– Adonde? – perguntou irmã Alice.

Ele virou-se para trás, os braços lançados para lá:

– No Terreiro do Paço, e destruiu tudo! O Cais da Pedra e a Alfândega... Tive de me agarrar a uma parede para não ser levado pelas águas do mar... Vi gente a afogar-se num instante. Deus tenha misericórdia de nós!

Benzeu-se e ao fazer esse gesto percebeu que estava despido, e colocou as mãos em frente do baixo-ventre, virou-se para trás e fugiu dali, embaraçado por estar em pelota em frente de duas freiras.

Um novo grupo surgiu: homens e mulheres e várias crianças que choravam. Todos vinham encharcados e seminus, e passaram sem proferir qualquer palavra, gemendo baixinho, subindo a rua.

– Vão para o Rossio – murmurou irmã Margarida.

– Mas nós num bamos! – exclamou a freira mais velha, com convicção. – Num podemos ir, prendem-nos!

– E vamos para onde? – perguntou a rapariga bonita.

– Para o Terreiro do Paço – respondeu a outra.

– Não tens medo das ondas?

A freira mais velha nem hesitou:

– Prefiro as ondas aos guardas.

Irmã Margarida não sabia nadar, nem nunca andara de barco, mas sabia que no Rossio estaria em perigo.

– Porque é que não vamos ajudar o rapaz? – perguntou. – Ir para perto do rio agora é perigoso, podem vir mais ondas.

A freira mais velha irritou-se:

– Que queres tu do rapaz?

A rapariga bonita ficou espantada, sem compreender a pergunta.

– Nada... Só quero ajudá-lo a encontrar a irmã...

Apareceram dois frades, com as vestes empapadas, que pararam junto das freiras.

– Para onde vão? – perguntaram.

As mulheres explicaram, e eles afirmaram que tal ideia era impossível.

– Não há nada no Terreiro do Paço, só mortos – disse um dos frades.

– Não há barcos, naufragaram. Mesmo os que estavam longe do Cais da Pedra, no meio do rio, desapareceram com as ondas – acrescentou o outro.

Irmã Alice perguntou:

– Ninguém pode sair de varco?

– Ninguém – disseram os dois frades em coro.

Depois, sugeriram que as freiras se juntassem a eles.

– Vamos rezar pelas almas que se perderam neste dia terrível. Vamos juntar-nos no Rossio para rezar – explicou um deles.

– As pessoas estão a fugir da cidade para os campos! Venham, vamos rezar – sugeriu o outro.

Irmã Alice queixou-se das dores na perna, declarando que não conseguia andar até ao Rossio.

– Então – sugeriu um dos frades – vem connosco até à Sé. A Sé não caiu.

Esperta, irmã Alice sorriu-lhes e prometeu segui-los em breve.

– Bão andando bocês. Bou deixar qu'a dor passe e depois bamos atrás de bocês até lá.

Os frades desejaram-lhes boa sorte e despediram-se. Irmã Margarida desconfiou de que irmã Alice não lhes dissera a verdade.

– Queres mesmo ir para a Sé? – perguntou.

A freira mais velha abanou a cabeça:

– Deus me libre. Quero é fugir.

A rapariga bonita deixou-se ficar silenciosa, observando mais passageiros de infortúnio, tristes com a morte de alguém que estimavam e que desaparecera com a força das águas.

– Bamos – disse então irmã Alice.

– Para onde? – perguntou a rapariga bonita.

– Prò Terreiro do Paço. Quanto mais próximos do rio, melhor.

Embora contrariada, irmã Margarida não teve ânimo para resistir à ordem da freira mais velha. Deu-lhe o ombro e amparou-a, e recomeçaram a caminhar, aproximando-se cada vez mais do seu destino escolhido.

Quando atravessavam um monte de entulho, repararam que, no seu topo, estava a carcaça de uma pequena falua, com o convés destruído, o mastro decepado pela base, o casco furado em vários locais. Deitados, ao lado da embarcação, viram dois homens, um mais alto e mais forte do que o outro, enlaçados num cabo, completamente encharcados. Pareciam desmaiados. Os dois estavam quase nus, e irmã Margarida não conseguiu evitar a sua curiosidade feminina.

– Achas que estão mortos? – perguntou.

– Que me interessa?

A freira mais velha queria continuar, mas a mais nova obrigou-a a reduzir o passo.

– Porque paras? – perguntou irmã Alice.

– Devem ser marinheiros... Têm um barco.

– E então?

– Se estiverem vivos, talvez nos possam ajudar.

A freira mais velha parou, percebendo a ideia da rapariga bonita. Examinaram os dois homens e o que restava da pequena embarcação.

– O varco tá destruído, num boltam ao mar tão cedo – concluiu irmã Alice.

– Mas podem conhecer outros barcos – entusiasmou-se a rapariga.

Ao acercar-se mais, apanhou um susto. Um dos homens, o mais alto, mexeu-se e tossiu fortemente, cuspindo terra e água.

– Cuidado – murmurou a freira mais velha. – Podem ser piratas...

– Piratas? Piratas no meio de Lisboa?

– Nunca se save – murmurou irmã Alice.

Foi o nosso primeiro encontro. Só me lembro de a ver, envolta num nevoeiro difuso. Uma cara, uma rapariga bonita; movimento à minha frente; e depois uma vontade insuportável de tossir, os pulmões e a boca cheios de porcaria; uma sensação estranha de permanente tontura e desorientação. Quando acordei, não sabia onde estava e, nos primeiros momentos, nem me recordava do que se tinha passado. Depois, lembrei-me da onda e uma angústia intensa invadiu-me o peito. Fechei os olhos, e foi aí que me virei para ela, como um animal que por instinto sente o perigo, e dei de caras com aquela cara bonita que Deus lhe deu.

Com os pés enterrados na lama, a rapariga subiu o monte de detritos. Eu continuava a tossir, mas de repente virei-me a ela e desembainhei uma faca.

– O que queres? – perguntei, a arma apontada.

Assustada, irmã Margarida quase caía para trás. Apoiou as mãos no chão para recuperar o equilíbrio, e depois viu que eu, apesar da faca e da postura agressiva, tinha um olhar vivo e inquisidor, mas não hostil.

– Queria só saber se estavam vivos – respondeu.

Desinteressei-me dela e concentrei-me no meu companheiro, que chamei, enquanto o abanava:

– Muhammed, Muhammed, acorda!

A rapariga bonita perguntou:

– Ele está vivo?

Respondi-lhe:

– Nem acredito, depois do que nos aconteceu... Mas parece-me que sim.

A rapariga bonita sorriu. Eu interroguei-a:

– E vocês, onde estavam quando a onda veio?

– Nós não estávamos perto. Viemos do Rossio, só apanhámos a onda ali, próximo da rua que vai dar à Igreja da Madalena.

Ao ouvir falar daquela rua lembrei-me do rapaz, mas não disse nada. Voltei a abanar Muhammed, mas ele não reagiu. Então, levantei-me e olhei para a falua. Depois, virei-me para as mulheres e disse:

– Nós estávamos dentro do barco, no rio. Viemos parar aqui...

Estava incrédulo com a possibilidade de a onda nos ter carregado e ao barco ao longo de tantos metros, e de termos sobrevivido a essa estranha viagem, flutuando por cima dos escombros de uma parte da cidade.

– Debíamos ir emvora – disse irmã Alice. – Nã nos podem ajudar.

Olhei para ela e depois para a rapariga bonita.

– A fazer o quê?

A rapariga bonita sorriu-me e depois explicou:

– Precisamos de sair da cidade pelo rio, e como vocês são marinheiros podiam levar-nos a um barco.

Curioso, perguntei:

– Porque é que precisam de sair da cidade? Andam a fugir de alguém?

Agitada, irmã Alice subiu o tom:

– Bamos embora... Num fales com eles, num digas nada.

A rapariga hesitou e olhou de novo para nós. Eu disse-lhes:

– Nem vale a pena irem para o rio, não há barcos. Nenhum resistiu à onda.

Muhammed começou a mexer-se, a tossir e a abrir os olhos, e ajoelhei junto dele para o ajudar a renascer para a vida. Esqueci-me delas.

E foi isto que se passou da primeira vez: quase nada. Uma cara bonita no meio daquela selvajaria; um receio vago na alma dela; a minha incredulidade com o local até onde a onda nos trouxera; uma sensação de hostilidade na mulher mais velha; e depois o desinteresse, o afastamento, a necessidade de auxiliar Muhammed, e mais nada... E podia ter ficado por isto: um curto e irrelevante episódio, um fortuito encontro entre dois seres fustigados pela mesma hecatombe e perdidos dos seus caminhos individuais. Mas não foi. Foi apenas o princípio...

As duas mulheres iam de novo para o Terreiro do Paço, e teriam andado talvez trezentos metros quando a rapariga bonita parou e disse:

— Não vale a pena. Ouviste o que ele disse: não há barcos.

— Mas bamos p'ra lá na mesma! — exclamou irmã Alice.

Irmã Margarida cruzou os braços ao peito, determinada.

— Não. Eu não vou. Se quiseres vai tu, mas eu vou voltar para trás.

A freira mais velha franziu a testa e perguntou:

— Para onde?

Entusiasmada, irmã Margarida disse:

— Vamos ajudar o rapaz! Ficamos com ele esta tarde e talvez esta noite, e amanhã voltamos para tentar apanhar um barco.

Cansada, a freira mais velha suspirou. Percebeu que não valia a pena contestar a rapariga bonita e submeteu-se à sua vontade. Regressaram lentamente, e quando passaram junto ao monte de entulho a destruída falua continuava lá em cima, mas os dois homens já tinham desaparecido.

19

Tal como eu e Muhammed, Hugh Gold e a escrava Ester foram também colhidos pela onda gigante no Terreiro do Paço. Por sorte, estavam junto ao canto esquerdo da praça, afastados do rio. Ester convencera o inglês a entrar no palácio para tratar o ombro, e iam para lá quando a monumental vaga irrompeu por Lisboa.

Hugh Gold escutara o barulho daquela investida marítima uns momentos antes de ela acontecer, e virara-se para o rio precisamente quando a onda apareceu, proveniente do mar e, portanto, da sua direita, embatendo depois com violência no Cais da Pedra e a seguir galgando a terra e invadindo a praça, para chocar logo a seguir com os edifícios da Alfândega e com as feitorias.

Num curtíssimo espaço de tempo, toneladas brutais de água, que viajavam a alta velocidade, atingiram a zona, empurrando tudo à frente. O inglês recordava-se de ter visto barcos a voarem na crista da onda, esmagando-se depois contra o cais ou os edifícios; e de ter ouvido os gritos lancinantes das multidões, que permaneciam no Cais da Pedra ou na praça, esperando a sua vez para chegar aos barcos e que, de repente, foram engolidas por aquele furioso monstro marítimo.

De seguida, o mar ou o rio, ou a mistura violenta dos dois, mudara de direção ao chocar com os edifícios, e a massa de água avançara noutros sentidos, imprevisíveis, num turbilhão confuso de espuma e ondas, e aproximara-se com rapidez do inglês e da escrava.

Conseguiram entrar por um dos portões para um pátio, onde se encontravam cavalos e coches e carroças e muitas pessoas, e então a escrava virara para a direita e ele fora atrás, e ambos subiram a correr umas escadas de granito, aos saltos, dois degraus de cada vez.

Nas suas costas, e em segundos, a vaga entrou pelo portão, imensa e barulhenta, invadiu o pátio, tragando os cavalos e os coches e as carroças e as pessoas, atirando uns com raiva contra as paredes do palácio, esmigalhando outros contra os vidros e as portas, que se estilhaçavam, incapazes de oferecer resistência àquela água assassina, que furava, em explosões de espuma, o edifício.

Encontrando alguma resistência no espaço finito daquele pátio, a onda engrossou e subiu, e o inglês e a escrava, apesar de estarem uns metros acima, no primeiro andar, tiveram de se agarrar às varandas para não serem puxados para baixo, para o pátio, onde um redemoinho endiabrado girava, letal. Enormes quantidades de água passaram por eles, penetrando no palácio, partindo tudo o que enfrentavam, imparáveis na sua força destruidora. O inglês contou-me que temeu claramente pela vida nesses momentos. Não podia agarrar-se com os dois braços, pois um deles provocava-lhe dores insuportáveis, mas fez tanta força com o outro, agarrando-se ao ferro dos varandins, que conseguiu resistir.

Depois, a água começou a recuar, indo-se embora mais lentamente do que chegara, mas ainda com uma força imensa, arrastando mobílias, pessoas e destroços vários. A água que se elevara até ao primeiro andar fugiu mais depressa, e aí Gold e a escrava conseguiram finalmente mexer-se, de súbito conscientes da sua salvação. Observaram o surpreendente espetáculo que acontecia em baixo.

– Meu Deus – murmurou a escrava.

Vindos do interior do Paço, dezenas e dezenas de objetos saíam agora para o pátio, trazidos pelas águas.

Cadeiras, quadros, vasos de cerâmica, pequenas mesas, sofás, e a seguir as joias, pequenos ou grandes baús, abertos e carregados de pedras preciosas, mantos dourados, cetros cravejados, missais, bolas de cristal, aparadores de vidro pejados de esmeraldas, passavam pelas portas e ficavam a boiar no pátio, às voltas, seguindo a imprevisível rotação daquelas lamas espumantes, para depois serem sugados pela corrente de refluxo, fugindo pelo portão para o Terreiro do Paço, a caminho do rio.

– O tesouro real – murmurou Ester.

Sim, era evidente que se tratava do famoso tesouro de D. João V, uma coleção de riquezas de que Gold só ouvira falar, que supostamente estaria espalhada por várias salas do Paço, e que agora a onda tragava, roubando-as ao rei e ao povo. Safiras e ouros, pratas e moedas, coleções de anéis e de colares, vasos de todos os feitios, um caleidoscópio de cores e formas preciosas brotavam do interior do palácio, borbulhando à superfície daquela mistela aquática ladrona, que se escapulia rapidamente dali para fora com a sua abastada pescaria.

E nada nem ninguém conseguiu impedir aquela fortuna colossal de iniciar uma inesperada travessia. Os que viajavam com ela eram meros acompanhantes fúnebres, pois estavam mortos, e os seus corpos boiavam, uns virados de costas, outros de barriga para cima, com as suas vestes de aias e criados, negros ou brancos, irmanados num triste e sinistro naufrágio.

De repente, Ester deu um grito:

– Abraão!

Hugh Gold viu um corpo a deslizar por cima da espuma acastanhada, aos solavancos, chocando com uma mesinha de talha dourada. Inerte, com a cara virada para o céu, mas de olhos fechados e com o ar pacífico de quem se limitava a refrescar-se naquele lamaçal, ia um negro.

Ester desatou a correr pelas escadas abaixo e o inglês gritou-lhe:

– Não, no, Ester! Cuidado! Hell!

Mas a rapariga não o ouviu e entrou pela água adentro, e de imediato desapareceu, pois ficou sem pé, para reaparecer uns segundos depois, já em aflição, os braços no ar, tentando nadar ou movimentar-se, de forma atabalhoada, e sentindo a impotência de ser mais fraca do que a enxurrada.

O inglês contou-me que foi acometido por uma paralisia inicial da vontade, aceitando como inevitável que a escrava se iria afogar e ele não tinha forças para impedir tal destino. Mas, depois, o seu espírito revoltou-se contra tal apatia, e sentiu a urgência e a responsabilidade de lutar. Levantou-se, desceu os degraus e entrou na água.

Gold era um homem alto e por isso não ficou submerso. Obviamente, sabia nadar e, apesar da sua limitação no braço, evitou ser levado pela corrente de sucção. Fez um esforço para agarrar Ester com o braço bom e conseguiu-o, mas a rapariga estava já em pânico. Mal sentiu a força do inglês a ajudá-la, atirou os braços na direção do seu pescoço, trepando, aflita, para cima dele. Gold temeu que o descontrolo da rapariga lhe tirasse forças e não deixou que ela se pendurasse nele. Envolveu-a com o braço pela cintura, obrigando-a a ficar de costas para ele. Nessa altura, falou-lhe ao ouvido, procurando acalmá-la.

– Calm... No medo, no fear. Estás with me, comigo. Go, respira.

Assustada, a rapariga demorou até parar de esbracejar, mas depois sentiu-se segura, apertada contra o corpo de Gold e serenou. Ele dirigiu-se para os degraus, pousando-a na pedra das escadas, sentou-se ao lado dela e falou com serenidade, dizendo-lhe que respirasse devagar, pois estava salva.

Ester gemeu, e depois soluçou:

– Abraão...

O inglês esquecera-se já do motivo que a levara àquela atitude tão irrefletida, e olhou para o pátio, à procura do corpo do ancião. Viu-o a sair pelo portão, à superfície da mistela, e sabia que não havia nada que pudesse fazer, naquele momento, para o apanhar.

– Damn... A corrente to strong, muita forte, hell. Não consigo, can't get him... – disse o inglês.

A rapariga desatou a chorar convulsivamente, gemendo:

– Abraão morreu... Abraão morreu! O que vai ser de nós sem ele?

Hugh Gold passou-lhe o braço pelos ombros, confortando-a, sem saber a quem ela se referia ao dizer «nós», se ao inglês e à rapariga, se à comunidade negra de escravos do rei, da qual Abraão deveria ser uma espécie de líder espiritual, tal a forma como falava dele.

A escrava perguntou:

– Esta água vai regressar ao mar?

O inglês refletiu uns momentos e depois respondeu:

– Maybe, talvez. Ao rio, to the river, e depois ao mar, to the sea. Hell, if no more ondas chegarem.

Contudo, vieram mais duas ondas, embora muito menos fortes do que a primeira. Partes do tesouro e das mobílias, bem como vários corpos humanos, e também o corpo de Abraão, por duas vezes voltaram a entrar pelo portão do palácio e por duas vezes voltaram a sair, como se estivessem renitentes em abandonar o local, num vaivém absurdo, uma despedida que parecia não ter um fim.

Ester gemia de cada vez que via o corpo do negro a sair, e animava-se quando o via a regressar. Mas à terceira vez não regressou, e a rapariga comentou:

– Veio do mar, volta para o mar.

De seguida, agarrou-se a Gold a chorar. Assim ficou alguns minutos, até voltar a falar.

– Salvaste a minha vida, obrigada. Agora estou ligada a ti para sempre...

O inglês sorriu:

– Good lord, girl! No way ia deixar-te morrer, not to die, not...

A rapariga sorriu-lhe e depois os dois ficaram em silêncio, a observar o desaparecimento das últimas águas, que destapou uma amálgama no pátio, onde se via tudo e nada se distinguia com clareza, a não ser os cadáveres.

– Cristo – murmurou Ester.

Havia dezenas. O inglês perguntou-lhe se eram criados do Paço, mas ela disse que não, e concluíram que só podiam ser pessoas que estavam lá fora, na praça, e que tinham sido trazidas pela potência das águas. Gold nem queria imaginar como estava o Terreiro do Paço, mas quando deduziram que não viriam mais ondas, os dois caminharam pelo pátio até ao portão e atravessaram-no, e já não precisavam de imaginar.

A grande praça da cidade, estranhamente silenciosa, era agora um túmulo pantanoso. Gold olhou para o rio e algo faltava, e então deu-se conta de que o Cais da Pedra, o grande cais da cidade, onde chegavam centenas de pessoas todos os dias, desaparecera. Não restava sinal algum da estrutura que uma hora antes lá existira. Fora levada pela onda, destruída na sua totalidade.

Além disso, viam-se bocados de barcos espalhados pela praça, e no rio só muito longe se observavam alguns, em dificuldades.

Gold abanou a cabeça, perplexo. A rapariga perguntou:

– O que foi? Dói-te o braço?

Ele encolheu os ombros:

– What the hell, isso não interessa, who cares? A cidade está dead, city morta... No boats, barcos, no cais, Lisboa morre, dies.

Permaneceram calados e quietos, a verificar os danos que a praça sofrera, a observar as pessoas que apareciam, vindas sabe-se lá de onde, como formigas a patinarem a custo num lodaçal, e que logo que podiam fugiam, deitando costas ao rio, mergulhando na Baixa da cidade, a caminho do Rossio ou do Bairro Alto.

– God... Need to go, preciso de ir to my firm, à minha casa comercial.

– Porquê? – perguntou Ester.

O inglês suspirou:

– Hell, got to ver o que se passou there, go to get o meu dinheiro. No money, não vamos a lado nenhum, anywhere...

A rapariga concedeu que havia razão nas suas palavras e prometeu ajudá-lo.

– Christ, we não vamos atravessar this mess, a lama – disse o inglês, apontando para o Terreiro do Paço. – Got to go around, dar a volta, it's a mixórdia, hell.

Assim fizeram. Cruzaram-se com centenas de desgraçados, que tentavam acordar os seus amigos ou familiares de um sono eterno, com uma mágoa infinita. A determinada altura, numa esquina de uma rua, os prédios tinham tombado para o centro e só havia uma minúscula passagem. O inglês ia à frente e, quando quis atravessá-la, viu dois homens do lado oposto, o primeiro mais alto do que o segundo, que parecia um árabe.

Pararam todos, a olhar uns para os outros, e depois a escrava perguntou:

– O que se passa?

O inglês não lhe respondeu e incentivou os outros a passarem primeiro, mas o homem mais alto respondeu que a mulher tinha prioridade, por ser mulher. Divertida, Ester deu um pequeno salto para a frente e atravessou a passagem improvisada sem que o inglês a pudesse impedir. Quando este se juntou a ela, reparou que sorria para o homem mais alto. Irritado, Gold disse:

– Oh Jesus, para, stop Ester!

O homem mais alto comentou:

– Ela não está a fazer mal a ninguém, nem ninguém lhe está a fazer mal...

O inglês ignorou-o, pegou no braço da rapariga e disse:

– Come, vem, ajuda-me, help me...

A rapariga indignou-se:

– Não sou tua escrava!

Firme, o inglês lembrou o que se passara:

– Hey girl, disseste que ajudavas, you said. I também te ajudei, help you...

O homem mais alto ficou surpreendido com aquele tom de voz, mas sobretudo com aquela forma de falar. Deduziu que o outro devia ser inglês.

– O que se passa, rapariga, o inglês magoou-te? – perguntou.

– Não – respondeu a rapariga. – Salvou-me a vida. Tenho de o ajudar.

O homem mais alto sorriu:

– Então ajuda.

A rapariga sorriu de novo para o homem mais alto e depois seguiu o inglês, e quando olhou para trás não viu ninguém.

Foi também a primeira vez que me cruzei com Hugh Gold e com Ester, e lembro-me do sorriso dela e da irritação do inglês com esse sorriso. Como eu era diferente nesse dia: ainda não sentia antagonismo algum contra ele, nem ciúme dele, nem ele entrara na minha vida. Como tudo mudou tão depressa e em tão pouco tempo...

20

Mentiria se dissesse que sei como sobrevivemos àquela onda descomunal que nos abraçou no Tejo. Não sei. Nem sei quanto tempo passou. Só vi água e espuma e mais água, um turbilhão louco e enraivecido à nossa volta, o branco e o castanho daquela maré a transformar a água em lama; água engolida e cuspida; a sensação de quase morrer asfixiado e depois, sem saber como ou porquê, vir de novo à superfície e respirar. Não se vê quase nada nestes instantes alucinantes, e o que se vê não faz sentido, pois nunca sabemos para onde estamos virados. Vi imagens fragmentadas, descontínuas: rastos brancos a chocarem comigo, coágulos de espuma a rodopiarem a uma velocidade impensável; vi breves instantes de céu, duas mãos agarradas à falua, um edifício a passar por mim, uma esquina a fugir-me depressa de mais, o convés do nosso pequeno barco a afastar-se e depois, dobrando-se para trás, atirando-se contra nós; vi Muhammed a fechar os olhos, agarrado a mim, a cuspir uma mistela, a tossir, a tentar não sufocar. Mas o mais horrível foi o que senti: a cabeça a andar à roda, solta como um coco que rebola depois de ter caído de uma árvore; o mundo às voltas; o cabo a trilhar-me o braço, as pernas sempre a chocarem contra a madeira, as costas a doerem-me com as pancadas, os pés frios, e depois uma luz intensa a aproximar--se de mim, um barulho tremendo... e pronto, devo ter desmaiado, sei lá eu o que me aconteceu.

Só depois de ter acordado é que recuperei a consciência da situação, é que percebi que tínhamos sobrevoado o Terreiro do Paço de falua, levados pelas ondas, e aterrado trezentos metros para dentro de terra, numa barragem de pedras e madeiras, onde o barquito encalhou.

E só bem mais tarde é que me dei conta do milagre que nos tinha acontecido, quando vi a destruição causada na praça lisboeta: o Cais da Pedra cilindrado, a Alfândega brutalmente esventrada, uma mortandade imensa espalhada num pântano lamacento coberto dos mais inesperados detritos. Fomos escolhidos para sobreviver, o barco a que nos agarrámos poupou-nos a uma morte atroz, e resistiu às cambalhotas e aos encontrões, e levou-nos com ele na sua épica resistência, uma casca de noz providencial e salvadora a que devemos a vida.

Depois, acordei, atarantado e dorido, a boca a saber-me a mar e a lama, e um ser diáfano, feminino, belo e jovem, a avançar para mim. O meu instinto imediato foi a desconfiança, mas rapidamente me apercebi de que as mulheres eram freiras e, portanto, inofensivas. Quando a vi a primeira vez – ainda não sabia que se chamava Margarida –, o que me encantou nela foi o brilho intenso do seu olhar e a beleza das suas feições. Apesar de apresentar vestes sujas e molhadas, a rapariga bonita parecia um desenho, proveniente do pincel de um artista divino, uma bela aparição no meio de uma lixeira, um sinal de esperança num mundo torturado.

Não tive, porém, tempo para apreciá-la condignamente, pois lembrei-me do meu amigo Muhammed. Descobri-o vivo, o que era o mais importante, mas desmaiado. Troquei algumas palavras com a rapariga bonita, e fiquei com a estranha impressão de que aquelas duas andavam fugidas.

Então Muhammed desatou a tossir e ajudei-o, e as mulheres desapareceram. O árabe estava enjoado, doía-lhe muito a cabeça e vomitou várias vezes, mas aos poucos foi recuperando a lucidez e a compostura.

– Santamaria ir acreditar que nós ir sobreviver? – perguntou, incrédulo.

– Tivemos sorte, muita sorte – disse eu.

Deixámo-nos ficar uns tempos naquele morro improvisado de entulho, agradecendo em silêncio aos deuses de cada um a nossa situação, e tentando expulsar do cérebro certas imagens, que ainda nos provocavam espasmos de medo e que nos iriam perseguir noites a fio. Depois, pensámos no que fazer, que rumo dar à nossa demanda.

– Rio não ir ser solução – disse o árabe.

– Sim, pelo menos nos próximos dias. Não acredito que haja barcos em condições.

– E nós, Santamaria, que ir fazer?

O melhor era sair da cidade, ir para os campos à volta, afastarmo-nos da prisão o mais possível.

– Porque não ir procurar amiga Santamaria?

Olhei para Muhammed:

– Ao Bairro Alto?

– Ela ir ajudar Santamaria, ela ir gostar peru de Santamaria!

Sorri. Só mesmo o árabe para me animar, com os seus disparates no meio desta calamidade. Além disso, tinha razão, Mariana era a minha única hipótese. Mariana... Será que ela me recordaria? Metemo-nos a caminho, mas demorámos algum tempo até nos orientarmos. Aquela absurda viagem de barco tinha-nos deixado numa zona da Baixa, mas com tanta destruição não percebemos bem em qual. Só quando encontrámos a Rua Nova dos Ferros é que soubemos a direção a tomar. Fomos no sentido da nova Patriarcal, acompanhando lentas filas de pessoas, quebradas e desanimadas, que também abandonavam aquela zona de tormentas.

Se as ruas da Baixa já eram tortuosas antes do terramoto, agora haviam-se tornado um quebra-cabeças, tal a quantidade de destroços que as bloqueava. Era preciso passar por cima, ou pelo lado, daquelas elevações imprevistas. A dada altura, a rua apertava, numa espécie de falha entre dois edifícios. Um tombara sobre o outro à sua frente, cujas paredes haviam resistido melhor. As pessoas passavam por aquela fresta e, quando foi a nossa vez, demos conta de que duas pessoas queriam passar em sentido contrário. Uma mulher negra, de pequena estatura, acompanhava um homem alto e claro, com aspeto de estrangeiro.

Mal sabia eu que me estava a cruzar pela primeira vez com Hugh Gold e com Ester. Foi de imediato evidente uma certa tensão, um inesperado atrito entre nós os dois. Mas a situação depressa se resolveu, eles passaram para cá, nós para lá, e ela sorriu-me e eu sorri-lhe de volta. Há vários meses que não estava com uma mulher e ela deve ter sentido a minha fome. Despertou em mim vontade de a possuir, mas segui em frente, atrás de Muhammed, e pouco tempo depois a rapariga negra não era mais do que uma recordação longínqua.

Passámos pela Patriarcal e pela nova Ópera, ambas destruídas, e depois começámos a subir para o Bairro Alto, acompanhados de uma comitiva considerável de desafortunados. Parecíamos os refugiados de um combate, de uma batalha entre duas forças, formando nós os restos do exército que perdera e fora ferozmente dizimado, os desmoralizados sobreviventes que agora recuavam, de olhar baço, com o coração angustiado e a cabeça infetada de recordações horríveis.

– Para onde ir gente? – perguntou Muhammed.
– Também não ir haver casas aqui...

Era verdade. No Bairro Alto, enfrentámos um espetáculo idêntico ao da zona baixa da cidade. Mais prédios escaqueirados, mais ruas bloqueadas por pilhas de madeiras e pedras, mais cadáveres no chão. O terramoto atingira também com intensidade máxima o bairro mais famoso da cidade, e era difícil procurar orientação.

Ao fim de algum tempo, identifiquei a casa da tia velha de Mariana, sem telhado. Não se via ninguém por perto.

– Ser esta? – perguntou Muhammed.
– Sim. Foi aqui que fui feliz.

O árabe abanou a cabeça:

– Não ir estar ninguém.

Não havia vivalma dentro daquele cadáver de habitação onde eu dormira umas noites com Mariana. Saímos para a rua. Uns metros ao lado, uma senhora de idade apanhava pedaços de madeira seca do chão e colocava-os num saco. Aproximei-me dela e perguntei:

– Vivia nesta casa?

A velhota disse que morava mais acima.

– Conhecia uma mulher que vivia aqui, chamada Mariana?

Ela assobiou:

– Isso já foi há muito tempo. Ela mudou-se quando a tia morreu... Foi viver com o marido...

Um marido. Fiquei parado, desiludido, e depois perguntei:

– Ela casou?

A anciã encolheu os ombros:

– Isso já não sei. Marido é maneira de dizer, era o homem dela, percebe?

Fiquei a olhar para ela:

– Há quanto tempo foi isso?

– Não sei bem – respondeu ela. – Talvez uns anos antes de vir este rei.

– Não sabe para onde foi viver?

A mulher encolheu de novo os ombros:

– As pessoas dizem que vão para um lado e depois vão para outro. Há muita gente assim... Não faço ideia. Mas, agora que me pergunta, lembro-me de que, aqui há uns dois ou três anos, me disseram que a tinham visto na Igreja de Santa Isabel, numa procissão ou coisa assim. Talvez lá lhe possam dizer onde vive...

Bufei, contrariado:

– Para que lado fica essa igreja?

A idosa olhou para mim, curiosa:

– Não é de cá, pois não?

Sorri:

– Já cá não venho há muitos anos...

Ela apanhou mais uns pedaços de madeira do chão e disse:

– Podem vir comigo. Vou para aquelas bandas, para Campo de Ourique. É para lá que as pessoas estão a ir, dizem que oferecem comida e água.

E foi assim que quase perdi as esperanças de rever Mariana, e que eu e Muhammed nos metemos a caminho de um acampamento improvisado, onde nos dessem de comer e beber, seguindo aquela senhora que apanhava lenha. Nunca pensei que fosse lá que encontrássemos quem encontrámos, o homem a quem eu escrevera a petição: Sebastião José de Carvalho e Melo.

21

– Também não tenho pai nem mãe – contou irmã Margarida ao rapaz. – Morreram há uns anos, num acidente.

Tinham a orfandade em comum, e foi por aí que criaram uma nascente cumplicidade que enervava irmã Alice, sentada a uns metros deles, amuada e cansada. O rapaz incentivara-as a ficar ali, antes de subirem para a Sé ou para São Vicente de Fora, a caminho de Odivelas, onde a freira mais velha dizia conhecer alguém. Irmã Margarida impusera a sua vontade de ajudar o rapaz a procurar a irmã desaparecida e encontraram-no com um pedaço de madeira na mão, servindo de pá para remover os destroços. Sem motivos para alegrias, mas sempre convicto.

– O cão anda nervoso, sabe que ela está viva, aqui debaixo.

O rapaz apontou para as ruínas.

– Na cave não está? – perguntou irmã Margarida.

O rapaz olhou na direção da entrada da cave e explicou:

– Só consigo ver dois ou três metros... o resto está destruído e nem o cão consegue passar pela terra e pelas pedras. Vai demorar dias para remover aquele entulho...

– Chamaste por ela?

– Sim, várias vezes, mas não ouço resposta. Mas a cave é muito grande, e duvido de que ela lá estivesse àquela hora.

A rapariga sentou-se no chão e pôs-se a pensar.

– Tens a certeza de que estava em casa?

– Não. Mas encontrei um vizinho que me disse tê-la visto à porta, a conversar, e depois viu-a entrar...

Baixou a cabeça e continuou:

– E o meu padrasto está lá dentro, morto.

– Aonde? – perguntou irmã Margarida, espantada.

– Queres ver?

A rapariga bonita disse que sim. Contornaram uma parte das ruínas e ela viu uma abertura no chão, e espreitou lá para dentro, e quando os seus olhos se habituaram à escuridão conseguiu distinguir o corpo de um homem, deitado no chão. Afastou-se daquele buraco e comentou:

– Se ele estava aqui, ela devia estar por perto...

O rapaz ficou em silêncio e trincou o lábio.

– O que foi? – perguntou irmã Margarida.

– Nada.

– Não conto a ninguém – disse ela.

– Prometes? – perguntou o rapaz.

– Sim.

Então o rapaz contou-lhe os seus temores: os desejos porcos do padrasto, os seus olhares para a irmã, a negação que a mãe sempre fazia desses factos, uma atitude que o rapaz considerava uma cobardia, e o alerta permanente em que os gémeos viviam nas últimas semanas.

A rapariga bonita perguntou:

– Achas que ele a desonrou?

– Não, até hoje não. E de manhã não teve muito tempo, pois estavam aqui a conversar uns minutos antes do terramoto...

Irmã Margarida teve uma ideia:

– Ela pode ter fugido?

– Fugido? Para onde?

– Não sei. Mas imagina que ele tentou agarrá-la e ela fugiu...

O rapaz ficou em silêncio, pensativo. Depois disse:

– Nesse caso, o cão não estaria tão agitado. Se ela não se encontrasse aqui debaixo, ele não corria para lá quando chamo por ela.

Fazia sentido, reconheceu irmã Margarida. E por isso decidiu ajudar o rapaz e removeu pedras e madeiras nas horas seguintes, enquanto irmã Alice dormitava no chão, e muitas pessoas iam passando, umas descendo da Sé a caminho do Rossio ou do Terreiro do Paço, outras indo de uma praça para a outra. Os que desciam ou que vinham do Rossio não sabiam das ondas e os que subiam contavam-lhes, e criava-se dúvida e confusão nos espíritos, e os dilemas iam sendo resolvidos de formas diferentes. Uns voltavam para trás, outros mudavam de direção, outros seguiam no sentido escolhido.

Todos começavam a ter mais fome e sede, tal como as duas freiras e o rapaz. A água e a comida que o rapaz lhes oferecera da primeira vez tinham terminado, e ele explicou que podia ir à fonte buscar mais água, mas não sabia onde encontrar mais comida.

– Queres que vá contigo? – perguntou irmã Margarida.

– Não, fica aqui, é perigoso.

Repetiu-lhe o que ocorrera de manhã, os bandidos que haviam violado uma mulher e matado várias pessoas, numa casa junto à fonte, e depois acrescentou que haviam sido outros bandidos, dois, que haviam distraído o mastodonte que o queria matar. Descreveu-os a irmã Margarida: um homem alto, moreno, com uma fita na cabeça, e um árabe, mais pequeno.

A rapariga bonita matutou no que ele dissera e depois afirmou:

– Acho que vi esses dois homens de que falas lá em baixo...

O rapaz esperou que ela continuasse a descrição.

– Estavam junto a um barco, tinham vindo com a onda.

O rapaz não percebeu:

– Com a onda?

– Não sei bem, mas pareceu-me que estavam no rio e depois vieram parar a terra. Quase morreram.

O rapaz comentou:

– Deve ter sido uma onda gigante...

– Se eles estivessem aqui podiam ajudar-te – disse a rapariga.

O rapaz ficou sério.

– Essa gente não ajuda ninguém... São piratas e devem ter fugido da prisão, do Limoeiro, tal como os outros, o tal grandalhão que mata quem vir pela frente... Espero que não voltem...

Irmã Margarida espantou-se:

– Piratas? Isso foi o que disse irmã Alice quando os viu... Mas eles não nos fizeram mal...

– Tiveram sorte – murmurou o rapaz.

Continuaram a remover pedras e argamassa e caliça e madeiras, tentando descobrir algum sinal de vida de Assunção, a irmã do rapaz. Era um trabalho lento e por vezes provocavam pequenas derrocadas e temiam magoar--se. A dada altura, irmã Alice acordou e aproximou-se deles. O cão começou a rosnar, era evidente que não simpatizava com a mulher mais velha.

– Tou cum sede, tens água? – perguntou ao rapaz.

– Já acabou.

– E num me bais vuscar mais?

O rapaz fez contacto visual com ela e disse:

– Não sou teu criado. Já te dei água uma vez, já te dei de comer uma vez. Agora, se quiseres mais, ou me ajudas ou vais tu à procura da água.

A freira mais velha cerrou os dentes, enervada com aquele afrontamento.

– Sou uma mulher mais belha, e freira! Debias ter mais respeito.

O rapaz não se intimidou:

– O meu cão não gosta de ti, e ele nunca se engana.

Irmã Alice soltou uma pequena risada:

– Sim, já savemos co teu cão é um oráculo dos deuses... Mas até agora inda num encontraste a tua irmã, num é?

Preocupada, irmã Margarida procurou acalmar aquela tensão e interveio:

– Discutir não nos leva a lado nenhum...

Virou-se para o rapaz e pediu:

– Diz-me onde fica a fonte, eu vou lá.

O rapaz abanou a cabeça.

– Nunca a encontrarias. Eu vou...

Chamou o cão e ia afastar-se quando deu meia volta.

– Deviam mudar de roupa. À entrada da cave, há um armário, com casacos e coisas da minha mãe. Acho que vos servem.

As duas freiras ficaram surpreendidas, e irmã Alice perguntou:

– Porqu'é que debemos mudar de roupa?

O rapaz respirou fundo, como se estivesse agastado com a falta de lucidez dela, e explicou:

– Para encontrar a minha irmã, preciso da vossa ajuda. Mas, vestidas como prisioneiras da Inquisição, são um perigo para mim. Ainda vou preso também...

Depois desta proclamação foi-se embora, e as mulheres desceram à cave e lá mudaram de roupa. Quando ele regressou, com uma vasilha de água em cada mão, já estavam as duas a remover mais entulho.

– Não havia comida em làdo nenhum. Mas disseram-me que há pessoas a cozinharem no Rossio, a oferecerem sopa a quem tem fome – contou o rapaz.

– E na Sé? – questionou irmã Alice.

– Se fosse a ti não ia lá – ripostou o rapaz.

– Porquê?

– Estão lá os guardas da Inquisição.

A mulher ficou como que aliviada por ter escapado do perigo e, depois de beberem água, recomeçaram os três a remover mais destroços, na esperança de ouvirem um barulho que identificasse a presença da irmã do rapaz.

A meio da tarde, irmã Alice subiu até ao ponto mais alto da rua. Regressou com preocupação estampada no rosto e disse:

– Há muntos fuagos na cidade...

– Fogos? – perguntou, exaltada, irmã Margarida.

– Sim, em bários locais. Atrás de nós, e à nossa frente.

– E o que vamos fazer? – agitou-se a rapariga bonita, alarmada. – Se o fogo nos apanha, podemos morrer!

O rapaz sentiu na sua voz o pavor que ela tinha do fogo. A freira mais velha comentou:

– Qu'ironia do destino! Escapabas à fogueira da Inquisição e depois morrias num incêndio, no meio da cidade...

Irmã Margarida levou as mãos à cabeça e olhou para a outra:

– Será que estou amaldiçoada?

O rapaz ficou a observá-la, intrigado e calado, e irmã Alice murmurou:

– Cala essa voca, mulher... Ele num precisa de saver.

O rapaz perguntou:

– Saber o quê?

Um curto silêncio abateu-se sobre eles, e foi o rapaz quem o quebrou:

– Qual era a acusação?

Irmã Alice repetiu o aviso:

– Cala-te!

Mas a rapariga bonita não lhe deu ouvidos, precisava de falar.

– Fui condenada pela Inquisição, acusaram-me de ter... de ter entregue a alma ao Diabo... Ia morrer amanhã, numa fogueira no Terreiro do Paço. E hoje de manhã tentei matar-me!

Mostrou ao rapaz as marcas da corda no pescoço. Irmã Alice abanou a cabeça, desaprovando aquela confissão. Mas ela prosseguiu a sua narrativa.

– Tentei enforcar-me, mas fui salva pelo tremor de terra. Depois fugi, com ela e com um homem, um «profetista», que desapareceu. Disse que ia para o Terreiro do Paço, se calhar morreu, afogado nas ondas. E agora a cidade está a começar a arder... Será uma maldição? Será que Deus quer que eu morra mesmo amanhã?

Os outros dois ficaram calados e ela começou a soluçar. Depois, o rapaz virou-se para irmã Alice e perguntou-lhe:

– Também ias morrer amanhã?

Ela confirmou.

– De que te acusam?

– Num é da tua conta – respondeu a freira mais velha.

O rapaz fez umas festas ao cão, que se aproximara, e disse:

– Não estou aqui para vos julgar. Estão a ajudar-me a procurar a minha irmã. Não vos vou denunciar.

A rapariga bonita sentou-se, um pouco mais calma, e depois esclareceu o rapaz:

– Irmã Alice foi acusada de desviar mulheres para os caminhos do Demónio.

O rapaz observou irmã Alice, sem qualquer expressão no rosto. Depois, encolheu os ombros e afirmou:

– Desde que não te metas com a minha irmã, quando a encontrarmos, para mim não interessa o que fizeste.

Ligeiramente aliviada, a freira mais velha forçou um sorriso e disse:

– Só pensas em ti...

Foi a vez de o rapaz sorrir.

– Tu és diferente de mim? – perguntou.

Ficaram de novo calados durante algum tempo, cada qual com os seus pensamentos, e depois o rapaz voltou a falar:

– Os guardas que estavam lá em cima, na Sé, iam descer para esta zona. Ouvi-os. Talvez fosse melhor vocês voltarem para o Rossio. No meio da multidão é mais fácil esconderem-se, principalmente com essas roupas.

Examinou o céu e continuou:

– Daqui a pouco é noite. E, se os incêndios forem grandes, pelo menos na praça estão a salvo do fogo. Aqui, no meio das ruas, é mais perigoso.

Incomodada, a rapariga perguntou:

– E tu?

– Vou ficar aqui. Passo a noite na cave, com o meu cão.

– E num tens de comer? – perguntou irmã Alice.

O rapaz sorriu-lhe pela primeira vez, surpreendido com a sua preocupação, reveladora de súbita mudança de atitude.

– Encontro qualquer coisa para roer. Mas vocês é melhor irem à procura de uma sopa no Rossio. Fiquem quietas e calmas, e passem despercebidas.

As duas mulheres concordaram que era a melhor solução e despediram-se. Irmã Alice começou a afastar-se, coxeando um pouco, mas irmã Margarida ficou para trás e abraçou o rapaz.

– Espero que encontres a tua irmã – disse.

Ele segredou-lhe ao ouvido:

– Cuidado com a velha.

Quando irmã Margarida me relatou este episódio, uns dias mais tarde, surpreendeu-me a capacidade do rapaz para a aconselhar, e também o seu instinto protetor em relação à rapariga bonita. Foi um bom conselho, aquele que ele lhe deu, sobre irmã Alice. Apesar da idade, o rapaz pressentia já as tentações da carne. Mas este aviso não impediu o que se passou horas mais tarde, durante a primeira noite depois do terramoto.

22

Naquela primeira tarde, o capitão Hugh Gold estava determinado a tomar posse dos seus dinheiros, guardados no cofre da casa comercial. Embora não fosse o único proprietário da firma, preferia lá guardar os seus ganhos do que levar para casa um enorme pecúlio. Era desconfiado por natureza, contou-me mais tarde. Desconfiava da mulher e da sua amargura, temia que ela se revoltasse e voltasse para Londres. Desconfiava da criada, que fornicava com ele, mas tinha noivo, provavelmente planeando ganhar uns valentes cobres com uma subtil chantagem. E, é claro, desconfiava dos meliantes que assaltavam a qualquer hora do dia ou da noite; dos escravos que vadiavam à tarde pelas ruas, numa lassidão que a qualquer momento se podia converter em agressividade; dos marinheiros de várias nacionalidades, todos arruaceiros e revoltados com a míngua de dinheiro que lhes cabia depois de arriscarem a vida nas travessias oceânicas. Sim, transportar dinheiro pela cidade era um perigo, mais valia as riquezas acumuladas ficarem no pequeno cofre guardado na cave da loja, para onde agora se dirigia, com a escrava Ester a saltitar atrás, trauteando mornas baixinho.

– You slave, que cantas? Songs de África? – perguntou Gold.

– Espanta espíritos – respondeu ela.

O inglês abanou a cabeça, incrédulo, e resmungou:

– Good lord! After o que aconteceu today, achas that espíritos valem anything? Nada, nothing!

A negrinha continuou a cantarolar, evitando a controvérsia, e os dois prosseguiram, subindo e descendo elevações de materiais dispersos, vestígios de uma cidade desmembrada. Foram-se aproximando da zona das feitorias e das casas comerciais, nas traseiras do Terreiro do Paço, por detrás da Alfândega e dos mercados. Fora e dentro dos edifícios havia gente a esgravatar o chão, a arrastar objetos, a cavar buracos, um frenesim inesperado. Contudo, havia algo de estranho, uma anormalidade que Gold não captou de imediato, ao contrário da escrava, que a pressentiu instintivamente. Parou, e puxou pelo pijama de Gold. O inglês virou-se para ela, inquirindo-a com o olhar.

– Não devíamos ir ali – disse ela.

O capitão examinou a zona, observando aquelas formigas humanas. E, finalmente, reparou que todos os homens eram negros.

– Hell, damn! Filhos da...

– Cala-te – ordenou a escrava, baixando a voz.

Dois negros altos e fortes, de tronco nu, cada um com a sua catana, observaram Gold e Ester com atenção. Um deles assobiou. De repente, apareceram mais três negros, com catanas enfiadas nas cinturas. Traziam nas mãos sacos e caixas de madeira, produtos do saque.

– Vamos embora – murmurou Ester.

O inglês estava furioso e rugiu em voz baixa:

– Fucking camels! Corja de cabrões! They are a rapinar our dinheiros! This is nosso, money dos ingleses! Hell, vou lá e kill them, mato-os!

Enraivecido e descontrolado, Gold deu um passo na direção dos negros. Não foi uma boa ideia. Os três que tinham saído da toca onde roubavam, pousaram os haveres no chão e empunharam as catanas. Um deles desatou a correr para o lado direito e o outro para o lado esquerdo. O terceiro avançou e juntou-se aos dois negros que Gold e a escrava tinham visto primeiro. Este novo grupo de três deu dois passos em frente. O homem que tinha a espingarda tirou-a dos ombros, olhando Gold.

Este sentiu o perigo e começou a recuar. Não podia enfrentar cinco homens armados. Para mais, estava ferido no braço e cansado. A rapariga recuou também. De súbito, ouviu-se um grito estridente, produzido por uma língua a agitar-se com rapidez na boca de um homem, como se de um sinal de combate se tratasse. De um momento para o outro, surgiram mais negros, saídos debaixo dos escombros, ou de dentro dos edifícios. Todos pareciam agitados, de armas nas mãos, raivosos.

– Eles estiveram a beber – murmurou Ester. – É melhor fugirmos.

Deu meia volta e desatou a correr. Hugh Gold ficou parado, a ranger os dentes, enfurecido com aquela ganância alheia, que o impedia de tomar posse dos seus dinheiros. Mas os gritos multiplicavam-se e agora já não era só um homem a gritar, mas quase todos. Uma pedra foi lançada do fundo da rua e caiu a uns metros de Gold.

O inglês contou-me que lhe custou imenso abandonar as suas riquezas a uma trupe de escravos endiabrados, mas não teve alternativa. Quando se lançou a correr, várias pedras aterraram no local onde estava antes, e uma raspou-lhe na perna, e mais continuaram a cair antes de ele chegar ao final da rua e desaparecer, escutando nas suas costas os gritos de júbilo dos salteadores.

Correram cerca de duzentos metros e depois pararam, ofegantes, olhando para trás. Ninguém os perseguiu, os homens não estavam interessados neles, mas sim no restolho da catástrofe.

– Fucking camels, quem is this gente? – perguntou Gold, a arfar. – Hell, conheces alguns, são slaves?

Ester não o elucidou e o inglês compreendeu que ela omitia a explicação intencionalmente.

– Good Christ, salvei-te a vida, woman! Why não falas?

Ela fitou-o nos olhos e sorriu:

– E eu agora salvei a tua... Não resistias contra eles nem o tempo que um homem demora a beber um copo de vinho!

O inglês pegou-lhe no braço:

– Hell, who are eles?

A rapariga libertou-se com um safanão, e deu dois passos atrás, enervada.

– Quem é que achas que são? Escravos, inglês, escravos! Viajantes dos porões dos vossos navios, habitantes das caves e dos logradouros, escumalha como eu! Foram humilhados, vendidos, sangrados, sodomizados, viram as suas mulheres, as suas mães, irmãs e filhas a serem fornicadas por vocês, anos e anos a fio, e agora querem... Sabes o que eles querem?

Perplexo, o inglês interrogou-a:

– What, que querem?

A escrava levantou os braços ao ar e berrou:

– Vingança!

Hugh Gold compreendeu finalmente. Libertados pelo terramoto do jugo dos seus senhores, muitos dos escravos assaltavam a cidade, roubando e matando. Justiça retributiva, era o que era. Mas o inglês protestou:

– But, but... não são os ingleses que own them, not our escravos! As lojas they are a roubar são inglesas! Good lord, I não lhes fiz mal, nothing! No slaves eu, porque roubam my money?

A escrava deu uma gargalhada:

– Ó pobre inglês! Achas que os escravos percebem os teus maravilhosos princípios? É teu, é inglês, é isto ou aquilo... Hoje não há nada de ninguém! Hoje, o que é teu é o que tu conseguires apanhar... Lembras-te do que disse Abraão?

O inglês lembrava-se e apontou para a zona de rapina.

– Hell, these are seguidores de Abraão?

A negrinha deu nova gargalhada:

– Somos todos seguidores de Abraão, não leste a Bíblia? Eu, tu, eles...

A ironia dela estava a enervar Gold, que lhe agarrou de novo o braço.

– Hell e tu? Why não te juntas a eles? Why não vais lá, looking for moedas de ouro? Hell, não és igual, slave Ester?

Calada, Ester permaneceu parada, muito serena, e depois o inglês aliviou a pressão sobre o seu braço e largou-a. Ficou também uns momentos silencioso, antes de falar:

– Sorry, desculpa – disse ele.

Ela suspirou e depois examinou a cidade e descobriu as colunas de fumo ponteando o horizonte.

– Não sou escrava, já te disse.

O inglês não sabia o que dizer-lhe, nem o que fazer a seguir, e recomeçaram a andar, regressando ao Terreiro do Paço. Mas naquela rua já havia um incêndio, e tiveram de contorná-lo, e continuaram o seu trajeto naquela caricatura de cidade, amputada da sua habitual vida. Gold observava os mortos cujas mãos hirtas saíam da terra, como garras de pássaros, ou os vivos, cujas vestes se apresentavam cada vez mais sujas e cujas caras estavam cada vez mais pálidas. Em breve, concluiu, uma espécie de loucura ia atacar aquelas almas também. Ou isso, ou os escravos assassinos.

– Aonde vamos? – perguntou Ester.

– To my house, minha casa...

Encolheu os ombros. Sentia-se invadido por uma espécie de indiferença, uma letargia desistente, uma ausência de propósitos. Ao ver as firmas a serem violentadas pelos escravos, percebera o quanto já se perdera naquela cidade. Desanimado, decidiu abandonar aquele caleidoscópio de horrores.

Continuaram, passando pelos restos da Patriarcal esventrada, e seguindo em paralelo ao edifício da nova Ópera, tão recente e naquela manhã furiosamente demolido pelos abalos. Nada restava de pé, só um monte de terra e fragmentos gigantes de mármore, capitéis e tijolos soltos, colunas quebradas e parcelas do telhado, bocados de parede que pareciam pedaços de papel rasgados, um canto de um varandim de talha dourada, uma cúpula dourada em miniatura. Ao passar próximo da entrada principal, Hugh Gold reparou num cartaz, que anunciava o elenco e título da ópera que seria cantada essa noite. Ao lê-lo, sentiu-se atingido por um raio de perplexidade, primeiro, e depois por uma forte comoção. Olhou para a escrava e murmurou:

– Good lord... Hell, sabes the ópera que was ser cantada tonight?

A escrava não sabia.

– Look, *A Destruição de Troia* – murmurou o inglês. – Of Troia...

Observou o mundo à sua volta, girando sobre os pés, e depois caiu no chão de joelhos. Ela ficou intrigada, desconhecendo a história da tragédia grega.

– Christ, is it our destino? Like Troia, Lisboa desaparecer forever?

Permaneceu de joelhos algum tempo, e depois Ester abraçou-o, e levantou-o do chão, e disse-lhe que tinham de prosseguir, que deviam ir à procura da sua casa, e ele assim fez, acompanhando-a, desmoralizado e cabisbaixo.

Passaram por Remolares, onde persistia a agitação que Gold encontrara de manhã, e o rio continuava também revolto. Grupos de pessoas estavam sentadas, trocando narrativas dos sofrimentos presenciados, evocações de entes perdidos.

O inglês e a escrava pararam perto das ruínas da Igreja de São Paulo e Gold viu a Casa da Moeda a umas centenas de metros. Estava deserta, não havia ninguém a guardá-la, nenhum soldado, o que era estranho, mas também nenhum desordeiro ou curioso se aproximara dela, o que significava que o ouro ali guardado não tinha sido vítima de assaltos.

Com um novo ânimo, o inglês informou:

– Slave, vou até lá. Ficas here?

A escrava queixou-se de sede. Iria beber à fonte próxima da igreja e incentivou-o a fazer o mesmo, mas o inglês persistiu na sua ideia e avançou na direção da Casa da Moeda.

– Hey slave, you espera por mim here – ordenou à rapariga.

À medida que se ia acercando do edifício, um sólido prédio, um quadrado com apenas um andar, murado e fechado, o capitão Hugh Gold sentiu uma certa agitação interior. Estaria o ouro abandonado? Ali se guardava o precioso metal proveniente do Brasil, antes de seguir o seu caminho em novos navios, em direção a Inglaterra ou à Flandres. Gold nunca visitara a Casa da Moeda, mas ouvira relatos da sua dimensão, das montanhas de lingotes, colocados uns por cima dos outros, em filas longas. Ao chegar ao portão, o inglês sentiu-se inebriado, só de pensar nos valores que a caixa-forte continha. De súbito, ouviu uma voz. Um homem ordenou que ele não avançasse mais. Gold levantou ligeiramente as mãos, num sinal demonstrativo das suas intenções pacíficas.

– Quem é o senhor? – perguntou o homem.

O inglês explicou-se, e contou a sua história. O seu interlocutor foi saindo da penumbra enquanto ele falava, e Gold percebeu que estava perante um sargento, fardado a rigor, de botas e espingarda. Parecia calmo e controlado, e quando o inglês terminou o seu relato o homem baixou a arma.

– Tem sido uma manhã terrível – afirmou.

Chamava-se Mexia e estava ali a guardar o ouro. O edifício tinha resistido aos três abalos com solidez. As ondas haviam batido contra as portas da Casa da Moeda, sem conseguirem entrar. O sargento protegera-se lá dentro, e só agora, quando vira o inglês, se havia decidido a sair cá para fora.

– Good lord, Lisboa is um caos – informou Gold. – Há groups of bandidos a saquear, mais de mil bodies, dead, horror... You... you não teve vontade de runaway, fugir?

O sargento Mexia negou:

– É meu dever ficar a guardar o ouro.

Gold sentiu admiração por aquele homem: o mundo desabara à sua volta e ele não esquecia as suas obrigações. Apesar de tudo, podia haver esperança na cidade.

– You are comandante dos soldiers?

O sargento explicou que o comandante desaparecera.

– And... os outros soldiers, are lá dentro? – perguntou o inglês.

– Não há mais soldados. Ou fugiram ou morreram. Só resto eu.

O inglês ficou boquiaberto. Um homem solitário, heróico, bem-intencionado, mas decerto impotente caso uma horda de selvagens aparecesse por ali.

– Jesus... You precisa de any coisa? – perguntou Gold.

– Não – respondeu o sargento. – A comida e a água dão para uns dias. Mais tarde ou mais cedo, o rei vai mandar alguém ver o que se passa com o ouro. Até lá, fico por aqui.

Sentou-se junto ao portão da Casa da Moeda, cansado, mas sereno e firme nas suas intenções. Gold desejou-lhe sorte.

– Hey man, good luck. Hell, I hope cambada não comes here.

Devagar, o inglês regressou para junto da escrava, pensando no quanto o reino de Portugal devia àquele herói solitário, que, em vez de se salvar, ficara a guardar as riquezas de el-rei D. José. Ao chegar junto de Ester, o capitão Hugh Gold vinha revigorado, com uma renovada crença nas capacidades humanas perante a tragédia, mas também iludido, convicto de que a sua força de carácter, se a deixasse comandar as suas ações, podia igualmente vencer as adversidades.

– Fucking camels! I want voltar para trás! – exclamou. – Hell, não vou deixar that those energúmenos steal me! I'm going to fight, lutar com eles, and kill them, todos!! Vamos, let's go!

Ester bem tentou demovê-lo desses arriscados propósitos. Recordou-lhe a perigosidade dos escravos, treinados na arte de matar, animais de instintos malignos a quem o terramoto dera uma oportunidade única. Além disso, apontou para o céu, para o fumo dos incêndios bem visível; lembrou o cair da tarde e a chegada da noite, obstáculos que tornavam a aventura arriscada. Mas Gold sentia-se confiante e capaz depois da conversa com aquele herói, e arrastou Ester atrás de si, embriagado com a certeza de que iria recuperar as suas fortunas e colocar um fim naquela inaceitável roubalheira.

Dias mais tarde, quando revelou este episódio, o hábil e inteligente Hugh Gold usou-o como um trunfo para salvar a pele, mas nunca deixou de admirar a coragem daquele sargento. Foi dos poucos exemplos de bravura e serenidade daqueles dias, embora a sua solidão contivesse um elemento bastante perturbador. O ouro deixa os homens de cabeça à roda...

Enquanto o inglês renascia devido ao encontro com aquele improvável herói, e irmã Margarida recebia um aviso de um rapaz, o meu amigo Muhammed dava sinais de descontrolo. Entre o Bairro Alto e a Igreja de Santa Isabel, por diversas vezes murmurou, rangendo os dentes, ao observar um edifício:

– Santamaria, ir assaltar casa...

Ou, quando via corpos no chão:

– Santamaria, fio de ouro, nós ir levar.

Tinha de lhe lançar um olhar severo, impedindo-o de tais atos na presença da velha senhora que acompanhávamos. Mas ele estava a perder a paciência. Muhammed era, sempre fora, um pirata, um assaltante dos mares, sem respeito pelas regras da propriedade, e só se coibia de realizar determinados atos porque não se sentia no seu ambiente natural, e temia ser de novo preso. Porém, o sentimento de perturbação que descera sobre a cidade, a perceção de que existiam poucos soldados nos locais, o cansaço e a fome começavam a diluir-lhe a contenção a que se obrigava. Eu sabia que, mais hora menos hora, deixaria de ter ascendente sobre ele...

Para mais, quando chegámos a Santa Isabel, deparou-se-nos mais um cenário de anarquia. Centenas ocupavam os campos que rodeavam a igreja, recuperando forças. Havia frades e freiras que iam, de grupo em grupo, oferecendo água. Junto às portas do edifício, alguns cestos de pão estavam cercados por crianças e mulheres e mesmo um ou outro homem, que se alimentavam à vez, respeitando uma distribuição ordenada pelo prior da paróquia.

– Muhammed não ir ficar aqui, ir ser perigoso – informou o árabe.

A senhora da lenha despediu-se de nós. Conversando aqui e ali, ficámos a saber que a maioria daquelas pessoas viera da parte baixa da cidade, deixando para trás as suas casas destruídas. Muitas esperavam voltar para lá em breve, mas outras já haviam decidido pernoitar em Campo de Ourique.

– É para lá que está a ir muita gente. Há quem esteja a montar tendas, com lençóis e cobertores – disse um homem.

Dentro da igreja, ouvimos que se rezavam missas e terços, pedindo a proteção de Deus para os vivos e a bênção para os mortos. Quase toda a gente tinha perdido familiares: um filho, um marido, um irmão, um pai ou uma mãe. Muitos estavam sós, chorando e lamentando a sua terrível sorte: haviam perdido os bens, a casa ou tudo ao mesmo tempo.

Além de rezarem e de tentarem descansar, as pessoas precisavam de falar, partilhar com quem estava ao seu lado a sua história individual da monumental tragédia. Uma mulher afirmava que estava a lavar-se quando o teto lhe caíra em cima da cabeça; um rapaz dizia, entre soluços, que vira a cabeça do pai voar, cortada por uma porta; um homem acrescentava que caíra escada abaixo e sobrevivera por milagre. As pessoas, ao ouvirem falar em mortos, benziam-se, e todo o grupo que escutava a narrativa dizia, num coro murmurado:

– Misericórdia...

A tarde já ia a meio quando se deu um novo e forte abalo. Ouviram-se mais estrondos na zona baixa da cidade. Uma revoada de terror contagiou as pessoas, e muitas desataram a correr para os campos, afastando-se cada vez mais do centro da cidade, a fonte de todos os perigos. Quando a calma regressou, voltei a pensar na razão que me trouxera ali. Não descobrira ninguém que se assemelhasse à minha memória de Mariana. Tinham passado muitos anos, ela seria já uma mulher diferente daquela rapariga que conhecera, mas mesmo assim não vira ninguém com traços semelhantes naquele ajuntamento. Entretanto, perdera Muhammed de vista, e temia que andasse a fazer das suas.

À porta da igreja, e talvez devido ao susto do novo abalo, organizava-se uma improvisada procissão. Vários frades e freiras tinham-se juntado, cantando orações. Não fazia ideia para onde iriam, mas muitos refugiados abriram alas para os ver avançar. Com velas na mão, desceram no sentido da Baixa da cidade, rezando, e as pessoas olharam para eles, tristes e silenciosas, pensando nos que haviam perdido a vida. Dei-me conta do absurdo da situação: um grupo caminhava com velas acesas na direção de uma zona da cidade que começava a arder! Eram agora perfeitamente visíveis as colunas de fumo negro que sobrevoavam a Baixa, tufos de maus presságios para a noite que se aproximava. Levar velas para lá não me parecia boa ideia, mas os frades e as freiras tinham certamente missões que não eram deste mundo...

Descobri Muhammed junto ao edifício, perto dos cestos do pão. O árabe tentava tirar algumas carcaças, escondendo-as nas calças ou dentro do casaco, mas, após duas ou três tentativas, o padre repreendeu-o e expulsou-o, acusando-o de ser um ladrão e de se querer aproveitar das maleitas gerais em proveito próprio.

Uma certa agitação levantou-se, e vários homens deram pontapés em Muhammed, escorraçando-o. Alarmado, vi que, talvez vindos de Campo de Ourique, tinham surgido três soldados, armados com facas e espingardas, e que ao assistirem aos protestos do padre se sentiram na obrigação de reagir, mostrando serviço, começando a correr atrás de Muhammed.

O árabe fugiu, com os soldados à ilharga, pela encosta abaixo, em direção ao vale do Rato. Foi tão rápido que os soldados, uma centena de metros depois, desistiram de correr e continuaram a descer mais devagar, talvez hesitantes, pensando se não era mais avisado regressarem à igreja, onde estariam a salvo dos perigos de um novo tremor de terra. Passei por eles em passo calmo, para não atrair sobre mim as atenções, e chegado ao vale procurei Muhammed, mas não o consegui encontrar.

A estrada que vinha do Poço dos Negros estava pejada de habitantes, que fugiam do centro da cidade, num frenesim decerto acelerado pelo recente tremor da terra. Havia *chaises* a transportar nobres, cavalos que puxavam carroças carregadas de sacos e de crianças, mulas onde cavalgavam feridos atordoados, e muita gente com panos brancos nas cabeças, nos braços, nas pernas. Com medo, os habitantes apressavam o passo, por vezes deixando cair alguns haveres, sacos ou roupas, criando um rasto de despojos na estrada, que depois alguns homens apanhavam, como pássaros a debicarem migalhas... Pareceu-me ver Muhammed, arrebanhando uma trouxa.

De repente, vindo do outro lado da estrada, surgiu um coche, grande e ricamente ornamentado, puxado por quatro imponentes, mas nervosos, cavalos. O cocheiro recebeu ordens e tentou parar os animais, que tinham dificuldades em permanecer quietos no meio daquele rio de gente. A porta do coche abriu-se e de lá saiu um homem muito alto, forte, que começou a observar a estrada e o movimento das pessoas. Com desenvoltura, subiu para junto do cocheiro, para melhor ver o Poço dos Negros. Examinou também o horizonte, carregado de colunas de fumo.

Conhecia Sebastião José de Carvalho e Melo há muitos anos, desde os meus tempos de juventude. Era dez anos mais velho do que eu, e sempre o admirara, pois era forte, destemido e ousado. Com uma energia fora do vulgar, e uma coragem física notável, era também muito dado a meter-se em sarilhos. Em jovem, com pouco mais de vinte anos, gostava de andar à pancada, de se envolver em arruaças, de confrontos físicos, de duelos e de tiroteios noturnos. Como tinha um carisma raro, agrupara à sua volta bastantes rapazes, quase todos mais novos do que ele, que seguiam a sua liderança sem pestanejar. Na cidade, o seu gangue ficou conhecido como o de *o Carvalhão*, nome decerto colocado devido à sua altura e pelo qual se tornara conhecido dos guardas, das prostitutas e dos taberneiros. Era um grupo de vadios e arruaceiros, que causava distúrbios com uma alegria e uma irresponsabilidade típica dos jovens, e do qual eu também fiz parte durante alguns meses, antes de *o Carvalhão* se ter ido embora, primeiro para Coimbra e depois para Londres. Sem líder e sem destino, o grupo desmantelara-se e eu seguira o meu caminho individual, que me levara mais tarde aos barcos e ao mar. Mas recordava com saudade aqueles dias aventureiros e de pancadarias épicas. *O Carvalhão* metia respeito, mas tratava-nos bem, desde que o ajudássemos sempre e nunca colocássemos a sua autoridade em causa.

Um dia, desafiou-me. Eu tinha doze anos e queria pertencer ao grupo, mas ele considerava necessário sujeitar-me a uma provação. Explicou-me que teria de roubar um saco de moedas a um nobre, e fazê-lo enquanto o homem era transportado numa *chaise* pelas ruas de Lisboa, a caminho do Terreiro do Paço. Informou-me que o homem passava todos os fins de tarde pelo mesmo local, pois ia visitar a amante. A *chaise* era carregada por quatro escravos, e era extremamente difícil roubar o saco de moedas em andamento, sem que o nobre ou os criados notassem. Para mais, acrescentara *o Carvalhão*, o roubo teria de ser executado antes de ele fazer a visita amorosa, pois no regresso o saco viria bem mais vazio.

— Se o fizeres, passas a ser dos nossos — prometeu *o Carvalhão*.

Durante três dias, espiei a viagem do nobre pelas ruas da Baixa. Observei os locais mais propícios a um assalto, mas cedo compreendi que um ataque frontal seria irrealista. Então, pensei num estratagema manhoso. Reparara que o vaidoso usava sempre lenços ao pescoço, de seda e de várias cores, e que certamente seria tentado a parar se lhe mostrasse alguns. Ora, conhecia uma mulher que vendia lenços desses e consegui convencê-la de que iria encontrar um comprador numa determinada esquina da cidade. Fui tão convicto que ela acreditou. Preparei-me para a situação e avisei o gangue de *o Carvalhão*.

Nessa mesma tarde, o próprio Sebastião José assistiu à minha marosca. A vendedora aproximou-se da *chaise* e o nobre, vaidoso, parou logo que viu os lenços que ela trazia no seu cesto, bem como nos que eu lhe apresentei num segundo cesto. Os escravos pousaram a *chaise* e aproveitaram para descansar. Enquanto o nobre provava os lenços, enrolando-os à volta do pescoço, roubei-lhe o saco das moedas, escondendo-o no meu cesto. Depois, olhei para o nobre, satisfeito com um lenço escarlate, e ri-me à gargalhada. Irritado, o caprichoso perguntou-me porque ria, ao que eu lhe respondi:

– Pareces uma mulher gorda!

Isto, é evidente, irritou-o ainda mais e, apesar de ter tentado provar mais dois ou três lenços, acabou por não comprar nenhum, o que era o meu objetivo, pois assim não foi verificar o saco de moedas. Enervado, mandou os escravos levantarem a *chaise* e seguiu viagem, e foi assim que eu entrei para o gangue de *o Carvalhão*.

Sebastião José, *o Carvalhão*. Era ele quem estava agora ali, à minha frente, observando o fumo dos incêndios a partir do seu coche. Não o via há muitos anos, mas aquela cara, aquela estatura imponente, eram inimitáveis. Será que ainda se lembrava de mim? Não respondera à petição que lhe escrevera quando estava no Limoeiro, a pedir a minha libertação por ser português, mas... Talvez ele nunca a tivesse lido, talvez não lhe tivesse chegado? Não podia perder a oportunidade de lhe explicar a minha situação.

Os três soldados que haviam corrido atrás de Muhammed tinham-se aproximado do coche, esperando ordens. Afinal, Sebastião José era agora o secretário dos Negócios Estrangeiros do rei D. José, uma das figuras mais poderosas em Portugal, e eles sabiam-no. Arrisquei e aproximei-me do coche. *O Carvalhão* descia do seu ponto de observação e ordenou ao cocheiro o regresso a Belém, para junto do rei.

Dei mais quatro passos e chamei:

– *Carvalhão*, sou eu, o *Gato Bravo*!

Era essa a minha alcunha no tempo em que pertencera ao seu grupo. Fora o próprio Sebastião José quem me batizara assim, pois dizia que eu era muito assanhado e bravio, como um gato selvagem.

– Lembras-te de mim? – insisti.

Na sua expressão, notei uma ligeira confusão. Olhou-me, espantado:

– Tu...

Momentos depois, vi-o cerrar os dentes e olhar-me com frieza:

– Ninguém me chama isso – avisou em voz baixa, furioso.

Pressenti que cometera um erro em chamá-lo pelo cognome pelo qual era conhecido na sua juventude, mas não desisti.

– Não te recordas de mim? Ajudei-te, lembras-te, quando fomos buscar a tua mulher? Sou eu... o *Gato Bravo* – repeti.

Ao ouvir a palavra «mulher», Sebastião José gritou de imediato para os soldados:

– Prendam este homem!

Os três guardas, surpreendidos, avançaram na minha direção. Insisti:

– Mas sou eu, deixa-me falar contigo!

Contudo, furibundo, o secretário dos Negócios Estrangeiros berrou:

– Prendam-no, imediatamente!

Sou rápido a avaliar as situações e percebi num instante que a minha cartada tinha falhado. Rodopiei e desatei a correr, furando por entre as pessoas que subiam a rua. Não olhei para trás, mas sabia que os soldados me perseguiam, e continuei veloz, zangado e dececionado com o que se passara. Não esperava aquele comportamento vindo de um homem que eu tanto ajudara no passado.

Porém, choquei com uma pessoa, e depois com outra, e uma terceira deu-me um encontrão. Desequilibrei-me e caí, no meio da confusão. O homem que me dera o encontrão agarrou-me, avisando os soldados que me prendera. Tentei libertar-me, mas eles caíram sobre mim. Agarraram-me e levantaram-me, tentando atar-me as mãos atrás das costas.

Senti uma enorme raiva. Estava preso outra vez! A ilusão vencera-me. Pensara que podia convencer Sebastião José a libertar-me e mais não fizera do que colocar-me na boca do lobo. Desanimado, quase não resisti, e deixei os guardas fazerem o seu trabalho.

De repente, um deles agarrou-se à cabeça e ajoelhou-se, atarantado, gritando de dor. Vi um enorme lanho aberto na sua testa, de onde jorrava sangue em profusão. Momentos depois, o segundo soldado foi também atingido com uma pedra na nuca e caiu para trás, desamparado. Então, num gesto rápido, golpeei o soldado que me agarrava com uma joelhada na anca. Ele gemeu de dor e baqueou, e aproveitei para lhe dar um pontapé, que o fez tombar para o lado.

Virei-me, tentando perceber quem me ajudara, e ouvi um assobio, imitando um cuco, vindo de uma esquina. Vi Muhammed pelo canto do olho. Num movimento rápido, virei para a rua onde ele estava, e começámos os dois a correr, subindo a encosta. Depois, atirámo-nos para trás de uns fardos de palha, perto de uma casa que ainda resistia de pé, e escondemo-nos. Passaram alguns minutos e percebemos que os soldados deviam estar demasiado feridos para nos perseguir. Sorri para Muhammed. O árabe tinha uma espécie de elástico na mão, que usara como fisga para atirar as pedras. Sorriu também e perguntou:

– Quem ir ser homem alto?

Contei-lhe quem era e porque me sentia abandonado por ele. Muhammed comentou:

– Não ir valer ser bom português aqui, Muhammed ir perceber...

Tinha razão. Compreendi nesse momento que não iria ser ajudado ou libertado. Sebastião José reconhecera-me, disso tinha a certeza, e sabia que tinha fugido do Limoeiro. Ou seja, a minha situação piorara muito, pois agora ele iria fazer tudo para me prender novamente.

24

Bernardino e o seu ilustre acompanhante demoraram várias horas a chegar ao centro de Lisboa. Saídos de Belém, enfiaram-se pela Rua da Junqueira. Uma mole de desafortunados abandonava a cidade, esmagada e dorida, lamentando-se e procurando a salvação longe do centro. A carruagem estava constantemente a ser parada por estas levas de miséria humana, e aos olhos de Bernardino e do secretário dos Negócios Estrangeiros a dimensão da hecatombe assumiu proporções gigantescas.

– Se isto aqui está assim, imagino como estará a cidade – murmurou Sebastião José de Carvalho e Melo.

Bernardino tentava contabilizar o número de pessoas que passavam, mas duas horas depois suspendeu as suas notas.

– São milhares – disse.

Permaneceram calados, enquanto os cocheiros tentavam criar um corredor para o avanço da carruagem. Por volta das duas da tarde, ainda não tinham chegado à ponte de Alcântara, e Sebastião José decidiu parar à frente do palacete de D. João da Bemposta, irmão bastardo do rei. O edifício apresentava rachas nas paredes e, junto aos portões, criados ofereciam água e alimentos. Entraram. Foi-lhes dito que D. João tinha ido a Lisboa, com dois criados a acompanhá-lo. O homem com quem falaram ofereceu-lhes água e comida, mas Sebastião José rejeitou-as, pois estava com pressa. Regressaram à carruagem e ao seu caminho. Passaram pela ribeira de Alcântara com enormes dificuldades. A ponte não caíra, mas havia tanta gente a querer atravessá-la no sentido contrário, que demoraram mais uma hora para chegar ao lado de lá.

Bernardino reparou que duas diferenças fundamentais distinguiam as pessoas que se cruzavam com eles agora daquelas com quem se tinham cruzado no início da viagem. Antes, as pessoas vinham feridas e carregadas de pó, mas não traziam nada consigo. Deviam ter sido os primeiros fugitivos, aqueles que não tinham tido tempo para pensar. Agora, muitos viajantes já carregavam os seus haveres. Famílias inteiras transportavam partes das casas às costas, o que dificultava ainda mais a movimentação de todos. Bernardino deduziu que este segundo grupo de habitantes devia viver em áreas onde a destruição não fora tão profunda.

Contudo, agora aparecia também um outro tipo de pessoas que não transportava nada, mas tinha as roupas molhadas. Em casa de D. João da Bemposta, Bernardino ouvira os criados referirem-se às ondas, mas não percebera do que se tratava. Porque estariam as pessoas molhadas, de onde tinham vindo as tais ondas? Só quando finalmente chegaram ao Palácio das Necessidades é que foram informados daquela perturbadora verdade:

– Três ondas gigantes invadiram a cidade – contou o capitão da guarda.

Ouviram a descrição do fenómeno e foram informados de que o Cais da Pedra havia sido tragado pelas águas, levando com ele milhares de pessoas.

– Dizem que o mar chegou quase ao Rossio.

Bernardino e Sebastião José espantaram-se, duvidosos com tal possibilidade. O capitão da guarda acrescentou:

– Daqui até ao Terreiro do Paço não podem ir por terra com a carruagem. A estrada está destruída em vários locais. Não há ponte em Santos, e em Remolares há também graves danos.

– E a Casa da Moeda? – perguntou Sebastião José.

– Não sabemos nada. Mas estava lá uma guarnição e o edifício é muito seguro – lembrou o capitão.

– E o Paço, resistiu? – perguntou Sebastião José.

– Segundo me informaram, a nova Patriarcal caiu e a nova Ópera também, mas o Paço está de pé.

O secretário dos Negócios Estrangeiros desejava prosseguir a viagem, mas estava fora de questão ir a pé pela zona de Santos.

– A minha sugestão – avançou o capitão – é que vão por estrada até ao Rato e depois desçam daí para o Poço dos Negros. Ou então que sigam na direção do Rossio.

Sebastião José deu ordens para o capitão reunir os homens que pudesse e esperar ali até que eles voltassem. Contudo, o oficial avisou-o:

– Não temos muitos. Só aqui no palácio morreram vinte e dois, e quinze estão feridos. Consigo reunir uns vinte, ou vinte cinco. Mas, senhor, digo-lhe, os homens estão aterrados. Nunca vimos nada assim. Quem vem da cidade conta histórias de arrepiar... Dizem que a zona baixa não tem um edifício de pé, caiu tudo, até as igrejas! Há mortos em todo o lado... As pessoas estão desesperadas, não admira que fujam...

Sebastião José insistiu em que se agrupasse o maior número de soldados possível.

– Esta noite vai ser difícil – justificou-se o capitão. – Também ouvi dizer que fugiram muitos prisioneiros do Tronco... As pilhagens já começaram, nas zonas de Remolares e de Santa Catarina.

Ao ouvi-lo mencionar as cadeias, Bernardino perguntou:

– E o Limoeiro, aguentou-se?

O capitão não sabia:

– Não há notícias desse lado da cidade. Só do Terreiro do Paço para cá. Dizem-me que se vê a Sé e o Castelo, mas a encosta está arrasada.

Regressaram à carruagem, e seguiram as instruções do capitão, ordenando ao cocheiro que rumasse ao Rato. Em silêncio, tentaram aceitar o impensável cenário descrito pelo capitão, e só meia hora depois o ministro do rei voltou a falar.

– Se os prisioneiros fugiram e andam a saquear a cidade, os soldados vão ter de os prender – declarou Sebastião José.

Fez uma pequena pausa, e depois acrescentou:

– Ou abater.

Bernardino pensou no pirata Santamaria. Teria conseguido fugir, aproveitando-se do terramoto? Dali a uns dias, com os portos fechados à navegação, mesmo que tivesse escapado o mais provável era ser preso novamente. Era este o seu pensamento, e Bernardino nunca previu o que se passou a seguir. Quando chegaram ao vale do Rato, Sebastião José mandou parar o veículo e saiu para a rua. Trepou para junto do cocheiro e depois saltou para o teto da carruagem e observou a cidade. O horizonte estava repleto de prédios destruídos, e pela Rua do Poço dos Negros vinha uma vaga de refugiados, arrastando os seus feridos e os seus baús. Mais preocupante ainda, colunas de fumo negro brotavam de vários pontos, uma confirmação de que os incêndios já consumiam Lisboa.

Sem aviso, um popular aproximou-se da carruagem. Usava barbas e cabelos compridos, estes apanhados por uma fita, e vestia um casacão que não lhe assentava bem. Bernardino sentiu um estranho e inexplicável frémito interior quando o indivíduo deu mais uns passos, enquanto Sebastião José descia do seu ponto de observação e ordenava ao cocheiro o regresso a Belém. Nisto, o homem chamou o ministro:

– *Carvalhão*, sou eu... *o Gato Bravo*.

A Bernardino, a garganta torceu-se-lhe num nó. Era ele, o da petição, Santamaria, o pirata! Como uma alma penada, aparecia ali, na rua, junto à carruagem. Decerto fugira da prisão, e agora desejava falar com Sebastião José. Furioso, o ministro do rei murmurou umas palavras cujo sentido Bernardino não captou, e depois desatou a berrar aos soldados.

– Prendam este homem!

Confundido, o pirata ainda pediu que o ouvissem, mas Sebastião José repetiu a ordem com mais veemência, e então o bandido virou costas e deitou-se a correr, fugindo rua abaixo, na direção do Poço dos Negros. Os soldados lançaram-se atrás dele e, depois, tudo aconteceu de forma rápida: cercado e agarrado por alguns populares, o pirata ajoelhou-se e foi preso pelos soldados, mas, de súbito, voaram pedras. Dois soldados tombaram, as mãos agarradas à cabeça. O pirata lutou com o terceiro e conseguiu libertar-se, desaparecendo a correr. A assistir à cena, Sebastião José enfureceu-se com a sua inesperada conclusão.

– Maldito – murmurou.

Bernardino entrou de novo na carruagem, atrás dele, e iniciaram o caminho de regresso. O ajudante, atrapalhado, nem se atrevia a perorar. Mas pouco tempo depois, já mais calmo, Sebastião José declarou:

– Quero aquele homem preso.

O ajudante concordou, com nervosos acenos de cabeça.

– É ele quem penso que é? – perguntou o ministro do rei.

Angustiado, Bernardino respirou fundo, tentando arranjar coragem. A voz tremia-lhe quando disse:

– Sim. É o tal pirata, chamado Santamaria.

Sebastião José observou-o, curioso:

– E como é que sabes isso?

O coração de Bernardino falhou uma batida. Suores frios percorreram-lhe o corpo, e as suas mãos humedeceram nas palmas. Piscou os olhos, agitado.

– Eu...

Como explicar a Sebastião José que conhecia aquele homem sem falar do passado de todos? Como elucidá-lo sem evocar os tempos em que o ministro era conhecido como o *Carvalhão*, e Bernardino um rapazola que, como muitos outros, pertencia ao gangue de jovens desordeiros liderados por aquele jovem alto, duro e inteligente? Suava cada vez mais das mãos e das axilas, e piscou de novo os olhos, sem conseguir falar.

Foi então que Sebastião José se antecipou:

– Sei quem tu és, e também sei quem ele é.

Bernardino sentiu-se gelar, sem conseguir manter o contacto visual com o enorme e poderoso ser que se sentava a um metro de si, no banco oposto daquela carruagem. Ouviu-o dizer:

– A diferença entre vós é que ele é um pirata, um criminoso fugido da prisão. Há que apanhá-lo e castigá-lo.

Bernardino concordou, limitando-se a mais um submisso aceno de cabeça.

– Quanto a ti...

Sebastião José fez uma pausa e fixou os seus olhos no ajudante de escrivão. Bernardino confessou-me que, nesse momento, sentiu a sua vida suspensa.

– Espero que esqueças o que tens de esquecer, e que te lembres do que tens de te lembrar. Entendes? – perguntou Sebastião José.

Como uma marioneta, Bernardino sentiu a sua cabeça de novo a acenar, para cima e para baixo, em total e pronto acordo com aquelas palavras. O ministro prosseguiu:

– E nem uma palavra sobre o que aqui se passou. A ninguém. Nem ao rei...

Mais uma vez, agora já um pouco aliviado, o ajudante limitou-se a dizer que sim com a cabeça.

– Num dia como este, ninguém se vai preocupar com a petição de um pirata – acrescentou Sebastião José. – É prendê-lo e depois penduramos-lhe a cabeça no Rossio, num pau, para servir de exemplo.

Franziu a testa, incomodado, e acrescentou, olhando para as ruas cheias de caminhantes:

– A cidade precisa de ordem. Os criminosos não podem andar à solta...

Bernardino não podia estar mais de acordo.

Meses depois, quando tomei conhecimento destas decisões de Sebastião José, limitei-me a confirmar que fora um erro tentar falar com ele e acima de tudo referir a mulher dele. Para o ministro, o terramoto apresentava-se como uma enorme oportunidade de se tornar essencial junto do rei, de tomar o poder em Portugal. Qualquer menção a episódios do seu passado só serviriam para o minar, para lhe retirar poder. Sebastião José não iria permitir que os seus inimigos na corte, os nobres e os jesuítas, usassem o seu passado contra ele. Ora eu era uma peça desse passado, e aparecer à sua frente foi má sorte. Sabendo-me vivo e à solta, ascendi à condição de contrariedade, tornei-me um perigo devido ao que sabia sobre a sua mulher e, portanto, um alvo a eliminar, para evitar danos à sua reputação. Com aquele cruzamento no Rato, o meu destino começou a ser traçado.

25

A tarde estava a cair e o cheiro a madeira queimada circulava com a brisa, enquanto uma ténue luminosidade laranja acendia os arredores. Mesmo enterrado debaixo dos alicerces quebrados da casa, o rapaz sentia a força do fogo a impor-se à cidade, um terceiro desastre que a iria magoar e punir. Primeiro, a terra; depois, a água; e agora as chamas. Nunca o rapaz pensara que tanta fúria pudesse acontecer num só dia, mas os factos ultrapassavam a imaginação, por mais fantasista que ela fosse.

Mergulhado numa espécie de túnel, onde se misturavam numa amálgama instável os despojos da vida doméstica e os materiais de construção, o rapaz tentava, com uma pequena placa de madeira, cavar, esburacar, furar, sempre alimentado pela intensa esperança de encontrar a irmã.

Às vezes, cansado, saía do buraco e sentava-se nas pedras, observando a cidade arrombada. Foi numa dessas pausas que, de repente, o sentimento de esperança que habitava o seu coração ganhou nova e mais vigorosa força, pois, de um momento para o outro, o cão revelou sinais de uma agitação inesperada. Durante as horas que vira o rapaz a remexer naquela balbúrdia, o cão andara sempre ali, às voltas, umas vezes farejando, outras latindo, sempre de focinho no chão, concentrado, como que compreendendo perfeitamente o objetivo do exercício, solidário com a dedicação e a perseverança do rapaz. Mas nunca revelara tanto frenesim. Desatou aos saltos, a ladrar furiosamente na direção da entrada do improvisado túnel, como se alguém estivesse a sair de lá. O rapaz falou com ele como sempre falava, como se o cão fosse uma pessoa, e perguntou-lhe:

– O que se passa? É a Assunção?

Ao ouvir o nome da rapariga, o cão ladrou ainda mais e correu de novo até ao túnel, regressando depois até ao rapaz, a correr, num vaivém, como se o incentivasse a ir de novo para dentro.

– Ouviste-a? – perguntou o rapaz.

Levantou-se num salto, e correu para o túnel, entrando de cócoras e depois sendo obrigado a deitar-se para percorrer os metros que já conseguira desobstruir. O cão entrou atrás dele, a ladrar sem parar.

– Chiiiu – ordenou o rapaz ao cão.

Como o animal não conseguia conter a excitação, foi preciso o rapaz passar-lhe a mão pelo cachaço para o serenar. Quando o cão ficou em silêncio, sentou-se a abanar a cauda e a olhar para o rapaz, e este avançou novamente e chamou a irmã:

– Assunção? Assunção?

O cão ganiu baixinho, como se estivesse dorido. O rapaz tentou concentrar-se apenas no barulho que poderia vir das entranhas da casa, mas não escutou nenhum. Voltou a gritar, com mais força:

– Assunção!!!! Estás aí?

O cão recomeçou a ladrar e abafou qualquer ruído, mas ele tinha a certeza do que deixava o animal naquele estado, e só podia ser a irmã. O cão sentia que ela estava viva, o seu faro conseguia captá-la. Mas o rapaz compreendia também que, mesmo que estivesse viva, Assunção não seria capaz de falar, não respondia aos seus gritos. O que era assustador, pois significava que ela estava ou inanimada, ou então enterrada tão fundo que as suas respostas não chegavam à superfície. O rapaz admitia ser essa uma hipótese possível, pois a cave da casa, com as suas arrecadações e pequenos compartimentos de arrumos, tinha muitos metros de comprimento. Se a irmã estivesse mesmo no fim da cave, com o entulho a cobri-la, qualquer som seria abafado pela distância e pelos destroços.

Mas o cão não mostraria aquela agitação se a rapariga estivesse morta. O rapaz tinha a certeza de que o animal teria ficado lúgubre se pressentisse a morte, e não naquele entusiasmo. Aquele entusiasmo significava vida, significava esperança!

Nas duas horas que se seguiram, o rapaz persistiu no seu esforço de tirar terra e materiais daquele túnel, mas avançou muito pouco. Até porque, à medida que avançava, mais terra caía, vinda de cima. O peso da casa abatera-se na sua totalidade sobre a cave, e a pressão sobre o periclitante túnel era forte. Por duas vezes ficara com uma parte do corpo soterrada, o que o atrasava, pois tinha de libertar-se e de se desfazer de mais terra.

Quando voltou a sair do túnel, a noite chegara. Não tinha luz lá dentro, o que tornava as suas escavações impraticáveis. No entanto, cá fora a cidade era iluminada por uma névoa alaranjada. Nas ruas à volta não havia ainda casas a arder, mas o rapaz sabia que os incêndios não estavam longe. Ouviam-se gritos para os lados do Rossio, e também para o lado do Terreiro do Paço. Na encosta em frente, que subia para o Bairro Alto, via chamas a consumirem alguns edifícios. O cão estava mais calmo e sentou-se no chão, junto do rapaz. Não parecia desanimado, apenas tranquilo.

– Temos de procurar água... e comida. Temos de a deixar algum tempo sozinha.

Levantou-se e caminhou na direção da Sé. Contudo, o cão permaneceu sentado.

– Vem! – ordenou o rapaz –, vamos à água.

O cão não se levantou. Pelo contrário, deitou-se e olhou para o túnel e depois para o rapaz. Este sorriu:

– Não queres deixá-la... Está bem. Fica aí que eu já volto.

Subiu na direção da fonte onde de manhã bebera água. Quando lá chegou, verificou que havia pouca gente, e que as pessoas estavam alarmadas com a voracidade do fogo. Diziam que ninguém combatia o flagelo, que até o Hospital de Todos os Santos estava em risco. O rapaz esperou a sua vez e encheu uma vasilha com água, enquanto escutava as palavras de uma lavadeira, anunciando aos presentes que, perto da Sé, os ajudantes de Monsenhor Sampaio tinham resgatado três pessoas vivas.

– Onde andam eles? – perguntou, animado.

– Próximo da Sé, descendo um pouco para Alfama. São vários grupos... Porquê?

– A minha irmã está soterrada, debaixo da nossa casa... preciso da ajuda deles.

A lavadeira incentivou-o:

– Então vai falar com Monsenhor! Deus te ajude!

A lavadeira benzeu-se e ele começou a correr, com a vasilha cheia a tiracolo. Quando chegou ao largo da Sé, o rapaz parou, chocado. Em frente à igreja, havia enormes pilhas de corpos, em três locais. Cada pilha tinha já, amontoados, dezenas de corpos, de idades variadas e dos dois sexos, misturados naquele sinistro monumento funerário. Recordou a mãe, que deixara de manhã na Igreja de São Vicente de Fora, e fechou os olhos, triste. Será que a teriam colocado numa pilha daquelas? E o que iriam fazer aos corpos? Queimá-los ou enterrá-los?

O rapaz viu dois frades que benziam os mortos, aproximou-se de um deles e perguntou:

– Onde posso encontrar Monsenhor Sampaio?

O frade nem olhou para ele, e respondeu, contrariado:

– Para que o queres, menino?

O rapaz explicou que a irmã estava soterrada viva e que precisava de ajuda, mas o frade não se comoveu.

– Precisam todos esta noite – disse. – Fazes ideia de quantas pessoas estão soterradas? É uma em cada prédio, menino...

O rapaz insistiu e então o frade indicou Alfama com o dedo:

– Anda para ali... Só os vejo quando trazem corpos para eu contar. Se quiseres vai, menino, vai por ali e que Deus te acompanhe.

O rapaz seguiu as indicações e desceu a encosta. De vez em quando, cruzava-se com os carregadores de padiolas de cadáveres, e perguntava-lhes o paradeiro de Monsenhor Sampaio. Alguns não sabiam ou nem se dignavam responder, mas outros indicavam que ia no bom caminho. A dada altura viu, no cimo de um monte de ruínas, um grupo de vários frades e muitos populares. Os seus archotes iluminavam a zona, e pareciam estar a socorrer alguém. O rapaz viu Monsenhor Sampaio. Avançou e tocou-lhe no braço. Ele virou-se, e perguntou:

– O que foi?

O rapaz explicou-se, mas Monsenhor abanou a cabeça, desalentado.

– Temos tanto que fazer aqui... Em cada prédio, em cada casa, não temos mãos a medir.

– Mas ela está viva, eu sei! – implorou o rapaz.

Monsenhor Sampaio olhou-o fixamente:

– Falaste com ela?

– ... Si... sim – murmurou o rapaz.

O patriarca abanou a cabeça:

– Não me parece. Rapaz, diz-me a verdade, falaste com a tua irmã?

O rapaz ficou em silêncio.

– Pois, bem me parecia que não.

Paciente, Monsenhor ajoelhou-se à frente do rapaz, colocou-lhe uma mão no ombro e disse:

– Aqui, nesta casa, viviam catorze crianças... Era um refúgio de órfãos, as freiras tomavam conta delas. Já retirámos quatro mortas, mas ouvem-se os gemidos e os gritos de outras e sabemos que muitas estão vivas. Não podemos sair daqui, compreendes? Se a tua irmã tivesse falado, talvez pudesse lá enviar homens para te ajudarem. Mas assim...

O rapaz pediu um conselho:

– E o que devo fazer?

Com ternura, Monsenhor disse:

– Volta amanhã. Vai haver mais homens...

Nesse momento, ouviram-se gritos, alguém que exclamou:

– Está vivo!

Populares e frades rodearam a abertura, uma racha entre traves e vigas, iluminando-a com os archotes. Monsenhor Sampaio murmurou:

– Deus permita...

Os homens abriram espaço para ele ver, e o rapaz colocou-se um pouco atrás de Monsenhor. No meio da gritaria, um barbudo magro espreitou pela fresta e gritou:

– Uma padiola, depressa, depressa!

Surgiu uma, que foi pousada mesmo em frente ao barbudo. Este virou-se para trás e mergulhou na racha. Durante uns momentos, ninguém falou, e o rapaz só ouvia o crepitar das chamas dos archotes e um ou outro grito longínquo. Depois, viu surgir um vulto e, quando a luz dos archotes iluminou o homem das barbas, viu dois pequenos e sujos pés, seguidos por duas pequenas pernas, as canelas sujas, os joelhos com feridas. O homem impulsionou-se e saiu, carregando a criança nos braços, perante um brado geral dos outros. E o rapaz viu que era um menino, talvez de cinco ou seis anos, o cabelo moreno e sujo, sangue na testa e nas mãos, e viu os olhos dele, pequeninos e assustados, mas abertos e vivos.

O homem das barbas pousou a criança na padiola, e alguém lhe deu um pouco de água, enquanto Monsenhor dizia:

– Devagar, com calma.

Fez uma festa na cara do menino e com o polegar fez-lhe um sinal da cruz na testa e sorriu-lhe, e tentou retirar-lhe o medo do coração. Depois, a padiola foi levantada por dois populares, que se afastaram a caminho da Sé, seguidos de perto por dois frades, encarregados de zelar pela saúde do menino. O rapaz ficou a vê-los. Cabisbaixo, regressou a casa.

26

Depois da conversa com o sargento Mexia, à porta da Casa da Moeda, o inglês partiu, determinado, de regresso ao seu valioso cofre, indiferente à noite que caía, aos incêndios que nasciam, esquecendo também que, nas imediações da sua casa comercial, um grupo de escravos negros saqueava sem limitações.

Ao passarem próximo da Igreja de São Paulo, um grupo de machos, ao ver a rapariga negra, começou a chamá-la. Ester encostou-se ao inglês, mas os desconhecidos não se detiveram, insultando Gold. Os dois apressaram o passo. Ao voltarem a passar por Remolares, notaram que três mulheres, assustadas, estavam a ser incomodadas por vários assanhados, de mau aspeto. Gold não se deteve, pois suspeitava do que se ia passar a seguir.

Ester tentara demovê-lo, mas ele encontrava-se imbuído de uma irracional sensação de coragem e heroísmo e não lhe deu ouvidos. Próximo da Patriarcal, e cada vez mais consumida, a escrava recusou-se a prosseguir, alegando não desejar ir ao encontro de uma morte certa. Nesse momento, Gold tentou suborná-la:

– Girl, queres money? Give you parte do mine, se vieres!

É evidente que a oferta a fez refletir.

– E porque farias isso, homem inglês? – perguntou Ester, interesseira.

– Hell, girl, preciso de ti. See, I'm ferido, no guns, I'm de pijama. And, slave, tu sabes talk with eles...

A rapariga não pareceu convencida.

– Duvido de que falem comigo. Vão matar-nos, sabes?

O inglês insistiu:

– Hey, slave, e se eu lhes give my money? Yes, parte do my money?

A escrava deu uma sonora gargalhada:

– Pobre louco...

O inglês irritou-se:

– Hell, damn, why eu louco?

– Porque é o que és – afirmou ela. – Se te virem com o dinheiro, roubam-no e depois matam-te, e a mim também. Achas que vão perder tempo a negociar contigo? Eles é que têm facas e catanas e pistolas. Tu não tens nada... Nada de nada. Numa noite destas, o teu dinheiro não vale nada!

O inglês encolheu os ombros:

– Poor girl, you pouca fé... Hell, who cares? Que importa o que you think? Se quer, come with me, dou my money a ti! If not, fica para aí... Hell, slave, talvez homens maus te catch, e vais ver!

Ao ouvir esta previsão, a rapariga assustou-se:

– Tu não deixas que me façam mal, pois não?

Nesse momento, Gold sentiu que a voltara a ter na mão e sorriu-lhe:

– Good girl, se stay comigo, stay melhor. But, tens ir loja with me!

A escrava suspirou. Tinha pavor de ser violada. Vira a cara dos trogloditas junto à Igreja de São Paulo, vira os que se aproximavam das mulheres em Remolares, e sabia perfeitamente que, se ficasse sozinha na cidade, seria presa fácil desses predadores machos, a que a noite dava alento. Decidiu permanecer com o inglês.

Preparavam-se para contornar o Terreiro do Paço, quando viram o grupo de escravos negros aparecer, ao fundo da rua. Traziam catanas nas mãos e emitiam gritos de celebração.

– Cuidado – gritou Ester. – Vamos para trás...

Apesar de irritado, o inglês não a contrariou e recuaram, tentando não ser vistos pelos negros.

– Hell, are os mesmos? – perguntou Gold.

– Acho que sim – respondeu Ester.

Eram talvez vinte, e não caminhavam todos juntos, mas dispersos, aumentando a sua área de ação. Ester sugeriu que se escondessem no Paço.

– What, no Paço? – perguntou Gold, espantado.

– Sim – respondeu a rapariga. – É muito grande e está vazio.

Correram até ao Paço, mas os desordeiros viram-nos. Ao entrarem por uma das portas, perceberam que os tinham atraído.

– Fucking camels! E agora, what, where vamos? – perguntou Gold.

Estavam numa espécie de átrio, com arcadas e várias passagens. As paredes do palácio real apresentavam enormes fissuras, e no chão viam-se bocados de teto e pedras soltas. O Paço parecia vazio e silencioso, mas lá fora já se ouviam os gritos dos escravos negros.

– Por aqui – decidiu Ester.

Dando a mão a Gold, atravessou uma das passagens e seguiu por um corredor. O capitão inglês teve de se habituar à escuridão, embora sentisse que a escrava sabia onde ia, pois conduzia-o pela mão com confiança. Ultrapassaram várias portas, os gritos sempre nas suas costas. Gold virou-se para trás. Ao fundo do enorme corredor, viu pontos de luz alaranjada, os archotes que os bandidos traziam.

– Good lord, vêm para here – murmurou Gold. – Onde can we esconder?

Ester puxou por ele e virou à direita. Apareceu-lhes um lanço de escadas à frente. Contudo, a rapariga não o subiu, contornou o obstáculo e abriu uma pequena porta por detrás das escadas.

– Vamos – murmurou.

Fecharam a porta suavemente e avançaram num novo corredor, ainda mais escuro do que o anterior. Ester prosseguiu calada durante uns metros e escutaram o bando dos escravos a chegar às escadas. Falavam muito alto. Uns subiram, outros devem ter voltado para trás. Depois agitaram-se, em grande alarido.

– Descobriram as salas do tesouro real – murmurou Ester. – São por cima de nós.

De novo se ouviram os gritos, imitando pássaros, e mais gente subiu as escadas. O bando reunia-se para preparar o saque ao tesouro real.

– Isto vai correr mal – murmurou Ester.

– Why, mal?

A rapariga recordou ao inglês que a onda tinha levado a maior parte do tesouro. Os ladrões iam ficar furiosos quando descobrissem que não havia muito para roubar. Assim aconteceu, com raiva e tiros.

– Vamos – disse Ester.

Correram até ao fim do corredor e a escrava abriu nova porta. Mas, mal a abriu, fechou-a logo.

– Hell, que foi?

A rapariga mandou-o calar e recuou.

– Eles já cá chegaram – disse ela.

Aquele corredor dava para o pátio onde eles, de manhã, tinham sido fustigados pelas ondas.

– Este pátio dá para as cozinhas, já lá estão – explicou a rapariga.

Frustrados com a ausência do tesouro, os bandidos atacavam as cozinhas reais. Ouviram-se pedidos de perdão desesperados e, minutos mais tarde, um estranho silêncio. Eles deixaram-se ficar, quietos e calados, quase uma hora, ouvindo os clamores dos bandidos, e finalmente a sua retirada do Paço, pelo mesmo portão por onde, horas antes, havia saído o corpo de Abraão a boiar no refluxo das ondas. Depois, Ester espreitou para o pátio. Estava finalmente deserto e saíram, dirigindo-se para a cozinha.

Lá dentro, havia velas a arder e uma cena macabra. Seis mulheres e dois homens, todos brancos, estavam pendurados de cabeça para baixo nas traves do teto, com as gargantas cortadas pelas catanas dos assassinos. Chocado, Gold fechou os olhos e a escrava comentou:

– São as cozinheiras e os ajudantes.

A rapariga, emocionada, soluçou:

– Se a minha mãe não tivesse ido de manhã para Belém, agora estaria aqui, com a garganta cortada...

Compreensivo, o inglês abraçou-a:

– Good lord, não think nisso. It's good ela não estar here.

A escrava deixou-se ficar abraçada a ele, e o inglês sentiu o seu corpo quente, o peito cheio dela contra o seu, e pela primeira vez depois do terramoto desejou possuir uma mulher. O facto de estar de pijama fez Ester notar o seu ereto vigor masculino, mas ela não se queixou.

Apesar dessa emoção carnal, e apesar daquele tétrico espetáculo em frente deles, Gold sentiu fome. A cozinha cheirava a batatas, a sopa, a carne e a pão, e a barriga do inglês contorceu-se. Afastou um pouco a rapariga, e ela inquiriu-o com o olhar, como se estivesse surpreendida. Gold sentiu-se na obrigação de explicar.

– Girl, devíamos eat, comer. I'm muito hungry.

Com um sorriso compreensivo, ela dirigiu-se ao fogão, enquanto Gold se sentava numa cadeira, virando-se de costas para os corpos pendurados.

– Slave, can you get me um casaco? – perguntou. – And some sapatos?

A escrava prometeu que, depois de comerem, iriam procurar tais artefatos. Apresentou a Gold duas malgas de sopa, vinho tinto e um pouco de guisado de carne que descobrira nas panelas.

– Eram as sobras do almoço. O resto os ladrões levaram informou Ester.

Comeram os dois em silêncio. No final, o inglês perguntou:

– Achas that we can passar a noite here?

A negrinha franziu a testa:

– Parece-me que aqui só há mortos. A corte está para Belém, levaram os criados quase todos. Vamos – disse ela, levantando-se –, vamos procurar umas roupas.

Pegou numa vela e saíram por uma porta diferente daquela por onde haviam entrado. Atravessaram outro corredor, mais modesto que os anteriores, e que conduzia aos aposentos da criadagem. A certa altura, Ester entrou numa sala forrada de armários.

– É aqui que os criados guardam a roupa – disse ela e abriu-os.

Gold escolheu umas calças e um casacão, e descobriu umas botas que lhe serviam. Ia iniciar a prova das roupas quando Ester disse, sorrindo:

– Não há pressa, podemos descansar...

Abriu nova porta e entrou num quarto, com duas camas. Gold pousou as roupas numa das camas e os sapatos no chão. Depois, olhou para a rapariga e sorriu, desejoso:

– Hey, girl, vem cá, take my pijama.

– Espera – disse ela. – Vamos tratar dessa ferida.

O inglês esperou sentado, enquanto a negrinha foi buscar uma garrafa de álcool. Embebeu um pano com o líquido e limpou-lhe as feridas, com cuidado. Depois, atou-lhe um outro pano no braço, como um penso protegendo a ferida, e disse:

– Assim ficas melhor.

O inglês sorriu e a rapariga sugeriu que ele se pusesse de pé. Retirou-lhe o pijama por cima da cabeça e Gold ficou nu. Ester começou a tocá-lo com os dedos e ele sentiu a sua energia de macho a regressar. Então, ela ajoelhou-se e beijou-o na sua força, e ele gemeu de prazer. Depois, a rapariga despiu-se e o inglês afagou-lhe os seios redondos e grandes, e ela gemeu também. Deitaram-se na cama e Gold possuiu-a com intensidade e descobriu que ela, apesar de nova, era muito versada naquelas artes, mostrando-se disponível para todos os seus desejos.

No final, Ester enroscou-se nele, como um gato, e o inglês perguntou:

– Slave, ficar grávida, pregnant?

A rapariga disse que não: sabia o que tomar para o evitar.

– What tu tomas? – perguntou o inglês.

Explicou-lhe que a mãe fabricava um xarope muito eficaz, que vendia a clientes. Gold recordou-se da criada, a portuguesinha roliça que gostava de fornicar pela manhã, e também tomava xaropes.

– Well, conheces a girl, Ofélia, no more than vinte anos?

Para enorme surpresa do inglês, Ester conhecia-a:

– Sim. Vem cá de dois em dois meses comprar o xarope da minha mãe!

Gold nem queria acreditar:

– Well, she was minha criada!

E ainda mais surpreendido ficou quando Ester disse:

– Eu sei!

O inglês sentou-se na cama, espantado:

– Good lord, slave, tu know me? Sabias who I was?

Ester explicou-se:

– Sim. Sabia que eras o patrão da Ofélia. Uma vez, há coisa de um ano, fui a tua casa, entregar-lhe o xarope da minha mãe. E vi-te a sair pela porta... Além disso, a Ofélia falava muito em ti, contava-me tudo.

O inglês ficou curioso:

– Well, well, tudo what? – perguntou.

– De vocês os dois – disse a rapariga, sorrindo. – Ela diz que és muito viril... E é bem verdade!

Riram-se, mas logo a seguir o rosto de Gold tornou--se sério. Respirou fundo:

– Poor Ofélia morreu... Today, de manhã. Was debaixo da casa...

Ester pareceu triste ao ouvir a notícia, mas depois suspirou e encolheu os ombros:

– Que se pode fazer?

Fez um sorriso matreiro e abraçou-o:

– Assim, ficas só para mim!

O inglês voltou a deitar-se para trás e acrescentou:

– My wife, minha mulher, died também.

A escrava disse:

– Lamento.

Foi a vez de o inglês encolher os ombros:

– Well, it's melhor assim.

Interessada, a rapariga interrogou-o:

– Já não a amavas, pois não?

– Hell, no. Long tempo. Well, I think nunca amei...

A rapariga suspirou e comentou:

– Isso é triste.

Voltou a enroscar-se ao lado de Gold e ficaram algum tempo calados, e depois começaram a fazer festas um no outro, e a excitação dos seus corpos regressou e amaram-se mais uma vez. Quando terminaram, adormeceram cansados, mas o seu sono durou pouco, pois foram bruscamente acordados por um horrível grito, vindo de um andar de cima.

– Fogo!!!!!

Levantaram-se à pressa, vestiram-se, e saíram para o corredor. Ester ia à frente, e conduziu-os a um novo átrio, no interior do Paço. Assustados, viram chamas no torreão e numa das alas do palácio. Algumas pessoas atravessaram o átrio, com baldes nas mãos.

– Hell, temos de run, fugir! – gritou o inglês.

– Para onde? – perguntou a rapariga.

– Outside, Terreiro do Paço!

Ester correu para um pequeno portão e saíram para os jardins do palácio, mesmo debaixo do torreão a arder.

– Vamos por ali – apontou Ester.

A cerca de cinquenta metros existia um portão, a saída para o Terreiro do Paço. Contudo, enquanto corriam, Gold viu Ester a olhar para cima, siderada, e a parar lentamente de correr. O inglês parou também e olhou para onde ela olhava. Numa janela, um vulto negro estava de braços abertos e, nas suas costas, o interior do Paço ardia com violência.

– Vê – gritou Ester –, é Abraão!!!

Incrédulo, Gold verificou que era o velho negro, o mesmo que ele vira, morto e a boiar, de manhã, levado pelas águas. Como era aquilo possível? O homem não podia ter sobrevivido à força do refluxo das ondas! Mas era ele, tanto Gold como a rapariga podiam vê-lo bem, iluminado pelas chamas, vivo, naquela janela do Paço.

– Temos de ir salvá-lo! – gritou a rapariga.

Mudou de direção e em vez de se dirigir ao portão, correu no sentido do torreão, e abriu uma porta. Subiu umas escadas, com Gold atrás dela, mas lá em cima deparou-se-lhes uma fronteira intransponível: uma cortina de labaredas enormes.

– Hell, no, Ester, se go there morremos! – gritou o inglês.

A rapariga desatou aos berros, a chamar por Abraão, mas não obteve resposta. O fumo intoxicava-os, e o calor quase os queimava. Sem hesitar, o inglês puxou Ester e levou-a dali para fora, até ao portão para o Terreiro do Paço.

Parte III

FOGO

27

Apesar de, com aquelas roupas, não poderem ser reconhecidas como prisioneiras da Inquisição, estarem de volta ao Rossio assustava irmã Margarida. Sentia que andara para trás. Depois de se ter tentado matar, ao longo da manhã e da tarde afastara-se do Rossio, do Palácio da Inquisição e do Convento de São Domingos, e por cada passo que dava sentia-se mais próxima de uma nova vida. Não mais seria irmã Margarida, uma jovem freira condenada à morte por ter conluios com o Diabo, mas sim Margarida, rapariga disposta a recomeçar a sua existência noutra cidade ou noutro reino.

Porém, a confusão que lavrava na capital impedia-a de fugir. A terrível onda danificara os cais, e a navegação fora suspensa. Para agravar os seus medos, era como se um anel de fogo as cercasse. Voltarem ao Rossio podia ser perigoso, mas apresentava-se como a única alternativa para comer, beber e dormir sem o terror das chamas a ameaçá-las.

Havia milhares de pessoas deitadas no chão da praça. Os mais poupados pelas agruras do dia tentavam ajudar os que mais sofriam, e no centro do Rossio viam-se panelões de sopa, e havia distribuição de água em vasilhas. O povo esperava a sua vez, num estado próximo do sonambulismo, de cabeça baixa. Como se um estranho vento lhe houvesse roubado a energia.

– Parecem mortos por dentro – comentou irmã Alice.

Era verdade. Aquela praça, habitualmente um rede-moinho de vida e comércio, parecia um cemitério. E mesmo as rezas, praticadas sem cessar pelos frades e pelos padres, não aliviavam as agruras. Os gritos de mise-ricórdia que se ouviam de manhã não passavam agora de meros gemidos.

A certa altura, formou-se uma procissão espontânea. Um grupo considerável seguia sete frades, que davam a volta à praça, carregando nas mãos sete velas altas, ace-sas. Ouviam-se as suas orações quando passavam por perto, mas nenhuma delas se levantou. Haviam perma-necido longe do convento, no lado oposto da praça, e dali mal conseguiam ver o que por lá acontecia. No entanto, irmã Alice escutou uns rumores e informou a rapariga bonita:

– Bão lebar os presos pra fora de Lisvoa...

– Agora? – perguntou irmã Margarida.

– Foi o que oubi...

– Vou até lá, quero ver – disse a rapariga bonita.

Irmã Alice zangou-se:

– Nem penses! E se eles te bêem?

Irmã Margarida encolheu os ombros:

– Nunca me vão reconhecer nestes trajes.

A freira mais velha ficou furiosa, mas não conseguiu impedi-la. Atravessou a praça e reparou nas tendas impro-visadas: mantas levantadas por vigas de madeira, com famílias inteiras debaixo, as crianças dormindo e os adul-tos ruminando mágoas. Parou a cerca de cem metros do Convento de São Domingos, onde se aglomerava mais povo, como espetadores de uma peça teatral de rua.

Junto ao convento, os guardas da Inquisição, de túni-cas brancas, formavam um círculo largo. No meio, sen-tavam-se os prisioneiros. Contou vinte e dois, muitos deles com ligaduras nas cabeças, braços ao peito, ou mesmo pernas entaladas por toros de madeira. Faltavam, portanto, apenas oito dos trinta que estavam presos nas celas, antes do terramoto.

A cerca de vinte metros, uma pequena carroça carregava cinco corpos embrulhados. Se fossem presos que tinham morrido, como era provável, ficavam a faltar apenas três à contagem: ela, irmã Alice e o «profetista». Os únicos bem-sucedidos, como, aliás, confirmou com os comentários da assistência.

– Vi-os a prender três, aqui, mesmo no meio no Rossio – dissera uma peixeira, excitada.

– E eu vi-os a apanharem uma desavergonhada que tentava entrar no hospital, safada! – exclamou um pescador, a seu lado.

Fingindo-se alheia ao assunto, irmã Margarida perguntou:

– Eles conseguiram prender todos os que fugiram?

A peixeira virou-se para ela, indignada:

– Nada disso! Ainda faltam três, duas mulheres e um homem! Mas não passam de hoje, vai ver! Uma delas era loira, como a menina. É fácil de descobrir, vai ver! E a outra, benza-me Deus, era uma depravada! Uma desviadora de moças...

Irmã Margarida fez um esgar de nojo e reprovação, mas não deixou de sentir um susto ao ser identificada como «loira». Contudo, para sua sorte, a atenção de todos foi captada pelo aparecimento de mais guardas, vindos do lado norte do Rossio, cada um trazendo um burro pela mão. O comandante da guarda da Inquisição, de costas para Margarida, ordenou então que os reclusos montassem nos jumentos, um a um.

A plateia observou em silêncio a dificuldade com que os presidiários, em especial os feridos, subiam para as garupas. Mas, mal estabilizavam no dorso do animal, era dada ordem de avançar ao guarda que guiava a cavalgadura. A fila de burros e suas cargas abandonou lentamente o Rossio, com mais uns quantos guardas a pé a escoltá-los, cada um com o seu archote, iluminando o caminho e atentos a qualquer tentativa de fuga.

– Para onde irão? – perguntou irmã Margarida.

A peixeira respondeu:

– Para Coimbra...

– Para Coimbra, a pé? – espantou-se a rapariga bonita.

A peixeira limitou-se a encolher os ombros. A assistência dispersou, terminado o espetáculo com a saída da carroça dos mortos, que fechava o cortejo. Irmã Margarida ficou de pé, sozinha, a olhar para as ruínas do convento e do palácio.

Decidiu regressar para junto de irmã Alice, mas a meio da praça foi surpreendida por um horrível grito, que rapidamente se transformou num enorme bruaaa, proveniente de um dos cantos do Rossio. A princípio, nem quis virar-se para trás, mas havia tanta gente a apontar os dedos que a curiosidade a venceu. Olhou. Para a direita do Convento de São Domingos, o grande hospital de Lisboa, o Hospital de Todos os Santos, estava em chamas.

O edifício, com vários andares, apresentava muitas das suas janelas iluminadas por um laranja-vivo, e colunas de fumo escuro subiam, rodopiando até ao céu. Irmã Margarida sentiu o estômago a contrair-se. De repente, uma névoa toldou-lhe o olhar e as forças abandonaram-na. Virou-se, recusando aquela visão, deu dois ou três passos e caiu de joelhos no chão. A cabeça andava-lhe à roda, e fechou os olhos, deixando-se tombar. Sem força nos braços para se amparar, desmaiou.

Algum tempo depois, voltou a si. Irmã Alice dava-lhe água. Bebeu e sentiu as energias a regressarem.

– O que aconteceu? – perguntou.

– Apagaste-te. Foi o medo do fuago, num foi?

A freira mais velha passou-lhe a mão pela testa, fez-lhe uma festa, carinhosa, e penteou-lhe um pouco os cabelos.

– Tens tanto medo dentro de ti – disse.

– Não consigo olhar para lá...

– Sei. Veve água e respira fundo. E num olhes.

Assim ficaram, a rapariga bonita a recuperar e a mulher mais velha a ampará-la, fazendo-lhe festas na cara, com ternura. Depois, esta disse:

– Temos de ir emvora... Isto faz-te mal.

Levantaram-se. Irmã Alice deu a mão à rapariga bonita e amparou-a, recordando o quanto as coisas tinham mudado nesse dia:

– Há vocado, eras tu que me dabas o omvro, agora sou eu que te dou a ti...

Dirigiram-se a um dos cantos da praça, onde começava a subida para o Bairro Alto. Viram nessa zona um edifício que parecia ter resistido melhor aos abalos, e irmã Alice sugeriu que entrassem.

– Passamos a noite aqui.

Era um prédio grande, talvez um armazém, e muitos tinham tido a mesma ideia. Havia gente espalhada pelo chão, a dormir, embrulhada em mantas, muito junta para sentir menos frio. As duas mulheres atravessaram a divisão principal e foram andando até descobrirem um canto desocupado, onde quase não havia luz.

– Ficamos aqui. Dêta-te – ordenou irmã Alice.

A rapariga bonita sentou-se no chão, ainda enfraquecida, e encostou-se à parede. Irmã Alice passou-lhe um bocado de pão e ela não perguntou onde o descobrira, nem a outra explicou. Viu-a afastar-se, em silêncio, e comeu o pão lentamente, procurando não se engasgar. Quando a mulher mais velha regressou, trazia na mão uma manta e um saco com roupas, e comentou:

– Estaba morto, já num bai precisar disto.

Estendeu o saco de roupas no chão, para servir de almofada às duas, e depois sentou-se e tapou ambas com a manta.

– Assim ficamos vem – disse, sorrindo. – Cumo te sentes?

– Mal – respondeu a rapariga.

– Num bamos falar disso, falar só piora.

A rapariga bonita sorriu-lhe:

– Obrigado.

A mulher mais velha também sorriu. Parecia outra, contente.

– Temos de nos ajudar uma à outra. Sempre oubi d'zer que tudo se faz melhor a dois, num é?

Irmã Margarida concordou.

– Tens frio? – perguntou irmã Alice.

– Sim, um pouco.

– Encosta-te mais a mim.

Passou a mão por cima dos ombros da rapariga bonita, abraçou-a, procurando aquecê-la, e disse:

– És uma rapariga munto linda, savias? Num bou deixar que ninguém te faça mal.

Irmã Margarida sentiu-se protegida. O calor que provinha do corpo da outra deu-lhe uma sensação de bem-estar, e um torpor sereno invadiu-a. Esgotada, apeteceu-lhe ficar ali, em segurança, nos braços daquela mulher. A mão de irmã Alice afagava-lhe as costas, os ombros, o pescoço e fechou os olhos. Deixou de ver chamas. Uns segundos depois, veio-lhe à cabeça a imagem de um homem, o pirata, junto de um barco destruído. Os seus olhos vivos miravam-na de alto a baixo. Suspirou. A mulher mais velha apertou-a mais, e irmã Margarida abriu de novo os olhos e só viu a sala escura. Nas paredes, estranhas e irregulares sombras eram projetadas por uma vaga luminosidade cor de laranja. Pareceu-lhe ver de novo o fantasma vestido de negro e tremeu, receosa.

– O que foi? – murmurou irmã Alice.

– Tenho medo – queixou-se a rapariga bonita.

– Tens de pensar noutra cosa...

Então, a mulher mais velha começou a fazer-lhe festas. No pescoço primeiro, e depois desapertou-lhe os botões da camisa, devagar, e tocou-a nos seios, ao de leve. O coração da rapariga bonita bateu mais depressa, e ela sentiu-se estranha, dividida, e pensou em pedir à mulher que parasse com aquilo, mas ao mesmo tempo eram sensações boas, revigorantes, e deixou-se ficar quieta. Irmã Alice continuou, acarinhando-a.

Quando a rapariga bonita me contou este incidente, justificou-se, dizendo que estava demasiado cansada e atormentada, e não fora capaz de impedir aquela investida da mulher mais velha. Acrescentou, porém, que, apesar de a ter tocado, irmã Alice não fora mais longe do que isso, e uns minutos depois estavam ambas a dormir, esgotadas.

Será que foi o que se passou? É evidente que irmã Margarida estava fragilizada e, portanto, vulnerável aos truques da freira mais velha, bastante versada nesses jogos de sedução. Estava disposto a acreditar que ela me contara a verdade, que não se haviam passado certos limites, mas agora já não sei. Aqueles foram dias extremos, de perturbação e confusão, nos sentimentos e nas ideias, e acredito que entre aquelas duas mulheres pode ter acontecido um momento de intimidade mais profundo do que aquele que irmã Margarida me confessou.

– Foram só umas festas, uns beijinhos – disse ela.

Será que é por amá-la tanto que eu desconfio? Será que o verme do ciúme me corrompe e me impede de acreditar? Ou será que é mesmo verdade, que algo de perturbador aconteceu entre aquelas duas? Até hoje não me é fácil dar uma resposta a essa pergunta.

28

– Eles ir perseguir nós, ir matar nós – resmungava Muhammed, à medida que nos afastávamos do vale do Rato.

– Eu sei, amigo, eu sei...

Sebastião José era dotado de um carácter impiedoso e duro, e não mostraria qualquer compaixão para comigo. Ou saía de Lisboa, ou acabaria morto. O facto de a cidade viver um inesperado caos dava-me, contudo, uma pequena oportunidade, a única esperança a que me podia agarrar.

Tínhamos contornado o Bairro Alto e seguido uma nova estrada, a caminho do Campo Grande. Mas o êxodo dos habitantes suspendera-se, transformando-se num gigantesco acampamento naquelas zonas, locais provisórios onde as pessoas haviam decidido passar a primeira noite. À beira da estrada, homens ou mulheres erguiam tendas, com lençóis de cama ou mantas, colocando traves no meio, e deitavam as suas famílias no chão, tentando protegê-las do frio. Outros dormiam debaixo das carroças, tentando afastar os que, sem qualquer tipo de teto, se metiam lá debaixo, à socapa.

Havia confrontos, zangas e pancadaria a toda a hora. Aquela multidão, esfomeada, cansada, com sede e frio, perdera as regras. Cada ser humano lutava por sobreviver o melhor que podia, mesmo que isso implicasse bater ou matar alguém. Ouviam-se, de vez em quando, tiros, e Muhammed olhava para o local de onde provinham os sons, temendo o aparecimento dos soldados, mas nenhum surgia. Eram as pessoas, à bulha, de cabeça perdida. Escutava-se um grito, o choro de uma mulher, e depois todos viravam os olhares noutra direção, indiferentes a qualquer tragédia menor terminada numa valeta. Ninguém tinha ânimo para se revoltar, e ninguém queria saber do destino de terceiros naquela comunidade de desvalidos.

A dada altura, passámos em frente de uma casa senhorial, e vimos uma carruagem a ser carregada pelos criados, à luz dos archotes. Baús e urnas eram colocados no teto da viatura, presos com cordas. Deduzimos que alguém se preparava para uma viagem: um homem rico e a sua família tinham sempre mais opções do que os pobres e os remediados. Espreitámos pelas grades do jardim, tal como outros mirones. Muhammed murmurou junto do meu ouvido:

– Eles ir fugir, nós ir assaltar casa.

A ideia já me ocorrera, mas havia mais interessados. A dez metros de nós, empoleirados nas grades, três mafarricos espiavam também as movimentações da casa.

– Estar com fome – disse Muhammed.

– Eles também.

Muhammed examinou a concorrência.

– Eles ir ter armas – murmurou.

Verifiquei, pelo canto do olho, que os três homens traziam punhais nos cintos. Então, tive uma ideia. Dei uns passos na direção do portão, dizendo ao árabe:

– Segue-me.

Entrámos no jardim. Os criados, atarefados, nem deram conta da nossa presença. Aproximei-me de um deles e implorei:

– Ajuda, por favor.

Houve algum alvoroço, mas um dos empregados, sem medo, perguntou:

– Para que quereis ajuda?

Apontei na direção dos três homens junto às grades.

– Aqueles homens são bandidos, têm punhais...

O empregado encolheu os ombros:

– O que tenho eu a ver com isso? Vão-se mas é daqui...

– Mas – balbuciei – nós ouvimo-los dizer que vão assaltar esta casa logo que vocês se forem embora!

Ao ouvir isto, ele estacou, preocupado:

– O que dizes?

Acrescentei que os outros estavam há algum tempo a observar os movimentos da casa. O homem enfureceu-se. Chamou mais criados, armados de pistolas, e correram com os três homens dali para fora a tiro, tendo mesmo ferido um deles numa perna. Satisfeitos, voltaram para dentro, e o empregado veio agradecer-nos a denúncia. Reparei que trazia uma pistola no cinto.

– Querem comer ou beber?

Aceitámos o convite e levou-nos pelas traseiras até à cozinha, onde nos deram sopa, pão, chouriço e cerveja. Perguntei-lhe:

– Está tudo a fugir da cidade, mas para onde?

Ele olhou-me e disse:

– Para o rio.

Muhammed baixou os olhos para a malga de sopa.

– Mas o Cais da Pedra está destruído, os barcos não podem ancorar no porto... – acrescentei.

O chefe dos criados sorriu:

– O Cais da Pedra não é o único de Lisboa. O meu senhor sabe de um local onde os barcos atracam, em frente à Casa dos Bicos. Vamos para lá agora. Temos uma embarcação à espera para nos tirar daqui. Só precisamos de um piloto, não encontrámos ainda nenhum...

– Ir dizer ele? – murmurou Muhammed.

Sagaz, o supervisor da criadagem observou-me, curioso:

– És piloto?

– Sim, respondi. Andei a vida toda no mar.

– E o que estás a fazer em terra?

Bufei, chateado, e menti:

– Estávamos à espera. Vários barcos deviam ter chegado hoje a Lisboa... Agora, com esta tragédia, já não vão chegar... Tenho de ter paciência, como toda a gente. Mas para onde vão?

O homem encheu o peito de ar, convicto:

– Para Santarém, subindo o rio. Pela estrada é impossível. Já viste como as coisas estão? Parece que toda a cidade se fez à estrada. De barco, demoramos menos de um dia...

Fez-se um brevíssimo silêncio e depois perguntei:

– Será que o teu senhor aceita a minha ajuda? Tenho uns dias livres, posso regressar a tempo de o meu barco sair para o Brasil.

O homem levantou-se e disse:

– Vamos ver, vou perguntar-lhe.

Saiu da sala. Observei Muhammed, que parecia muito tenso. O árabe ficava sempre assim quando bebia cerveja, dava-se mal com o álcool. Permanecemos calados, à espera. Passado algum tempo, o homem regressou, sorridente.

– Estás contratado! Vens connosco.

Olhou para o árabe e acrescentou:

– Mas vens só tu. Não cabe mais ninguém na carruagem.

Muhammed cerrou os dentes, enfurecido. Reparei que desaparecera a faca que estava em cima da mesa da cozinha. Sorri:

– O meu amigo é leve, não ocupa espaço. Vai em cima dos baús, não é Muhammed?

– Não – repetiu o chefe dos empregados. – A carruagem está muito pesada. O meu senhor quer levar a família. São três filhos, a mulher e duas criadas, que vão dentro. À frente, vou eu e o cocheiro. E tu, apontou para mim, é que vais em cima dos baús. Mas ele não, ele fica – disse, apontando para Muhammed. – Vamos!

Seguimo-lo, saindo para o jardim. Muhammed murmurou:

– Santamaria ir deixar Muhammed...

Limitei-me a dizer:

– Espera.

A família já estava dentro da carruagem e o nobre falava com o cocheiro. Ao ver-nos aparecer, exclamou:

– Cum raio, estão à espera de quê? Vamos lá embora!

Era um homem gordo e anafado, e parecia muito nervoso. Abriu a porta da carruagem e entrou, fechando-a com força. O cocheiro olhou para mim e para Muhammed, e depois afastou-se.

– Sobe – ordenou-me o criado que estivera connosco na cozinha.

Fiquei quieto e depois questionei-o:

– É o pagamento?

Ele surpreendeu-se:

– Qual pagamento?

– Da viagem. Não vos levo a Santarém sem me pagarem...

O outro irritou-se:

– Isso agora não interessa, sobe lá! Falamos disso no barco!

Permaneci quieto. Muhammed estava dois passos atrás de mim, também parado, a olhar para a rua. O chefe dos criados começou a perder a paciência.

– Vamos, sobe! – gritou.

A cabeça do nobre apareceu à janela da carruagem e perguntou o que se passava. O subordinado aproximou-se dele e falaram em voz baixa, para eu não os ouvir. Nas minhas costas, senti movimento, e Muhammed desapareceu. O nobre recolheu a cabeça, escondendo-se dentro da carruagem, e percebi que os meus serviços iriam ser dispensados de forma brusca. Muhammed também. Rápido, passara por debaixo do veículo depois de o contornar, aparecendo nas costas do empregado sem este se aperceber. Antes que ele pudesse levar a mão à pistola, Muhammed colocou-lhe junto à garganta a faca que roubara na cozinha.

Sorri ao homem:

– É assim que tratam quem vos ajuda? – perguntei.

Ele permaneceu calado.

– Denunciamos uns bandidos que querem assaltar a casa, ofereço os meus serviços como piloto, e é assim que agradecem?

Derrotado, rendeu-se, em voz baixa.

– Subam os dois. E depressa...

Sorri:

– Assim é que é falar.

Trepámos para o teto da carruagem e sentámo-nos em cima dos baús. Pouco depois estávamos de volta à estrada, percorrendo-a no sentido do Rossio. Agora, que era noite, podia andar-se mais facilmente. As pessoas estavam nas bermas, acampadas. Deitei-me para trás, tentando descansar. Vinte minutos depois, quando estávamos já com o Rossio à vista, Muhammed chamou-me:

– Santamaria.

Amparei-me aos baús. Uma grande nuvem alaranjada cobria o Rossio e tinha dúvidas de que conseguíssemos atravessar a praça. Mas Muhammed não estava a referir-se ao Rossio. Admirava a longa fila de burros que passava por nós, cada um com um prisioneiro da Inquisição nos seus costados, e cada um com o seu guarda, vestido de branco, levando o animal pela arreata. Observei as vestes dos condenados e lembrei-me da rapariga bonita e da mulher mais velha, que víramos de manhã, próximo do Terreiro do Paço. Usavam roupas semelhantes a estas e, portanto, fugiam da Inquisição.

Minutos mais tarde, o nosso transporte parou. Muitas carruagens como a nossa estavam bloqueadas, e havia muita gente na estrada. Perguntei ao cocheiro:

– O que se passa?

Ele virou-se para trás:

– Há incêndios entre o Rossio e o Terreiro do Paço. As carruagens não podem passar.

Depois, o nobre saiu, chamou o empregado e o cocheiro e avançaram os três a pé, na direção de quem estava mais à frente. Gerou-se uma intensa discussão e depois nasceu uma zaragata. Bufei. Tinha a certeza de que a carruagem não iria passar por ali. Disse a Muhammed:

– Está na altura de irmos.

O árabe concordou. De súbito, ouviram-se berros agudos. Olhei para o meu lado esquerdo: o Hospital de Todos os Santos ardia. A pancadaria terminou tão depressa como começara, e a maioria dos homens correu para o incêndio. Muhammed e eu saltámos para o chão e seguimo-los.

O prédio transformava-se numa enorme tocha. Línguas de fogo saíam pelas janelas, vorazes e rápidas, e o fumo erguia-se no ar em torrentes negras. No telhado, redemoinhos de faíscas subiam aos céus, e viam-se múltiplas explosões de fagulhas. Os vários pisos do edifício estavam a ser atacados pelo incêndio e, o que era mais aflitivo, ninguém o combatia. Não se via ninguém com água ou baldes, o que se via eram seres humanos a saírem, pelas portas, com partes do corpo a arder, uivando como animais atingidos.

– Doentes ir morrer – murmurou Muhammed.

Nisto, duas mulheres, com o pijama em chamas, atiraram-se de uma janela do terceiro andar, berrando e caindo com um baque surdo na rua, onde ficaram, sem movimentos, apenas as chamas vivas ardendo por cima delas. E foi então que começaram os gritos. Nem os marinheiros dos barcos abalroados gritavam tanto antes de serem degolados por piratas. Eram urros de dor e medo, sons desesperados de quem estava doente e começara já a morrer. Guinchos que vinham de todas as janelas, de todos os andares, de todas as frestas daquele edifício condenado. E o fogo parecia ganhar mais força ao ouvir aqueles sons, como se se alimentasse do terror e da dor daqueles seres perdidos, e ganhasse mais ânimo e fúria destrutiva, para os consumir com o seu esplendor macabro.

Alguns dos populares queriam entrar no edifício, mas outros impediram-nos de caminhar para uma morte certa.

– São seiscentas almas lá dentro, não os podemos deixar! – gritou alguém.

Era uma mulher, que chorava e implorava a Deus que aquilo parasse. Mas o incêndio prosseguia, cada vez mais intenso, e reparei que as chamas entre os andares se haviam unido, tal a sua dimensão, e parecia que o hospital já não era dividido por pisos, mas sim uma única parede alaranjada, uma pira global.

Muhammed puxou por mim e afastámo-nos, contornando o hospital, passando pela rua que existia entre este e o Convento de São Domingos, de mãos coladas na boca, para não respirar o fumo que nos cercava. Chegámos ao Rossio e corremos para o meio da praça, onde milhares de pessoas assistiam, fascinadas, ao terrível episódio. Horas se passaram assim, enquanto o hospital ardia em frente dos nossos olhos. A dada altura, ouvi uma voz próxima, que dizia:

– Jisus está próximo, meus irmãos, é esse o sinal! O fim do mundo é hoji, e Jisus vem aí!

Ajoelhado no chão, reparei que o pregador usava vestes semelhantes às das duas mulheres que vira de manhã e às dos prisioneiros que avistara em cima dos burros. Era um foragido da Inquisição. Aproximei-me e perguntei-lhe:

– Sabes das duas mulheres que fugiram contigo?

Aterrado, desatou a correr, como um louco desesperado, sem olhar para trás. À sua volta, ninguém esboçou reação: era como se nada fizesse sentido naquele dia maldito. Muhammed estava exausto, queria dormir, mas não me agradava ficar no meio da praça. Apesar de não ver soldados, temia que aparecessem e convenci-o a caminhar. Decidimos ir pelo lado direito do Rossio e pouco depois descobrimos uma espécie de armazém e entrámos. Havia muita gente a descansar e uma neblina de fumo tóxico flutuava na escuridão, provocando tosses dispersas. A primeira sala encontrava-se atulhada, e seguimos para as outras divisões. Encontrámos uma com menos gente, e deitámo-nos.

Lembro-me de ter adormecido, mas não sei por quanto tempo, e quando abri os olhos já havia uma certa luz da madrugada. Tossi e dei-me conta de que havia cada vez mais fumo naquele compartimento. As pessoas já não conseguiam parar de tossir e, portanto, estavam a acordar. De repente, uma voz de mulher protestou:

– Para, não quero mais!

Na penumbra, vi no canto direito da sala uma rapariga tentar afastar-se um pouco de um vulto deitado, que não a deixava, estendendo um braço para a agarrar.

– Não, para! – voltou a gritar a rapariga.

Parecia com receio do homem no chão. Levantei-me e perguntei:

– O que se passa?

Olhei para o vulto no chão:

– Conheces este homem? – perguntei à rapariga.

Para minha surpresa, o vulto ergueu-se e não era um homem, mas sim uma mulher, mais velha do que a outra, que disse, irritada:

– Mete-te na tua bida, carago...

Apesar de a luz da madrugada ser ainda fraca e de a névoa do fumo me toldar a visão, distingui as duas mulheres que vira de manhã, depois da onda gigante.

– Eu conheço-vos – afirmei.

Era evidente que elas também me tinham reconhecido.

– Mudaram de roupa – comentei, com uma ponta de malícia.

A rapariga bonita ficou aflita, mas tranquilizei-a com um sorriso:

– Não tenhas receio, não vou denunciar-vos...

Sorriu-me, agradecida. A mulher mais velha irritou-se ao ver-me trocar sorrisos com a mais nova e disse:

– Então bai-te emvora, num precisamos de ti pra nada!

Franzi a testa, divertido e provoquei-a, imitando o seu sotaque:

– Num tibeste o que querias durante a noite?

Cerrou os dentes e vociferou:

– Num t'aproximes, ela é minha, oubiste?

Bufei, com desdém:

– E o que fazes tu, matas-me só com o olhar?

A rapariga bonita deu uma curta gargalhada e sorri-
-lhe de novo. Depois, regressei à seriedade, e perguntei
à mulher mais velha:

– Ainda querem fugir de Lisboa pelo rio?

Entusiasmada, a rapariga bonita ergueu-se, ficando de
joelhos à minha frente:

– Sabes como?

– Talvez...

A mulher mais velha sacudiu os panos que a tapavam.
Reparei que tinha a saia levantada, e que também o peito
estava destapado, embora tenha feito um esforço para
se compor rapidamente. A rapariga bonita continuou
ajoelhada e agarrou o cabelo atrás da nuca, erguendo os
braços e fazendo um rabo de cavalo, inspirando e
arqueando o tronco ao mesmo tempo. Reparei que a sua
camisa estava também aberta e vi o nascer dos seus seios.
Eram belos e redondos e cheios, e senti desejo.

– Beste-te – ordenou a mulher mais velha, enervada.

A rapariga bonita ignorou-a. Sorriu-me e manteve a
camisa aberta, mostrando-me parte do seu peito, como
se mo oferecesse. Senti o seu desejo, e deu-me uma forte
vontade de possuí-la ali mesmo, com todas as minhas
forças, mas a mais velha não ia permitir. Não naquele
momento.

– És uma desabergonhada – gritou ela –, para com
isso!

Pisquei o olho à rapariga bonita, mas achei melhor
não prosseguir naquele caminho. As outras pessoas na
sala tinham acordado, e também Muhammed me estava
a observar. Sorri e disse-lhe:

– Bom dia.

Muhammed sentou-se, estremunhado, e afirmou:

– Ir ser horas de ir.

Apontei para as duas mulheres:

– Vamos levá-las connosco.

A rapariga bonita alegrou-se, mas tanto o árabe como
a freira mais velha mantiveram-se sérios.

29

Se a nossa primeira noite, no Rossio, foi marcada pelo horrível cenário de um hospital a ser tragado pelo fogo, a primeira noite de Hugh Gold e de Ester foi também marcada por um teatro de chamas, mas com vários atos. Saídos abruptamente dos jardins para o Terreiro do Paço, o inglês e a escrava encontravam-se ainda aturdidos pela inesperada imagem de Abraão a lutar com o fogo, no primeiro andar do palácio.

A escrava ficara terrivelmente consternada, permanecendo várias horas num estado catatónico, balbuciando incompreensíveis interjeições na sua língua natal, entrecortadas, aqui e ali, por exclamações em português demonstrativas de uma incredulidade e de uma aflição angustiantes. O capitão inglês tentara confortá-la, mas as suas palavras não revelaram qualquer poder curativo sobre a alma dela, e passado algum tempo desistiu e examinou a barafunda à sua volta.

O Terreiro do Paço parecia um vitral gigantesco, sonoro e tétrico e absurdo. Próximos de Gold e de Ester, estavam centenas, senão milhares, de pessoas, perplexas e atónitas. Gold não sabia o que elas esperavam, mas a ele parecia-lhe que aguardavam o fim do mundo.

No centro do Terreiro do Paço, uma enorme pilha de sacos, baús e caixotes chegava já a uma altura considerável, talvez de cinco metros. As pessoas haviam descarregado as suas posses ali, receosas das fagulhas e das faíscas que dançavam sobre as suas cabeças. Hora a hora, a pilha aumentava, pois mais gente se ia chegando para o meio da praça, fugindo dos incêndios, que vinham de todos os lados exceto do rio.

O Paço ardia. Aqui e ali, numa janela, uma labareda aparecia, como que para saudar a praça. Mais para a direita, a Patriarcal nova e a Ópera eram igualmente reféns daquele maldoso devorador, e pareciam, aliás, mais próximas da rendição do que o Paço Real.

Rodando ainda mais para a sua direita, Gold viu dezenas de focos de incêndio na zona baixa da cidade, que cercavam as ruas, os prédios que haviam resistido aos abalos. O capitão inglês imaginava que andar pela cidade, até ao Rossio, era um projeto impossível, pois o percurso transformara-se numa via-sacra de altas temperaturas.

O lado direito da praça, oposto ao Paço, onde antes existiam a Alfândega, as feitorias, os mercados e, atrás, as lojas dos ingleses, era igualmente um misterioso cemitério de ruínas, traves a arder misturando-se com paredes rasgadas, que resistiam de pé sabe-se lá porquê, enquanto à volta tudo queimava e sucumbia.

Restava o rio, uma zona de escuridão, um contraponto negro ao laranja forte que emanava dos outros lados, e onde apenas se distinguiam algumas velas acesas em barcos, fundeados próximo do local onde antes existira o famoso Cais da Pedra. As multidões acreditavam que a salvação viria dali, e centenas aglomeravam-se junto à margem, acenando aos batéis que flutuavam, chamando os pilotos ou os remadores, prometendo dinheiro, exigindo ajuda.

Quando uma embarcação se aproximava da margem, vivia-se um perigoso momento de luta, pois centenas desejavam subir a bordo. Um ou outro soldado tentava colocar um simulacro de ordem naquela trapalhada, mas depressa desistia, e era a força bruta de uns e a esperteza de outros que os selecionava e lhes possibilitava um lugar. Muitos mais atiravam-se ao rio, corajosos, a tentar nadar, mas depressa percebiam que não chegariam ao seu objetivo, e as cabeças desapareciam, depois de os braços esbracejarem no ar, aflitivamente, a clamar por uma salvação que nunca aconteceria.

Gold sabia que lhe era impossível lutar por um lugar num barco e deixou-se ficar no meio da praça. Estava ferido, as suas forças diminuídas, e, embora tivesse comido e bebido no palácio, não se sentia capaz de arriscar a vida enfrentando tanto povo em desespero. Além disso, custava-lhe abandonar a rapariga agora, com ela naquele estado de alucinação, a dizer baboseiras. Seria uma presa fácil dos atiçados que por ali vagueavam, alguns já ébrios, todos desequilibrados.

A meio da noite, o vento empurrou as fagulhas mais para o centro da praça e Gold, tal como centenas de outros, viu-se forçado a levantar-se e a afastar-se, aproximando-se da zona das feitorias, onde havia menos perigo. Trouxe Ester a tiracolo, e a rapariga parecia mais calma, pois dormira mais de uma hora seguida. Sentaram-se. Perto deles, havia um grupo de trinta pessoas ajoelhadas, e um homem gritava:

— Deus castigou-nos! Somos Sodoma, somos Gomorra, vamos ser destruídos pelo fogo, pelas pragas! Rezai, rezai e arrependei-vos!

As trinta pessoas baixaram as cabeças e rezaram, mas Gold e Ester ficaram sentados na mesma posição, e o inglês perguntou à rapariga:

— Well, sentes melhor, better?

— Sim...

Gold tentou sorrir-lhe, mas o braço doía-lhe e fez um esgar de dor. Depois, exclamou:

— Good lord, hell, merda!

A escrava perguntou, surpreendida:

— O que foi?

O pregador que há pouco gritara aproximava-se deles, com um ar furibundo. Ao chegar, apontou para Gold e vociferou:

— A culpa é vossa! São eles os culpados — gritou, olhando para as outras pessoas que rezavam. — A culpa é deles, Deus castiga-nos por causa deles!

Gold levantou-se e enfrentou-o:

– Hell, what dizes? Culpados of what?

O excitado ergueu os dois braços no ar:

– De a terra tremer, de o mar se revoltar, do fogo, de tudo! São vocês...

Depois, virou-se para trás, para a sua audiência:

– São eles! Um herege e uma bruxa! São eles! A culpa é deles!

O grupo suspendeu as suas rezas e avançou na direção de Gold e de Ester, aprovando as acusações do fervoroso. E este, sentindo mais convicção por ser seguido, urrou, ainda mais alto:

– Um herege e uma bruxa! É por causa deles que sofremos!

Gold colocou-se à frente de Ester, protegendo-a e gritou:

– Hell, és um doido, fool! Não ouçam, ele is doido!

As pessoas pararam, duvidando ligeiramente do seu momentâneo líder espiritual. Animado, Gold insistiu:

– Hell, não acreditem, he is doido!

Mas o sotaque não o ajudava. O homem captou esse ponto fraco e entusiasmou-se:

– Vejam como ele fala! É um herege, um protestante! Foram eles que corromperam a cidade! É por causa deles que Deus nos castigou! Morte! Morte aos hereges e às bruxas!

Os seus gritos incentivaram os seguidores, finalmente convencidos, e Gold preparou-se para lutar. Porém, uma clamorosa algazarra nasceu, a cerca de cem metros, junto à pilha de sacos e baús. Distraídas, as pessoas esqueceram o inglês e olharam para lá. Um burro, carregado com vários sacos, pegara fogo. O pobre animal corria, dando coices praça fora, tentando libertar-se da sua carga flamejante. Para evitarem ser atropeladas, as pessoas tinham de se afastar, procurando também manter o burro longe do monte de sacos, para que não lhe pegasse o fogo. A criatura esperneava, sofrendo já com as queimaduras, zurrando de dor. Algumas pessoas tentaram acercar-se dele, mas, como não parava de rodopiar e correr, ninguém o conseguiu agarrar e todos tiveram de recuar, com receio de uma patada.

Entretidos com aquela cruel pantomina, o grupo que cercara Gold desmobilizou do local, e o inglês aproveitou para dar um violento pontapé no histérico acusador, atirando-o ao solo, agarrado às canelas. Depois, ele e Ester mudaram de poiso na praça. Agora mais perto da zona baixa da cidade, misturaram-se com uma grande aglomeração de negros, obrigada a permanecer naquele local pelos outros habitantes, que receavam assaltos. Eram escravos de várias origens, e Ester pediu a Gold que se sentassem junto deles. Cada vez com mais dores no braço, o inglês acedeu, deixando-se cair no terreno.

A escrava circulou. Gold viu uma anciã a cortar a cabeça a uma galinha e um ancião a lançar pedras no chão, ambos praticando atos de magia, talvez com a intenção de compreender como é que mal tão grande lhes acontecera, e porquê.

Inesperadamente, Ester regressou a correr, muito agitada e exclamou:

– Abraão está vivo!

O inglês semicerrou os olhos:

– Well, ainda bem, very good... Can he curar my feridas?

A rapariga baixou-se e colou a sua cara à dele:

– Ele não está aqui, na praça.

Desanimado, Gold suspirou:

– Então, where?

A negrinha olhou para o Tejo:

– Dizem-me que está no meio do rio!

Gold suspirou, desiludido.

– Não acreditas? – perguntou a rapariga, quase indignada.

– Ester, well, tu viste! He was na varanda and the Paço ardia... Slave, how ele foi para o river, he voar?

Ester cerrou os olhos e ficou calada uns momentos. Depois, falou pausadamente, com uma estranha pompa:

– O que te vou dizer é segredo. É um segredo nosso, dos escravos.

O inglês arqueou as sobrancelhas e esperou.

– Abraão consegue voar – proclamou Ester.

Gold ficou estático, sem reação.

– He voar?

– Sim, voa! – disse a rapariga, muito agitada. – Ele fala com os espíritos e estes dão-lhe a possibilidade de ser um deles, e transforma-se no espírito de um pássaro muito antigo e voa!

Cínico, Gold fingiu consentimento, com um ténue aceno de cabeça.

– Well, sure, por isso he is no river! Oh, sure, voou, fly!

Sorriu à rapariga:

– Good lord, como não? Of course, claro, so obvious! Abraão voou, he flies! Left the varanda e bzzzzzz, bateu as wings, bzzzz, e aterrou no boat...

Incomodada com tanto ceticismo jocoso, Ester reprovou-o:

– Não acreditas? Fazes mal! A nossa magia é muito mais antiga do que a tua. Abraão voa, quer tu queiras, quer não.

Levantou-se, ofendida com a descrença de Gold, e ele encolheu os ombros. Distraindo-o de novo, um bruaá geral ecoou na praça e o inglês viu o desgraçado burro a dar a sua última correria. A criatura estatelou-se à entrada do palácio, sem honra nem glória, ficando a crepitar mais alguns minutos, já morta.

– Pobre burro – disse uma voz junto a Gold.

O capitão olhou para o lado: era um homem dos seus sessenta anos, de barbas brancas, óculos no nariz e com uma maleta na mão. Apresentou-se como Thomas Alison, médico. Gold já ouvira falar dele antes, o que era normal na comunidade inglesa, e perguntou:

– Foi a girl that called você?

O outro espantou-se:

– Qual rapariga?

– Ester, the escrava.

O físico sentou-se ao lado de Gold e ordenou-lhe que mostrasse o braço. Enquanto o examinava, esclareceu:

– Não conheço nenhuma Ester. Não foi uma rapariga que me disse para vir aqui.

– Well, quem was? – perguntou Gold.

Thomas Alison removeu o penso, colocou desinfetante na ferida, suturou-a com pontos e depois voltou a fazer um novo penso, mas até ao final da sua atuação sobre o braço de Gold não voltou a proferir palavra. Depois, sorriu-lhe, e contou:

– Estou há várias horas aqui, desde o meio da tarde. Já tratei de mais de duzentos feridos. Estou a ficar sem desinfetante.

Gold devolveu-lhe o sorriso, grato àquela alma, que lhe reforçava a crença na bondade da raça humana. Intrigado, perguntou:

– Hell, how you descobriu me?

O físico voltou a sorrir, bondoso.

– Da mesma forma que tenho descoberto os outros feridos.

Com as sobrancelhas arqueadas, Gold esperou mais explicações. Thomas Alison levantou-se e disse:

– Somos os dois velhos, e ajudamo-nos um ao outro.

Surpreso, Gold corrigiu-o:

– Good lord, I'm not tão velho, no offence.

O médico sorriu:

– Não estava a falar de si, mas sim do meu comparsa. É um velho negro. Anda por aí a ver quem está ferido, e depois avisa-me para eu ir lá. Chama-se Abraão.

Gold ficou boquiaberto, a olhar para o doutor. Este despediu-se:

– Boa sorte, espero que até amanhã consiga sair daqui. O Abraão diz que ainda há muitos barcos que podem levar pessoas para fora da cidade.

O médico acenou-lhe e foi-se embora, e Gold manteve-se sentado, baralhado, sem saber em que acreditar. Estaria Abraão vivo? Como era isso possível? Deitou-se para trás, esgotado, e adormeceu no chão, coberto por uma manta que agarrou. Teve um sono agitado, cheio de sonhos, e não sabia bem se estava a dormir se acordado, quando sentiu um corpo quente junto ao seu. Era Ester, mas deixou-se dormir de novo. Subitamente, a terra tremeu mais uma vez, numa réplica forte, que provocou gritos aterrorizados na praça. Gold sentou-se, estremunhado e alerta. A seu lado, Ester sentou-se também. Sentiu ternura por ela.

– Hey, voltaste – murmurou.

– Sim – disse Ester.

Uma violenta rabanada de vento uivou sobre a praça, e a negrinha encostou-se ao inglês, que lhe passou o braço por cima dos ombros, para a aquecer um pouco. A rapariga disse:

– O Abraão avisou os escravos de que vai haver fogo no meio de nós.

Gold deu-lhe um beliscão, brincalhão:

– Hum, fire já houve... Nós on fire...

A rapariga ignorou a sua malícia, sem sorrir:

– Não é isso. No meio da praça, era isso que ele queria dizer.

Gold apontou para o centro do Terreiro do Paço:

– Good lord, no meio, there is nada! Ester, look, é só people and...

Viu a pilha enorme de sacos e baús. As rajadas traziam cada vez mais fagulhas e faíscas, que caíam em cima dos haveres. O inglês murmurou:

– Fuck, merda... vai burn, arder!

Segundos depois, aquela montanha de bens pegou fogo e ouviu-se mais um bruaá na praça. As chamas irromperam e rapidamente cresceram, e ninguém podia impedir tal golpe do destino, nem as centenas de pessoas que tinham lá haveres arranjaram coragem para os reaver. A pilha tornou-se incandescente, uma labareda gigante, um vórtice de tufos de fumo a emergirem dela, mais um monumento impressionante à desgraça.

Quase em simultâneo, ouviu-se um enorme estrondo, proveniente do Paço Real. Foi como se um rombo se abrisse, fendendo as madeiras ou as paredes. Contudo, Gold não viu danos na fachada, e deduziu que tivesse sido nas traseiras. Mesmo assim, ficou pessimista:

– Good lord, o Paço will fall, vai cair.

– Também nós – acrescentou a rapariga.

Sentindo a sua fraqueza de espírito, Gold abraçou-a e disse-lhe:

– Slave, não talk assim. We are vivos... We will sair daqui.

Ela levou as mãos à cara, assustada.

– Amanhã de manhã já não vai haver barcos.

Gold sorriu-lhe:

– Who says? Quem diz that? Abraão?

Ester contou-lhe a novidade, que escutara pouco antes de se deitar:

– O rei mandou fechar os portos. Ninguém vai poder sair, nem para o mar, nem para subir o rio.

Fazia sentido: as autoridades não podiam deixar que a navegação se descontrolasse. Para mais, se os piratas do Norte de África soubessem, em breve fariam uma expedição saqueadora à cidade.

– Good lord, that's why preciso meu money! – exclamou Gold. – Will go de manhã!

Ester protestou, sem se render:

– Nunca vi homem tão teimoso. Para que vai servir o teu dinheiro agora?

Gold encheu o peito de ar e disse, carregado de convicção:

– Hell, if not by mar, saímos by terra! That's why preciso my money!

Encolhendo os ombros, a rapariga voltou a deitar-se e Gold ficou a olhar para a pira gigante que ardia no meio da praça. No céu, começava a nascer um novo dia.

30

Segundo me contou irmã Margarida – o melhor seria chamá-la apenas Margarida, pois era evidente que já não era, nem queria ser, freira –, o rapaz também passara um mau bocado. Depois de encontrar Monsenhor Sampaio, e de este ter revelado incapacidade para o ajudar, o rapaz voltara ao local onde antes existia a sua casa, mas sem luz decidiu ir também ele para o Rossio, descansar. Levou o cão consigo, e dormitou umas horas num pequeno casebre, no meio de desconhecidos. Quando o dia nasceu, o rapaz sentiu fome e sede, e seguiu os seus companheiros notívagos até ao Rossio. Infelizmente, quando lá chegaram verificaram que a comida já acabara, e que havia pouca água.

O rapaz sabia que existia água na fonte, onde já fora várias vezes no primeiro dia, mas a fonte era longe e, além disso, ele agora tinha muita fome. O estômago doía--lhe, emitindo estranhos roncos no seu interior. O cão também estava faminto, mas ali não havia nada para eles.

Observou o Hospital de Todos os Santos, transformado num cadáver carbonizado. Uma vez fora lá com a mãe, e lembrava-se dos corredores e do pátio, mas o edifício sofrera uma trágica metamorfose, e agora era apenas uma estrutura fumegante e preta. Um homem, que também estava a olhar para lá, lamentou-se:

– Morreram mais de seiscentos doentes... Nenhum conseguiu sair... Os seus gritos ouviram-se a noite toda. Deus nos acuda.

Benzeu-se também. Depois, o rapaz perguntou:

– Para onde vão estas pessoas?

As multidões começavam a abandonar a praça. O homem disse:

– Não sei. Muitos foram para Campo de Ourique e para o Campo Grande. Dizem que há milhares de tendas por lá.

– Vai para lá? – perguntou-lhe o rapaz.

– Talvez – disse o homem. – Lá para baixo é que não vou, está tudo a arder.

Na direção do rio, só se viam colunas de fumo, um gigantesco incêndio que se interpunha entre o Rossio e o Terreiro do Paço. Nisto, o rapaz ouviu as badaladas de uma sineta e procurou o som. Um conjunto de frades arregimentava pessoas para uma procissão. Formou-se um grupo de fiéis. O homem tentou convencê-lo a ir:

– Vem comigo, vamos rezar, vamos à procissão.

Mas o rapaz não se mexeu.

– Vem – insistiu o homem. – Temos de pedir perdão a Deus.

O rapaz continuou quieto e disse:

– Tenho de ir procurar a minha irmã. É isso que Deus quer de mim.

O homem ficou impressionado com a convicção dele e sorriu. Depois, foi juntar-se ao grupo e aos frades. Começaram a rezar mais alto, uma ave-maria, e depois os frades avançaram e as pessoas seguiram-nos.

O rapaz foi andando no meio da praça, pedindo um bocado de pão. O cão seguia-o de perto. Mas as pessoas não tinham pão e, quando o rapaz desistiu, a procissão estava a passar de novo junto dele. Já tinha dado a volta à praça a pedir misericórdia, e ele pensou que ia terminar ali, onde se iniciara, mas os frades continuaram e as pessoas seguiram-nos, recomeçando nova volta à praça.

Então, o desanimado rapaz decidiu que era melhor regressar a casa, mesmo com fome. Seguiu na direção da Igreja da Madalena, e quando deixava para trás a praça ouviu uma voz a chamá-lo.

– Ei, rapaz!

Virou-se e viu as duas freiras, a mais nova e a mais velha, e junto com elas vinham dois homens e reconheceu-os: eram os mesmos que o bruto espanhol odiava.

– Bom dia – disse a rapariga bonita. – Ainda andas à procura da tua irmã?

O rapaz confirmou. A mulher mais nova fez-lhe umas festas na cabeça, mas a mais velha não mostrou nenhum sinal de afeto, nem lhe deu os bons-dias. Muhammed e eu olhámos para ele. De repente, o árabe perguntou, dando uma risada nervosa:

– Ainda ir ter comida?

O rapaz respondeu:

– Não. Vim aqui à procura, também não há. Mas, mesmo que tivesse, a estes não dava nada...

As duas mulheres olharam para ele, espantadas, e a mais nova perguntou:

– Conheces estes homens?

Muhammed e eu continuámos a olhar para ele. Eu tinha um sorriso nos lábios, o que irritou ainda mais o rapaz.

– Sim, conheço. Este – e apontou para mim – chama-se Santamaria. O outro, o árabe, chama-se Muhammed. São dois piratas que aproveitaram o terramoto para fugir do Limoeiro. Ontem de manhã, recusaram ajudar-me e roubaram-me comida. São bandidos, não deviam andar com eles.

A freira mais velha sorriu, subitamente animada. Mas Margarida disse, surpreendida:

– Mas eles não nos fizeram mal nenhum...

Virou-se para mim e perguntou:

– É verdade o que ele diz?

O que podia eu fazer? Como é que podia adivinhar que uma situação destas ia acontecer? Ripostei.

– E não contas que te salvámos a vida?

O rapaz exaltou-se, hostil e irritado:

– Não me salvaste a vida!

Muhammed aproximou-se e exclamou:

– Muhammed ir lembrar! Tu ir pendurar pescoço, Cão Negro ir matar tu! Ser nós que te ir salvar!

Confundida, a rapariga bonita virou-se para mim:

– De que está ele a falar? – perguntou.

Sorri-lhe:

– Este rapaz foi apanhado por um prisioneiro espanhol, um homem enorme e mau, que fugiu do Limoeiro. Quando o vimos, o espanhol estava a agarrá-lo pelo pescoço, dera um pontapé no cão e preparava-se para o matar. Fomos nós que o chamámos, ao espanhol, e ele deixou aqui o franganote e veio atrás de nós...

Acerquei-me do rapaz:

– Não te lembras?

O rapaz enfrentou-me, sem medo:

– Ele não me ia matar! Ele queria o mesmo que vocês, roubar comida. E eu ia dar-lhe...

Virou-se para Margarida e perguntou:

– Porque é que acreditas nestes homens? São piratas, vivem a roubar as pessoas!

A freira mais velha interveio, pela primeira vez:

– Porque é parba. E só pensa em homes... Disse-lhe o mesmo, esta gentinha num é de confiança. São criminosos.

Foi a minha vez de sorrir. Muhammed deu também uma curta risada.

– Nós? E as senhoras, o que são? Segundo sei, fugiram ontem de manhã dali.

Apontei para o local do Convento de São Domingos e do Palácio da Inquisição, de onde também emergia muito fumo negro, escapando pelas frestas abertas pelo terramoto.

– Ora – continuei – só vai ali parar quem está preso pela Inquisição e com a sentença já proferida. Portanto, ou muito me engano, ou as duas senhoras são criminosas bem mais graves do que nós, e estão condenadas a morrer numa fogueira. – Sorri, de novo, e concluí: – Não é o nosso caso. Estávamos presos, mas não condenados à morte.

Olhei para a rapariga bonita e depois para a freira mais velha e continuei:

– Sobre ti não sei, mas sobre esta senhora mais velha quase que tenho a certeza qual é o crime de que a acusam.

A mulher ficou calada, mais zangada do que envergonhada. Muhammed soltou nova risadinha. A rapariga bonita saltitou o olhar entre mim e a freira mais velha e disse:

– Irmã Alice, eles prometeram que nos ajudavam a sair da cidade. Têm um barco. Para quê esta discórdia?

O rapaz alertou Margarida, procurando cumplicidade. Apontou para mim:

– Não acredites nas promessas dele. É um mentiroso e um trapaceiro.

Margarida ficou um pouco abalada com esta afirmação. Sentindo a sua dúvida, irmã Alice aproveitou para afirmar:

– O garoto tem razão.

Curiosamente, o rapaz não sentiu este inesperado apoio como inocente. Avisou Margarida:

– Não devias também acreditar nela. Tiveste cuidado durante a noite?

Aflita, a rapariga engoliu em seco. Eu ri-me e brinquei:

– Já percebi, és o único aqui que presta – e apontei para a freira mais velha. – Ela é uma velha promíscua que só quer é apalpar mulheres; eu sou um mentiroso e um pirata, e ela, e apontei para Margarida, é uma pobre mas tonta rapariga, indefesa perante as nossas garras.

Oportuno, Muhammed informou:

– E Muhammed ir ser enrabador de homens!

Dei uma gargalhada e contagiei Margarida, que se riu também. Insisti, enchendo o peito de ar, e olhando para o rapaz:

– Mas tu, tu és o rapaz mais puro do mundo, certo?

Ele ficou entupido. Com malícia, acrescentei:

– E quem cortou as goelas ao teu padrasto, que está na cave, fui eu?

O rapaz avançou com coragem para mim, dizendo:

– Só quero encontrar a minha irmã. O que tu pensas não me interessa, nem me interessa o que elas pensam! Não preciso de vocês para nada. Sigam o vosso caminho, que eu sigo o meu.

Olhou mais uma vez para Margarida e depois deu meia volta e recomeçou a caminhar no sentido de sua casa. Ficámos os quatro a ver o cão segui-lo, fiel. Lembro-me de ter admirado a sua determinação, a sua persistência, a sua vontade de encontrar a irmã, e de ter incompreendido tamanha hostilidade contra mim.

Irmã Alice foi a primeira a quebrar o silêncio:

– Podíamos comer o cão...

Divertido, o árabe aprovou a ideia:

– Muhammed ir gostar cão!

Vi a cara de repugnância da rapariga bonita e aproveitei a oportunidade de subir na sua consideração, dizendo:

– O cão não. Não estamos assim tão desesperados.

Sentindo que eu a compreendia, Margarida olhou-me, e apelou ao meu bom coração:

– Podíamos ajudar o rapaz; ele está sozinho à procura da irmã.

Muhammed e irmã Alice desaprovaram aquela solução com interjeições. Relembrei a nossa situação:

– Temos um barco à nossa espera. Ou vamos hoje ou ficamos aqui muitos dias. Os soldados andam à nossa procura, e os guardas da Inquisição à vossa.

Acerquei-me de Margarida e toquei-lhe com a mão no rosto, fazendo-lhe uma pequena festa.

– Tens bom coração e gosto disso numa mulher, mas infelizmente não há tempo para ajudar o rapaz.

Margarida baixou os olhos, desiludida, e disse:

– Desapontas-me.

Senti de novo desejo por ela. E reparei que tinha no pescoço uns raspões avermelhados, com pequenas feridas, sulcos na carne.

– Quem te fez isso? – perguntei, passando os dedos pelas suas marcas.

Possessiva e irritada, a mulher mais velha colocou-se imediatamente entre mim e Margarida.

– Já te disse para num lhe tocares!

A rapariga bonita continuou de olhos postos no chão, sem proferir palavra, mas senti uma emoção triste planar na sua alma. Levantei-lhe o queixo com os dedos, olhei no fundo dos seus olhos verdes e disse-lhe:

– Vamos andando, a caminho do rio. Se encontrarmos comida, entregamos alguma ao rapaz. É tudo o que posso fazer por ele.

Estalando a língua, Muhammed acrescentou:

– Muhammed ir poder fazer mais....

Margarida estremeceu ligeiramente, alarmada com o significado perverso das palavras do meu amigo. Olhei para ele, irritado:

– Cala-te, árabe tonto.

31

Tinha sido uma longa noite. Bernardino não tivera tempo para pregar olho e sentia-se exausto. Odiava dormir mal, e já era a segunda noite seguida. A agitação assentara arraiais em Belém e na corte ninguém tinha parado. Sebastião José era o mais ativo e enérgico. Mal haviam regressado da visita à cidade, o ministro multiplicara-se num frenesim de decisões, não dando a ninguém, nem ao rei, um minuto de descanso.

Ele queria que grupos fossem à cidade verificar, em cada zona, o que se passava. Queria um para Alfama, outro para a Graça, outro para o Castelo, outro para Santa Catarina, outro para a Sé, outro para o Rossio, e por aí fora. Qualquer homem que chegasse à corte era de imediato chamado para integrar uma equipa, com um qualquer objetivo decidido por Sebastião José.

Ele queria enviar gente ao Paço Real, para controlar se ardia, se caíra, se o tesouro se salvara. Ele queria voluntários para irem ao Aqueduto das Águas Livres, garantindo que estava operacional, como se dizia, e que assim continuava. Ele queria escalar grupos de indivíduos para verificarem os cais e dar ordens aos barcos; e outros para marcharem à Alfândega e às feitorias, vistoriar se o comércio era possível. E ele queria enviar mensageiros às vilas das redondezas, para prepararem o abastecimento de hortaliças para os dias seguintes.

No entanto, e a cada momento, as decisões podiam ser alteradas, pois mais e mais pessoas chegavam do centro, com notícias cada vez mais trágicas. A última dizia que a cidade era já uma labareda gigante, tudo ardia, e foi preciso então juntar um contingente de homens específico, para verificar se os incêndios podiam ser combatidos e qual a verdadeira dimensão deles.

O mais difícil naquela noite era distinguir a verdade dos rumores. Aterrorizados pela sequência de eventos, os que chegavam do centro de Lisboa vinham contaminados por uma imaginação que, a Bernardino, parecia delirante.

– Monstros, vindos do mar, entraram pela cidade. Há peixes nas ruas, próximo do Rossio...

– As igrejas ruíram e vê-se o Diabo lá dentro, aos berros, a rir-se como um louco, no meio das labaredas...

– As casas caíram, nenhuma resistiu de pé...

– Há bandos de vândalos a saquear, e já comem os mortos.

Cada pessoa que, na rua, passava frente ao palácio era chamada a contar a sua versão dos acontecimentos. Dava apenas a sua parte do que vira, mas era sempre uma imagem drástica, que se afigurava a Bernardino, e também a Sebastião José, exagerada.

O ajudante de escrivão corria da rua, onde escutava os depoimentos dos habitantes, até à sala, onde o ministro do rei se encontrava, cercado de mapas e numa solidão que a Bernardino afligia, pois considerava-a uma premonição de que poucos, na corte, confiavam nele. Preferiam deixá-lo perder-se sozinho do que acompanhado.

– O marquês de Alegrete já chegou? – perguntou Sebastião José, pela centésima vez.

– Não, ainda não – respondeu Bernardino.

– E já alguém conseguiu subir à Sé, falar com Monsenhor Sampaio?

– Também não.

Bernardino aproximou-se, com receio de falar. Tossiu:

– Tenho mais más notícias. O embaixador de Espanha morreu. Caiu-lhe a casa em cima, logo pela manhã. Parece que foi o seu escudo de armas, que estava pendurado à porta do palacete, que o matou...

Sebastião José franziu o sobrolho:

– Será verdade?

Engolindo em seco, Bernardino confirmou:

– A notícia é fidedigna. Foi o próprio filho do embaixador que veio cá.

– Ainda bem.

A última coisa de que Sebastião José precisava era de um conflito com os espanhóis. Com uma morte de causas naturais, evitavam-se dramas ao Estado, concluiu Bernardino.

– E a rainha está mais calma? – perguntou o ministro.

O ajudante confirmou: apesar de muito chorosa, tomara os seus sais, suavizando as respirações e as pulsações.

– As crianças também estão bem.

Sebastião José olhou de novo para os mapas, desinteressando-se do ajudante, a quem despachou com um aceno de mão, dizendo:

– Vai ver se há mais notícias...

A noite de Bernardino passou-se assim, indo e vindo, carregando novidades cada vez mais preocupantes.

A meio, correu ao ministro e disse:

– Conseguiram finalmente falar com Monsenhor Sampaio!

Sebastião José olhou-o, interessado:

– Está vivo?

– Sim e de boa saúde, graças a Deus!

– Ainda bem. E o que conta?

– Desgraças, senhor, só desgraças.

Alfama, o Castelo, São Vicente de Fora, tinham também sido duramente fustigados pelos abalos matinais.

– Milhares de mortos e feridos, uma destruição impensável – contou Bernardino. – Monsenhor Sampaio anda para lá a salvar pessoas dos escombros.

– A Sé resistiu? – quis saber Sebastião José.

– Sim, com algumas fendas, mas resistiu. Já São Vicente de Fora caiu como um castelo de areia. Morreram milhares, ao que parece, lá dentro. Estavam na missa...

As horas corriam e não se via o fim da hecatombe.

– As pessoas não têm com que combater os fogos, nem forças para o fazer – acrescentou Bernardino.

– A água continua a correr no aqueduto? – perguntou o ministro.

Sim, continuava, e o arquiteto Carlos Mardel, autor da obra, era esperado em Belém no dia seguinte.

– Há navios no Tejo?

Bernardino não sabia responder a esta última interrogação de Sebastião José, mas um homem que entrou na sala de rompante acercou-se deles e disse:

– Há, mas estão muito danificados...

Era o marquês de Alegrete, o comandante das tropas do rei e presidente da Câmara de Lisboa. Chegara finalmente, cansado e sujo. Ao final da manhã do terramoto, entrara na cidade, vindo de Sacavém, com um pequeno destacamento de soldados, e à tarde chegara com muito custo ao Terreiro do Paço. Relatou os estragos, e a sua visita ao Paço Real, que considerou condenado.

– Pode demorar um dia ou dois, mas vai cair.

Exausto, sentou-se numa cadeira, e baixou a cabeça, levando as mãos à cara, tapando os olhos, como se quisesse evitar que os outros vissem as suas lágrimas.

– Nunca vi coisa assim. A cidade, a nossa Lisboa, que tanto amamos, foi literalmente dizimada... Não ficou nada de pé. As ruas onde andávamos, as casas, as gentes... É um horror, uma coisa tenebrosa. – Fungou: – Não sei quantos milhares morreram, mas aquilo é uma visão do inferno.

Calado, Sebastião José deixou aquele momento de emoção distanciar-se um pouco e depois perguntou:

– Temos forma de fechar os portos?

O marquês de Alegrete anuiu.

– Sim. A cidade morreu, é um enorme cadáver. Não podemos deixar que os abutres, os piratas árabes, desçam sobre ela, vindos do mar. E não há qualquer forma de organizar o comércio, de cobrar os impostos. Tudo vai ter de parar, nem que seja apenas uns dias.

Foi a vez de Sebastião José concordar, com um suspiro.

– E por aqui, como estão as coisas? O rei está bem? – perguntou o presidente da Câmara.

– Morreram uns leões no jardim, a rainha desmaiou muitas vezes, as crianças choram e os outros nobres abalaram logo que puderam. Mas, fora isso, nada de grave.

O marquês de Alegrete sorriu ligeiramente, perante a ironia de Sebastião José.

– E podemos falar com Sua Majestade?

– Sim, claro, vamos já lá. Quanto a soldados, como estamos?

O comandante das tropas do reino suspirou:

– Mal, como em tudo o resto. Muitos morreram e ainda não consegui comunicar com a maioria dos fortes à volta de cidade. Temos um pequeno destacamento em Sacavém, e outro aqui perto, lá em cima, na Ajuda. Mas são poucos homens para controlar esta trapalhada. Os prisioneiros fugiram do Limoeiro, do Tronco, até da prisão dos escravos, e andam a assaltar as pessoas e as casas.

Sebastião José examinou o seu mapa.

– Bem sei – disse. – Cruzei-me com alguns esta tarde, próximo de Santa Isabel. Temos de cercar a cidade, e depois caminhar daí para o centro. Os criminosos têm de ser parados o mais depressa possível. Mortos à vista, sem hesitar.

O marquês de Alegrete não concordou com a proposta logística:

– Não temos homens suficientes para um cerco. Podemos avançar da Ajuda e de Sacavém, mas toda a zona para norte do Rossio ficará fora do nosso alcance...

O ministro comentou, exaltado:

– Mas é aí que estão a maioria dos habitantes que fugiram do centro! É aí que vamos precisar mais dos soldados!

O marquês de Alegrete levantou-se. Era um homem alto, mas não tão alto como Sebastião José, e, quando ficaram lado a lado, Bernardino compreendeu que, embora eles se respeitassem, havia alguma animosidade latente, pela forma como se colocavam tensos, como que preparados para um embate físico.

– Os da Ajuda têm de proteger o ouro da Casa da Moeda – disse o marquês de Alegrete. – Há lá um pequeno destacamento, mas é curto.

Sebastião José pousou o indicador no desenho.

– Então, há que movimentar os de Sacavém para a zona do Campo Grande, e avançarem daí para o centro, evitando a fuga para norte. A guarnição que está nas Necessidades pode juntar-se à da Ajuda e fechar o lado poente.

Entusiasmado, Sebastião José prosseguiu com a sua ideia, o dedo correndo à frente das palavras:

– Já partiu um emissário para Évora, para chamar os Dragões. Em dois ou três dias, mais de mil podem chegar a Lisboa, e entrar pela zona de Sacavém, encerrando o lado nascente.

O comandante das tropas compreendeu que havia inteligência naquele plano e, assim sendo, concordou.

– Além disso – continuou Sebastião José –, os soldados têm também de proteger a distribuição de alimentos, que terá de ser feita nas estradas, a norte do Rossio. Não podemos deixar o caos instalar-se nessa zona.

Descreveu com o dedo uma circular no mapa, que começava em Alcântara e só acabava em Sacavém:

– Toda a cidade tem de ser cercada. Primeiro, para acabar com o crime. Depois, para evitar que a população fuja. Se todos fugirem de Lisboa, então é que é o fim...

O ministro queria cercar a capital? Para quê? Bernardino não compreendeu o propósito deste objetivo, e não queria acreditar que o homem estava a tomar uma decisão de tamanha magnitude apenas para encontrar o pirata do Limoeiro. Seria possível?

Os dois responsáveis decidiram ir falar com o rei, para receber a aprovação final do plano, e o ajudante acompanhou-os. Quando entraram na salinha real, deram de caras com o padre Malagrida, sempre vestido de negro, a terminar a sua confissão. O velho jesuíta, com a sua voz nasalada, recolheu o terço e comentou, sem olhar para nenhum deles:

— Talvez agora já me acreditem que isto foi castigo de Deus... Deus transformou Lisboa nas novas Sodoma e Gomorra, porque este é um povo de pecadores e promíscuos, de meretrizes e de fornicadores, de invejosos e corruptos...

Ao ouvi-lo, o rei benzeu-se e a sua cara contraiu-se, num esgar impressionado. Sebastião José não proferiu uma palavra, mas o marquês de Alegrete deu um passo à frente e afirmou, com um leve sorriso nos lábios:

— Pode ser que tenha razão, padre Malagrida, pode ser... Mas Deus tem um estranho sentido de humor, não lhe parece? As igrejas foram quase todas destruídas e, no entanto, a rua das meretrizes, das prostitutas, pelo contrário, foi poupada. Vá-se lá saber porquê...

Os olhos do padre jesuíta chisparam, mas conteve a raiva e saiu da sala sem proferir um único comentário. Uma hora chegou para o rei aprovar todas as decisões do seu secretário do Negócios Estrangeiros. Finda a audiência, o marquês de Alegrete partiu para Sacavém, para supervisionar a deslocação dos soldados, e Sebastião José regressou, com Bernardino, à sua sala de trabalho, onde ficaram o resto da noite acordados, com o ajudante a voltar às suas correrias entre o exterior e o interior, transmitindo as novidades sempre que elas lhe chegavam.

Já com o dia a nascer, Sebastião José perguntou-lhe:

— O rei nunca chegou a tomar conhecimento da tal petição do prisioneiro do Limoeiro, pois não?

Bernardino confirmou que não. O ministro olhou de novo para o mapa, pensativo, e depois disse, quase num murmúrio, como se estivesse apenas a falar consigo próprio:

– Ele é um marinheiro, um pirata. Deve estar a tentar regressar ao mar. Com os portos fechados, isso será impossível.

Virou-se para o ajudante, de olhos semicerrados e perguntou:

– O que faz um pirata quando não pode ir para o mar?

Bernardino ignorava, pois não era versado em pirataria.

– O mesmo que faz no mar... Rouba, assalta, mata.

Proferida esta básica conclusão, Sebastião José calou-se, de novo com os olhos pousado no desenho da cidade. Depois, sussurrou entre dentes:

– Andas algures por aqui...

32

Naquela manhã, Lisboa parecia uma manta de fogo e fumo pousada em cima de uma lixeira. Para onde quer que olhássemos, só víamos prédios transformados em sarças ardentes, redemoinhos negros e fumegantes subindo ao céu, faíscas e fagulhas a voarem como pirilampos maldosos. E depois havia o odor, horrível, uma mistura de carne humana, madeira e terra queimada, uma pestilência enjoativa que se colava às narinas e à garganta e nos obrigava a cuspir, a tossir, a vomitar.

Onde não havia incêndios, havia cadáveres: seres estropiados surgiam em cada vala, em cada montículo de entulho, como se nos quisessem pregar um susto, marionetas macabras de uma opereta grotesca, mãos abertas no ar à espera de agarrar algo que nunca agarrariam, cabeças cortadas ao lado de vasos e de sapatos velhos, troncos cujo sexo já não se distinguia tal era a mutilação sofrida.

Caminhávamos lentamente, esquivando-nos das traves pontiagudas e das pedras soltas, tentando equilibrar-nos naquele tapete de restos. Muhammed, eu e as duas freiras, mais parecíamos uma estranha companhia de peritos, inspecionando a degradação, como se fizéssemos um inventário minucioso.

Íamos a caminho da Casa dos Bicos, onde esperávamos encontrar o barco do nobre para podermos embarcar, mas Margarida não parava de me lembrar que eu prometera procurar comida para o rapaz. E Muhammed também estava faminto. O meu amigo árabe parava quando via sinais de cozinhas, panelas e talheres, baldes ou pratos, e ficava uns minutos a vasculhar no solo.

A dada altura, devido a um conjunto de casas que ardia à nossa esquerda, contornámos o incêndio e demos de caras com o que restava de uma igreja. Parecia um bolo que alguém atirara ao chão, completamente destruída, com os dois sinos no cimo, intatos. Muhammed trepou até aos sinos e gritou-me:

– Ser bronze, ir valer dinheiro!

A rapariga bonita tocou-me no braço:

– Vão roubar os sinos da igreja?

Irmã Alice, uns metros atrás, libertou uma risada:

– Pois bão! São piratas, é isso que fazem.

A rapariga bonita colocou-me a mão na cara e disse:

– Santamaria, por favor...

Sorri-lhe:

– Gosto de te ouvir dizer o meu nome.

Ela olhou para o árabe, que tentava levantar um sino.

– Diz ao teu amigo que pare, por favor.

Encostei a minha testa à dela, senti a sua respiração acelerar e disse, em voz baixa, só para ela ouvir:

– A Inquisição condenou-te à morte e preocupas-te com um sino?

Margarida afastou-se um pouco e, com a mão, retirou uma madeixa dos olhos:

– É diferente... Isto – e apontou para Muhammed –, isto é roubar!

Dei uma pequena gargalhada:

– Isto? E se for comida para o rapaz, já não é roubar? Será que não percebes que a cidade está destruída, que não há nada de ninguém? E como é que pensas conseguir um barco? Não temos dinheiro!

Foi a vez de Margarida encostar a sua testa à minha.

– Um sino de uma igreja não é dinheiro – disse ela.

Mantive-me junto a ela, sentindo o seu odor, que me inebriava:

– Lá isso é verdade. Não nos vai servir de nada.

Gritei ao meu amigo árabe:

– Muhammed, esquece os sinos! Não vamos conseguir trocá-los por nada e, além disso, quem é que vai carregar esses bisontes de bronze? És um lingrinhas...

Irritado, o árabe deu um pontapé no sino, e depois desceu pelos destroços até chegar junto de nós. Comentei:

– Ainda se fosse um cálice... Não viste mais nada de valor?

A rapariga bonita ficou espantada com a minha pergunta e, enquanto Muhammed me confirmava que não, a freira mais velha deixou cair uma conclusão evidente:

– Eu vem te dizia...

Enfrentei-a:

– Acho melhor calares a boca, coruja velha. Dizeres mal de mim à rapariga não muda nada. Enquanto eu aqui estiver, ela não vai voltar a ser tua.

Irmã Alice lançou-me um olhar incendiado. De repente, baixou-se, apanhou uma pedra com a mão direita e voltou a erguer-se, rápida. Puxou a mão atrás e ia atirar o calhau na minha direção. Mas fui mais lesto e, com dois saltos, aprisionei-lhe a mão. Abracei-a com força, e ela contorceu-se.

– É isto que te tem faltado – murmurei-lhe ao ouvido. – Há quantos anos não és montada por um homem?

– Larga-me, puarco! – vociferou, tentando fugir-me.

Apertei-lhe o pulso, e obriguei-a a deixar cair a pedra no chão. Depois, forcei-a a olhar para mim, e disse:

– Se voltares a atacar-me, penduro-te no primeiro poste que encontrar. Ouviste?

Sabia perfeitamente que não tinha força para me enfrentar, e rendeu-se:

– Oubi. Mas a rapariga...

Interrompi-a:

– A rapariga bonita fará o que ela quiser. Não és tu, nem eu, que a vamos forçar a fazer o que não quer, entendes? Ela é que escolhe.

Baixou os olhos, desanimada.

– Como vai ser? Continuas connosco ou ficas por aqui? – perguntei.

De olhos pousados no chão, murmurou:

– Bou cum bocês.

Libertei-a e troquei de olhares rapidamente com Muhammed. A partir dali, ele iria à frente, seguido pela mulher mais velha, e eu e a rapariga fecharíamos a comitiva. Assim, não me poderia atingir pelas costas à pedrada, como decerto ainda desejava.

Caminhámos mais trezentos metros, e um novo incêndio, noutra rua, empurrou-nos para a direita. Devido aos abalos, naquela zona as casas dos dois lados das ruas haviam caído para a frente, umas em cima das outras, e como a distância original entre elas era muito curta os destroços tinham criado estranhos túneis, por debaixo das ruínas tombadas. Era perigoso atravessá-los, mas fizemo-lo devagar, desviando-nos das traves afiadas.

Ouvi um assobio, imitando um cuco. O árabe parara. Apontou para um casebre à sua esquerda:

– Muhammed ir cheirar, ir comer!

Enfiou-se por uma fresta entre as madeiras. Observei a mulher mais velha: parecia conformada. A rapariga bonita nem olhava para ela, e perguntou-me:

– Sabes ir ter à casa do rapaz?

Disse que sim: se subíssemos, a caminho da Sé, era perto.

– Prometes que vamos lá? – perguntou.

– Se encontrarmos comida.

Ouvi um ruído vindo do casebre. A cabeça de Muhammed apareceu.

– Nada – comentou, desanimado.

Continuámos e em cada casebre Muhammed procurava comida, mas não tivemos sorte durante horas. O árabe estava convencido de que, antes de nós, alguém rapinara aquelas habitações.

– Grupo ir roubar, Muhammed ir ter certeza. Homens ir matar gente...

Vira vários corpos dentro dos casebres.

— Com a garganta cortada? — perguntei.

— Sim. Aqui — explicou o árabe, levando o dedo à garganta e descrevendo um risco na horizontal.

Recomeçámos a andar. Intrigada, a rapariga bonita olhou para mim várias vezes antes de me perguntar:

— O que se passa?

— Nada.

Não a queria preocupar, mas ela insistiu:

— Corremos perigo?

Sorri-lhe:

— És engraçada. Duas condenadas à morte pela Inquisição, dois piratas perseguidos pelos soldados, uma cidade destruída pelo terramoto, fogos à volta, bandidos a saquearem as casas, e tu perguntas se corremos perigo...

Ela mordeu o lábio:

— Quem anda a roubar as casas?

Encolhi os ombros:

— Não sei. Devem ter feito isto durante a noite. Muhammed diz que o sangue das pessoas já está seco.

— Não temos armas?

Abanei a cabeça. Tinha perdido a faca de manhã, com a monumental onda.

— Nem sequer uma faca de cozinha — acrescentei.

Ouvi de novo o cuco. Depois, o árabe apareceu a correr, agitado.

— Ir esconder, depressa, ir esconder!

Enfiámo-nos os quatro num casebre, envolvidos pelas ruínas. Pouco depois, ouvimos homens, os seus passos, as suas piadas. Pareceu-me que falavam espanhol, mas não tive a certeza. Passaram à nossa frente e iam na direção do Terreiro do Paço. Quando o silêncio regressou, Muhammed tocou-me no ombro, entusiasmado:

— Olha, ir comer!

Descobrira uns potes de barro cheios de batatas, e umas caçarolas com carne. A rapariga bonita perguntou:

— Porque não vamos ter com o rapaz, e comemos por lá?

Muhammed e a freira mais velha nem quiseram saber desta sugestão e lançaram-se sobre a comida. Eu também. A rapariga bonita encontrou um pote mais pequeno e colocou batatas e carne lá dentro, enquanto nós a observávamos. Depois, dirigiu-se para a porta e perguntei-lhe:

– Onde vais?

– Vou ter com o rapaz.

A freira mais velha avisou-a:

– Num bamos esperar que boltes... E tem cuidado com o fuago.

Margarida hesitou.

– Era melhor irmos todos juntos – disse-lhe. – Deixa-nos acabar de comer.

A mulher mais velha comentou:

– Num debíamos perder tempo cum isso.

De acordo com ela, Muhammed acrescentou:

– Barco não ir esperar, Santamaria.

Continuei a comer. A rapariga irritou-se com a minha passividade e saiu do casebre. Escutámos os seus passos a afastarem-se, mas logo a seguir ouvimo-la gritar. Levantei-me e corri para a rua. A cinco metros, um barbudo agarrara em Margarida e roubara-lhe o pote de barro. A rapariga bonita tentava reavê-lo, mas o crápula era muito mais forte que ela. Agarrei numa trave de madeira, corri para ele e dei-lhe com a trave nos joelhos, com força. Largou Margarida e berrou com dor. Virou-se na minha direção e vi que tinha uma faca na mão. Levantei a trave e atingi-lhe o braço. A faca caiu ao chão e ele, perdendo a vantagem, recuou. Gritei-lhe que se afastasse e assim fez. Deu uns passos para trás e desapareceu.

Recolhi a faca do chão e agarrei o braço da rapariga, com ternura. Ela sacudiu-me, irritada. Baixou-se, pegou no pote e colocou lá dentro as batatas e a carne, que haviam rebolado pelo chão. À entrada do casebre, Muhammed e irmã Alice observavam a cena. Informei-os:

– Vou com ela deixar a comida ao rapaz. Vão andando para a Casa dos Bicos, e esperem lá por nós.

Cerca de cinquenta metros à frente, ouvi um barulho nas nossas costas. Muhammed e a freira seguiam-nos e esperámos que chegassem junto de nós. Depois, em silêncio, caminhámos os quatro no meio daquele emaranhado de escombros. Algum tempo mais tarde, o terreno começou a subir: estávamos perto da casa do rapaz.

Quando lá chegámos, reparei que um dos incêndios próximos mudava de direção, devido ao vento, e consumia já umas ruínas a pouco mais de uma centena de metros. Irmã Alice também viu as chamas e nasceu-lhe um cínico sorriso nos lábios. Chamámos, dando um grito junto da abertura do túnel, e o cão apareceu de imediato, abanando o rabo. O rapaz espreitou pela abertura. Subiu, sem demonstrar contentamento por nos ver. Estava coberto de terra, sujo e cansado, mas continuava determinado. Perguntei:

– Ouviste algum som?

Não me respondeu. A rapariga bonita ofereceu-lhe o pote:

– Trouxe-te comida. Carne e batatas. Se não comeres tudo já, dá para hoje à noite.

O rapaz sorriu-lhe:

– Obrigado.

Agarrou no pote e segurou-o com as duas mãos. Examinou o que estava no seu interior e comentou:

– Somos dois.

Deu um pouco de comida ao cão, que o animal engoliu de imediato. A rapariga bonita perguntou:

– Em que te posso ajudar?

A freira mais velha não deixou o rapaz responder e afirmou:

– Nem penses que bais ficar aqui. Temos d'ir... o varco tá à nossa espera.

Muhammed fungou:

– Barco ir... barco ir partir, Santamaria.

Margarida olhou para mim, suplicante:

– Não podemos ajudá-lo por umas horas?

O rapaz sentou-se e ofereceu mais um pouco de carne ao cão e depois mordeu uma batata. Falou, com a boca cheia, a olhar para mim:

– Não quero a tua ajuda. Não és de confiança...

Fiquei irritado com o seu comentário e ripostei:

– Não me interessa o que pensas de mim.

– Então desaparece da minha vista! – exclamou o rapaz. – Não gosto de esterco ao pé de mim quando estou a comer.

Muhammed assobiou e comentou:

– Rapaz ir ter cuidado, Santamaria ir matar rápido...

O rapaz deu uma gargalhada:

– Claro. Matar rapazes é fácil. Os cobardes conseguem sempre matar os mais fracos.

Não respondi à provocação e voltei a observar o incêndio. Daqui a uma ou duas horas estaria a queimar os escombros da casa do rapaz. Avisei-o:

– Aquele fogo vai chegar aqui antes da noite. Não fiques dentro do túnel quando o fumo se aproximar, podes morrer asfixiado lá em baixo.

O rapaz encolheu os ombros e piscou um olho à rapariga bonita:

– Ele não está preocupado comigo. Só diz isto para tu ouvires e gostares dele.

A rapariga bonita observava o incêndio, assustada. A freira mais velha sentiu o seu medo e falou:

– Temos d'ir, se ficarmos aqui, somos apanhados pelas chamas...

Margarida mordeu os lábios e disse, olhando para o rapaz:

– Não consigo ficar. Tenho medo... E tu, não tens?

Ele enfiou mais um bocado de carne na boca, mastigou e, depois de engolir, disse:

– Só tenho medo de não encontrar a minha irmã viva.

Muhammed e a freira mais velha afastaram-se. Vi que Margarida tinha lágrimas nos olhos.

– Vamos – disse-lhe.

Virei costas ao rapaz e Margarida abraçou-o, e depois seguiu-me, calada. A dada altura, parei e disse-lhe:

– Não sou um homem bom. Tenho de fugir de Lisboa. E tu também. Não há nada que possa fazer pelo rapaz, nem que tu possas fazer.

Ela manteve-se calada, recusando-se a olhar para mim. Acrescentei:

– A irmã, a esta hora, deve estar morta. E, se não estiver, não passa de hoje, que aquilo vai arder tudo. Ele não conseguirá salvá-la.

Margarida estremeceu ao ouvir-me falar no incêndio, continuou sem olhar para mim, e comentou, em voz baixa:

– Não há pessoas boas nesta cidade. Nem tu, nem eu, nem ninguém. Exceto o rapaz.

33

À procura do dinheiro nas ruínas de um edifício, Gold reconhecera papéis, móveis, até um pequeno quadro, e jurara a Ester que a loja era ali, mas ela duvidava de que vasculhassem no local certo.

– Se os cofres estivessem aqui, já tinham aparecido.

Contudo, o persistente inglês não desistia:

– They are aqui, slave. My money is aqui...

Tentava mostrar convicção, mas até ele parecia já não ter a certeza.

– Hell, tudo destroyed, é difficult saber, good lord...

A escrava sentou-se, desanimada.

– Já disseste isso duas ou três vezes... Sinto o estômago a dar horas.

A meio do dia, haviam regressado ao Terreiro do Paço e comido ambos uma sopa, cortesia de uma família de ingleses. Depois, voltaram ali.

– Hell, me também – disse o inglês. – Mas the money está here... and the barcos only levam nós if nós pay...

Surpreendida, Ester mirou-o como se ele tivesse proferido uma tirada escandalosa:

– Queres sair da cidade de barco?

Apanhado em falso, o inglês calou-se.

– Pensei que querias apenas o teu dinheiro, para que não to roubassem – disse Ester.

Esperou um esclarecimento, mas Gold não o deu. Enervada, levantou-se:

– Já percebi. Estou a perder o meu tempo.

Deu uns passos, afastando-se, mas Gold chamou por ela:

– Hey, Ester! Where vais?

– Vou-me embora. Não precisas de mim para nada! Logo que encontrares o teu dinheiro vais apanhar um barco e deixas-me aqui, no meio dos homens maus.

Quase a trote, o inglês correu atrás dela e justificou-se:

– Hell, no, não leave you, I... eu...

Ofegante, continuou:

– Well, I não sei what to do... The city está in caos, tudo burns, on fire... I lost my mulher, my casa, my criada, all dead, compreendes? And my braço is ferido, hurts... Talvez a boat ser good ideia... We could go to Sacavém ou Vila Franca, don't know... Ficar there uns days...

Ela sorriu, desdenhando da ideia:

– E para que precisas de mim lá?

O inglês encolheu os ombros:

– Well, we together, juntos. Não te leave behind... I can ajudar-te.

A rapariga deixou-se ficar em silêncio, pensativa.

– Please, Ester, stay – pediu Gold.

Olhou em volta, para a sua loja totalmente destruída.

– Need dinheiro... No money, no barco... And... precisamos money rápido, eles close ports...

Ester acedeu a uma tentativa final. Uma hora depois, o inglês deu finalmente um grito de triunfo. Encontrara o cofre e esgravatou na terra, removendo os detritos que o encobriam. Depois, virou o pequeno baú de bronze ao contrário, e examinou a sua fechadura.

– Good lord, it's my cofre... It's cheio!

Levantou-se bem-disposto, mas Ester viu-o de repente perder a cor no rosto, tornar-se lívido. Virou-se. A pouco mais de dez metros deles, um homem enorme, com barbas e cabelos negros, observava-os. Tinha feridas nos braços e nas pernas, e pouca roupa o cobria, mas dos seus olhos emanava uma força malévola e destrutiva que Gold nunca vira em nenhum ser humano.

E depois apareceram os outros homens, oito, fortes e mal-encarados. Gold teve de imediato a certeza de serem presos, fugidos das cadeias. Estavam sujos e feridos, mas armados com facas, pistolas, até espingardas. O chefe, o monumental homem de barba negra, tinha uma, com baioneta na ponta.

Gold receava que eles tivessem visto o pequeno baú. Contudo, deu-se conta de que os energúmenos não estavam a olhar para ele, mas sim para a rapariga, e um arrepio percorreu-lhe a espinha.

Um dos homens gritou:

— Ei, Cão Negro, mira qué bela!

O chefe do gangue apontou para a direita, descrevendo um pequeno arco com a mão, e depois para a esquerda, descrevendo outro pequeno arco. A passo, os cães de fila abriram um semicírculo cujo objetivo era evidente: cercar Gold e a rapariga.

— É a mim que eles querem — murmurou Ester. — Corre.

O capitão inglês não se mexeu. Por mais rápido que fosse, os bandidos seriam mais rápidos e seria abatido sem piedade, com um tiro pelas costas. Ora, agora que encontrara o dinheiro, a última coisa que queria era morrer.

— Hey, what querem? — gritou.

O chefe do gangue apontou-lhe a espingarda e Gold berrou, aterrado:

— No, não! Eu have dinheiro! Dou-vos o money!

Ao ouvirem-no, os saqueadores olharam uns para os outros e depois para o chefe, surpreendidos. O Cão Negro baixou ligeiramente o cano da espingarda e perguntou ao inglês:

— Donde está?

O capitão procurou ganhar tempo:

— Well... in a cofre, close, perto.

Apontou para a sua direita:

— Atrás, there, ali...

O mastodonte sorriu e aproximou-se, sempre de arma apontada. A dois metros de Gold, olhou para escrava e disse:

– Ela é tua?

O capitão abanou a cabeça, negando. Ester nem queria acreditar que ele a estava a entregar daquela forma.

– Entonces, tienes dinero?

O inglês voltou a explicar onde estava o dinheiro, mas os homens pareciam bem mais interessados na rapariga.

– Cão Negro, para que queremos dinheiro? – disse um deles, em português. – Não há nada para comprar! A rapariga é que vale a pena, olha para as tetas dela.

Cada vez mais aflito, o inglês enfrentou o chefe dos vândalos e disse:

– With dinheiro, get barco, sea, run de Lisboa.

O Cão Negro matutou naquela solução. Depois, fez um gesto com a espingarda e ordenou ao inglês:

– Sale daí! Vai para ali e quieto!

Gold movimentou-se na direção exigida, e de pronto foi cercado por três bandidos.

– Se el cabrón foge, matenno – avisou o chefe.

Virou-se então para a negrinha e largou uma gargalhada:

– Una preta! Que bueno!

Atirou a arma a um dos outros homens, que a apanhou no ar. Depois, deu um salto e agarrou a rapariga pela cintura, sem qualquer dificuldade. Ester começou a debater-se, dando pontapés no ar, tentando arranhá-lo na cara e nos braços, mas ele e os correligionários riram-se à gargalhada.

– Deixa alguma coisa para nós! – gritou o português.

A besta atirou a rapariga ao chão e caiu sobre ela, agarrando-a pelos braços. Ester esperneou, e gritou:

– Gold, Gold!

Mas, com três pistolas apontadas à cabeça, o inglês nada podia fazer. Então, a escrava tentou uma estratégia desesperada, expondo a mentira de Gold.

– Ele está a mentir, o dinheiro não está onde ele diz! – gritou.

O bruto não se interessou e começou a levantar-lhe as saias, imobilizando as pernas dela com as suas. De súbito, deu-lhe um soco na cara. Atordoada, Ester deixou de se mexer por uns segundos. Então, o homem rasgou-lhe a parte de cima do vestido, deixando as suas mamas à mostra, o que provocou um grito geral de contentamento nos selvagens. Depois, levou uma das mãos ao baixo-ventre, preparando o seu órgão sexual para a penetração. Quando conseguiu fazê-lo, impulsionou-se para a frente, com força. A rapariga uivou de dor.

O inglês baixou os olhos, impressionado, e por isso não viu bem o que se passou a seguir. Um dos homens ao seu lado tombou para a frente e rebolou, e Gold descobriu-lhe uma catana cravada nas costelas. Aquilo não fazia sentido...

Ouviu uma saraivada de gritos, e viu surgir uma dezena de escravos negros, com panos à cintura e na cabeça, armados com catanas e soltando berros bélicos, imitando pássaros. O choque entre os dois grupos foi violento, o combate imediato. Gold ouviu tiros e viu lutas simultâneas. Largando Ester, o homem enorme disparava uma pistola e usava a espingarda como um bastão para atingir dois negros; para a sua direita, três negros tentavam golpear dois homens, um dos quais o português que Gold ouvira; e mais ao fundo, outros três negros brutalizavam um homem com facadas persistentes, que faziam jorrar esguichos de sangue.

No meio da batalha, Gold apercebeu-se de que ninguém o via e fugiu a galope. Nas suas costas, ouvia os gritos da luta, mas não sabia quem estaria a vencê-la. Esqueceu-se de Ester e correu na direção do Terreiro do Paço. Todavia, atrapalhado, a certa altura tropeçou, magoou-se no tornozelo e ficou parado, esfregando o local dorido.

Continuava a ouvir gritos, ao longe. Aquela era uma luta até à morte. Os dois grupos já deviam ter-se confrontado antes, talvez ontem ou durante a noite, e a animosidade entre eles era fortíssima. Deveriam ser quem mais disputava os saques, e não iam admitir que alguém os ultrapassasse nessa competição pelos despojos.

Gold escondeu-se junto a uma parede, enquanto a sua dor passava. Queria esperar o fim da refrega para poder regressar ao local e recuperar o pequeno cofre, em quem ninguém reparara. Deixou cair a noite, e só voltou ao local depois de muito tempo sem ouvir berros. Com redobrada atenção, dando um passo de cada vez e observando o que se passava à volta, foi caminhando, de cócoras, entre o entulho, esquivando-se dos locais mais iluminados pelo céu alaranjado dos incêndios.

No escuro, misturados com os pedregulhos, foi distinguindo corpos. A sua maioria eram negros, os escravos, que pareciam ter sido os derrotados daquele combate. Apenas descobriu o cadáver de um branco, o português que escutara. Contou sete mortos, com as cabeças cortadas alguns, outros com o peito desfeito por golpes de facas ou tiros, o sangue cobrindo-os, como uma mancha de líquido vermelho que alguém lhes tivesse despejado para cima.

Identificou o local onde encontrara o cofre, mas o coração começou a bater-lhe desordenadamente quando percebeu que o pequeno baú não estava onde o tinha deixado. Remexeu a terra, levantou as pedras mais próximas, cada vez mais irritado, mas não o conseguiu encontrar. Parou, respirando sofregamente. O que se passaria com o cofre? Tinha a certeza de que o espanhol, o homem enorme, não o vira. Como podia ter desaparecido? Pensou em Ester... Teria sido a escrava a levá-lo? E onde andaria ela? Não vira o seu corpo. Teria sido levada pelo homem enorme?

Sentou-se, desolado. Sentia-se exausto, o braço doía-lhe e tinha fome e sede. Mas, pior do que isso, sentia-se perdido. Durante aqueles dois dias, a sua principal ideia tinha sido recuperar o dinheiro. Estivera tão perto...

Subitamente, ouviu um barulho a uns metros, para a sua direita, e levantou-se, os sentidos alerta. Um vulto pequeno rastejava entre os calhaus. Gold aproximou-se, convencido de que se tratava de um dos negros moribundos, mas reconheceu Ester. Correu para ela e ajoelhou-se no chão.

– Abandonaste-me – murmurou Ester. – Deixaste-me para eles, traidor.

Estava dececionada com a cobardia dele. Gold perguntou-lhe se estava ferida e ela respondeu:

– Só na alma.

O inglês abraçou-a e pediu:

– Ester, I'm sorry, perdoa-me... They were muitos, iam kill me...

Ester soluçou, cuspiu e disse:

– Um homem corajoso nunca abandona uma mulher.

O inglês esperou que ela se sentasse e depois ripostou:

– Ester, hell, don't say isso. These are horas terríveis... See the cidade, as pessoas kill each other...

Exausta, a rapariga fez um enorme esforço para se levantar e olhou na direção do Terreiro do Paço. Depois anunciou:

– Tenho de ir ter com Abraão. Ele está lá, na praça.

O inglês tentou um gesto de ternura, e disse:

– Please, my cofre, money desapareceu. But it's aqui, they não o levaram.

A rapariga engoliu em seco, enervada e farta daquela busca:

– Não quero saber do teu cofre.

O inglês tentou chamá-la à razão:

– Ester, we need dinheiro!

A rapariga parecia não o ouvir e observava o que se passava no chão, à volta deles. Deu uns passos numa direção, depois noutra, olhando para os mortos. Por fim, regressou para junto do inglês, enraivecida.

– Foi uma matança de negros. Os brancos venceram. E agora, foram à procura dos outros.

– Others, outros? – perguntou Gold, confuso.

– Dos outros negros. Não estavam aqui todos.

O inglês coçou a nuca, baralhado:

– Are these mesmos negros that attack nós no Paço, yesterday?

Ester confirmou e acrescentou:

– Mas há mais.

A rapariga começou a caminhar no sentido do Terreiro do Paço. O capitão suplicou a sua ajuda mais uma vez, mas ela chamou-o à razão.

– Está muito escuro para procurarmos o teu cofre. Voltamos amanhã de manhã. Agora, vamos para a praça.

Gold não teve outro remédio senão segui-la.

34

Junto à Casa dos Bicos, com o rio à nossa frente, a noite foi passada a observar a azáfama dos poucos barcos que por ali fundeavam. Muitos haviam escolhido esta forma de abandonar Lisboa, mas os barqueiros só transportavam quem lhes pagasse bem. Muhammed, depois de muito porfiar, veio ter comigo e admitiu:

– Não ir ver nobre nem criado.

Os homens que nos haviam transportado no coche até perto do Rossio não tinham aparecido, e não havia maneira de sabermos se algum daqueles barcos era o deles.

– Nem devem ter cá chegado – disse eu.

Muhammed examinava os barcos. Sabia qual era a sua ideia, e avisei-o:

– Cuidado, é perigoso.

Centenas de pessoas movimentavam-se junto à margem, numa agitação nervosa. Roubar um barco era uma aventura arriscada, senão mesmo suicida. Muitos barqueiros traziam ao cinto punhais ou pistolas.

– Muhammed ir tentar.

Compreendi a sua impetuosidade. Como na manhã do terramoto, estávamos de novo a dois dedos da liberdade. Era só deitar a mão a um barco e nunca mais nos conseguiriam agarrar.

– Precisamos de dinheiro – comentei.

O árabe perguntou:

– E onde ir ter? Muhammed seco! Santamaria seco! Olhei em volta e sugeri:

– Procura por aí, há muita gente a dormir.

O meu amigo fundiu-se com a noite. Regressei para junto das duas freiras. Irmã Alice falava com a rapariga bonita, mas calou-se mal reapareci. Envergonhada, Margarida baixou os olhos.

– Só há barco se pagarmos – expliquei.

Irmã Alice encolheu os ombros, comentando na direção da rapariga:

– Eu vem te disse. Num bale a pena acreditar nesta gente, nunca nos bão tirar daqui!

Bufei, enfadado.

– Tens ideia melhor? – perguntei.

Enfrentou-me, endireitando a coluna, tentando parecer mais alta do que era:

– P'acaso tenho. Debíamos ir p'lo rio, suvindo junto à margem, até Sacabém. Lá é vem mais fácil conseguir uma varcaça e atrabessar o Tejo.

Sorri, divertido com o ousado conhecimento fluvial que demonstrava:

– E como sabes isso?

– É savido, quem bibe em Lisvoa save. Tu não, és um povre pirata, perdido na cidade, às boltas, sem saver pra onde ir! Podes ser forte no mar, mas em terra és um zé--ninguém, num bales nada!

Margarida permanecia de olhos pousados no chão. Senti que dentro da sua alma havia uma luta entre mim e a velha freira, e só um podia vencer. Aproximei-me de Alice.

– Para que saibas, está uma companhia de soldados em Sacavém, a preparar-se para entrar na cidade. Se fores junto ao rio, vais cair-lhes nos braços. É isso que queres?

Um pouco antes, Muhammed informara-me desta novidade, trazida pelos barqueiros.

Além disso, quando os soldados chegassem, talvez amanhã durante o dia, mesmo a navegação clandestina no rio seria suspensa.

– Estão a cercar a cidade? – perguntou irmã Alice, espantada.

Encolhi os ombros:

– Não sei. Sei o que ouvimos dizer. Por isso, não é boa ideia irem a pé para Sacavém.

Ficámos os três calados, a observar o rio. Mais do que fugir, o que aquela mulher desejava era afastar-me de Margarida. Qualquer argumento lhe servia: o fogo, os soldados, os barcos. Eu queria o oposto, e não a ia deixar levar a melhor.

Margarida, cansada, suspirou:

– Então, o que queres fazer?

Perguntei:

– Vamos passear um pouco?

Imediatamente tensa, como a corda de uma guitarra, a mulher mais velha cerrou os punhos e investiu na minha direção, como um animal selvagem:

– Já disse pra t'afastares! Ela é minha.

Dei um passo à frente e ficámos cara a cara.

– Agora já não. Agora é minha. E, se tens dúvidas, pergunta-lhe.

A freira respirava ofegante, quase descontrolada, num estado de agitação intenso. Saltitava o olhar entre mim e Margarida, repetidamente. Por fim, lançou uma questão à rapariga bonita:

– É berdade? É cum ele que queres ficar?

Margarida voltou a baixar os olhos e murmurou:

– Tu não foste boa para mim.

A velha agitou-se e deu um grito, apontando o dedo indicador da mão direita para mim:

– E ele? Achas que quer o teu vem? Bai usar-te e depois deita-te fora, como um trapo belho! Não acredito! Não acredito que me bais avandonar!

Mantive-me sereno. A mulher tinha de compreender que estava na altura de se ir embora. Mas tentou um arremesso final. Desesperada, soluçou:

– Já te esqueceste do que fiz por ti? Se num fosse eu, tinhas morrido! Porque 'tás a fazer isto? E a noite d'ontem?

Baixou o tom de voz, executando um ronronar carinhoso, procurando comover a rapariga:

– Num foi vom? Ontem, nós duas?

Enervada, Margarida levantou-se bruscamente e abriu as mãos:

– Esquece isso, não se passou nada! Estamos todos cansados e...

Com um grito, a mulher mais velha interrompeu-a:

– Num se passou nada? Mas... mas... já num te lemvras? Dormimos lado a lado, as duas.

Foi a vez de a rapariga se irritar:

– Para com isso! Sabes perfeitamente que não sou como tu! Nem nunca serei...

Desorientada, a mulher mais velha balbuciou:

– Mas, mas...

A rapariga colocou as mãos abertas à sua frente, as palmas viradas para a outra, como se quisesse parar a sua aproximação:

– Para! Tens de saber parar! Não és tu que dizes o que eu devo ou não fazer, sou eu!

Agitada, Margarida passou por mim e sorriu, continuando a caminhar uns metros até parar, sentando-se no chão, junto à parede de uma casa. Irmã Alice levou as mãos à cabeça e deu um pequeno uivo de dor. Sabia que a rapariga bonita tinha feito a sua escolha, e sofria. Disse-lhe:

– Desaparece. Não te queremos mais ao pé de nós.

Magoada nos seus sentimentos, a mulher perdeu as forças e ajoelhou-se no chão, a soluçar. Era um espetáculo penoso. Dei meia volta e fui-me sentar ao lado da rapariga bonita. Ficámos a assistir àquele tormento, àquele choro, àquela convulsão. Depois, irmã Alice levantou-se de forma brusca. Sem olhar para nós, desapareceu no sentido de Sacavém.

Deixei passar uns minutos, e depois perguntei a Margarida onde a conhecera. Descreveu-me a manhã do terramoto, a fuga da prisão da Inquisição, o deambular pela cidade das duas até ao nosso encontro. Enquanto falava, reparei de novo no seu pescoço.

– O que são essas marcas? – perguntei.

Recordou a tentativa de enforcamento, interrompida abruptamente pelo tremor de terra. Revelou-me que o pavor aos fogos lhe nascera naquele passeio com os pais, aos treze anos; e recordou como quase enlouquecera na sua cela. Confessou que primeiro tentara seduzir o carcereiro, e depois conseguira a corda através de um negócio com um «profetista», trocando-a pelo seu fio de ouro.

– Tens o fio contigo outra vez – comentei, tocando-lhe no pescoço.

Estremeceu, ao sentir os meus dedos na sua pele.

– Sim, recuperei-o. Estava ao pescoço do carcereiro morto. Não perguntes porquê, porque não sei. Talvez o «profetista» tenha conseguido a corda dando-lhe o fio. Não sei, não faz sentido.

Não sabia se me estava a contar a verdade, mas não insisti. A verdade não era a minha preocupação no momento, tanto se me dava se era virgem ou não. Só mais tarde, quando percebi que me apaixonara por ela, é que o meu ciúme me fez revisitar as suas palavras de uma forma irracional.

No momento, encostou-se a mim, pousou a cabeça nos meus ombros e abracei-a. Beijei-a na testa, com carinho, e murmurei, junto do seu ouvido, se queria procurar um local mais abrigado. Levantámo-nos e, nas traseiras das Casa dos Bicos encontrámos uma casinhota. Depois de uma rápida inspeção, verificámos que, apesar dos fortes danos, no piso térreo os compartimentos tinham teto. Descobrimos uma cama com colchão, sacudimos a caliça e a terra e deitámo-nos, rindo.

Nas horas seguintes, fui feliz. Margarida transportava um potente desejo de viver emoções profundas com um homem. Há tanto tempo que as fantasiava que precisava finalmente de as sentir, de as experimentar, e entregou-se a mim com dedicação e empenho. Senti o calor da sua pele, o seu querer mais profundo, e possuí aquela rapariga bonita com uma alegria eufórica, ouvindo os seus gemidos de excitação com um contentamento interior que me inebriava os sentidos. Ela sentiu-se mulher e eu senti-me homem como há muito não me acontecia, completo, como se aquele corpo fosse a parte que faltava no meu, como se tivéssemos nascido para nos fundirmos um no outro.

Que os homens são animais no sexo, eu já sabia, mas ela revelou-me que também uma mulher, quando se entrega, se transforma num animal efusivo, liberto de pensamentos, deixando uma força pura e primária tomar conta de si. Dormira com muitas outras mulheres, mas quase todas eram prostitutas, e praticavam aqueles atos de uma forma mecânica, com uma teatralidade esforçada mas postiça, cheia de ais e uis e fode-me, corpos ativos sem um pingo de alma. Não estavam ali, não como Margarida, e não como Mariana estivera, no passado. Mesmo sem querer, comparei-as. Era como se, muitos anos depois, na mesma cidade, eu continuasse o que deixara interrompido. Amara Mariana, intensamente, e depois a minha vida fora um deserto de emoções, onde o prazer do sexo era apenas uma descarga necessária, mas pobre e insuficiente, separada da alma e do coração. Contudo, ao amar Margarida renascera em mim a emoção da vida, que julgara perdida para sempre. Muitos anos depois de Mariana, uma mulher trazia-me de volta ao mundo dos vivos, dos que sabem que o amor é o oposto da morte. Parecia que o seu corpo, o seu coração, a sua mente, todos se uniam num só propósito, o de vibrar com aquelas horas de prazer sensual, a loucura dos sentidos, dos cheiros, dos gemidos. Foi isso que acrescentou em mim algo de novo, de valioso, de bonito e ao mesmo tempo assustador. Os homens temem sempre a força de um amor assim, e eu não era diferente.

A meio da noite, perguntei-lhe:

– Porque foste condenada à morte na fogueira?

Contou-me que quando os pais morreram, num acidente, tinha dezasseis anos e fora enfiada num convento. A princípio, até gostara: as freiras eram simpáticas e faziam-lhe companhia. Sem família, sentia-se muito sozinha, e elas supriam as faltas de afeto, apesar das manias quotidianas do local lhe exigirem uma habituação difícil. Pouco depois de fazer dezoito anos, fora autorizada a ir às «grades» conviver. Despertara então para um novo mundo, mais vasto, e começara a sentir vontade de sair dali, de conhecer e namoriscar homens, de viver outra vida que não a de freira. Todas as noites, ao deitar-se, em vez de proferir as orações, sonhava com príncipes encantados, uma casa sua, uma família, crianças a brincar à porta da rua.

Entre os dezoito e os vinte, entretivera-se nas «grades» a trocar bilhetinhos, sorrisos, prendas ou guloseimas, a fazer o que todas as raparigas do convento faziam, jogando aos sinais de amor e carinho com os visitantes que as catrapiscavam. Cada vez mais forte, a sua curiosidade crescia. Era muito popular junto do outro sexo, e as suas bem desenhadas formas femininas e os seus cabelos loiros eram motivos de comentários e elogios.

Porém, progressivamente sentira que as outras freiras, as noviças e até as mais velhas, lhe tinham inveja, e cobiçavam o seu corpo, mais redondo e atraente.

Para mais, começou a rejeitar a autoridade religiosa e irritava-se com as ordens ou com as proibições. Ao mesmo tempo que despertavam os seus desejos de mulher, nascia-lhe na alma uma rebeldia corajosa e ao mesmo tempo jocosa, humorada e subversiva. Traquina, decidira lutar contra aquela incómoda tirania repressiva com truques juvenis, que julgava inofensivos, mesmo quando eram eficazes. À noite, pregava sustos às freiras mais velhas, soltando guinchos e pequenos urros, que ecoavam nas sorumbáticas paredes do convento, fazendo inesperados ecos, que assustavam as almas mais sensíveis. Não contente com isso, inventou novas diabruras: acendia velas à porta dos quartos, insinuando no dia seguinte serem visitas de duendes. Uma vez, chegara mesmo a colocar umas patas de galinha na cama de uma freira mais velha, que apanhou um susto de morte. De outra, pintou sangue de coelho, que roubara na cozinha, nas portas dos quartos de várias irmãs. E, por fim, cortou certa noite uma cabeça de um galo e colocou-a na almofada de uma madre, que desmaiou de tanto medo.

Ao mesmo tempo que se entretinha com estas pantominas apalermadas, ganhou a certeza de que o seu destino não era aquele. Pediu uma audiência à madre superiora e revelou-lhe a vontade de abandonar o convento. A madre não gostou de a ouvir dizer que não estava interessada em servir Deus, e incentivou-a a rezar, certa de que o tempo se encarregaria de lhe fazer ver o seu caminho justo.

Esta divergência nunca se resolveu. Pelo contrário, agravou-se. Um dia, irmã Margarida entusiasmou-se a sério com um homem, mais velho do que ela, a quem deu troco nas «grades» e que passou a visitá-la duas vezes por semana. Sentiu uma emoção forte, queria conhecê-lo melhor, ser mulher com ele, mas tal não lhe foi possível em Alcântara. Sabia que outras freiras deixavam entrar os namorados pelas janelas, escondendo-os de seguida nas arrecadações, para com eles folgarem, mas da única vez que tentou foi descoberta.

O episódio, banal e vulgar, provocou um exagerado escândalo no convento, e as punições não se fizeram esperar. A partir dessa data, a irritação geral que já existia contra ela, larvar e contida, ganhou uma causa legítima e explodiu. As freiras tomaram-na de ponta, exagerando erros ou atribuindo-lhe faltas que não praticara, e proibiram-na de frequentar as «grades». Nunca mais viu ou falou com o seu amado, e dias mais tarde foi surpreendida quando a madre superiora a acusou, com pompa, no final de uma missa, de estar possuída pelo demónio.

Incrédula, foi informada de que seria levada ao Santo Ofício, em processo, pois cometera graves pecados e revelava uma predisposição perigosa para as artes de Satanás. Foi enfiada numa cela, ainda em Alcântara, e nas semanas seguintes ouvida no tribunal da Inquisição. Para sua surpresa, muitas das companheiras de convento testemunharam contra ela, acusando-a de relacionamentos secretos e gravíssimos com o Diabo. As suas tropelias, os gritos e os urros, as patas de galinha, o sangue de coelho ou a cabeça de galo foram descritos como atos de magia negra, que provavam a sua alma de bruxa.

– Foi por isso que fui condenada à morte e presa no Palácio da Inquisição – rematou. – Fui torturada e confessei tudo, na esperança de me salvar. Mas não consegui.

Já ouvira histórias semelhantes, pois os absurdos da Inquisição portuguesa corriam mundo. Sorri-lhe:

– Não foi isso que te condenou. O que te condenou foi o teu corpo, a tua cara bonita, os teus olhos.

Franziu a testa, sem perceber.

– Inveja – continuei. – As freiras dos conventos são terrivelmente invejosas. Tu eras a vida, a beleza, os homens cortejavam-te, e elas odiavam isso.

A rapariga bonita bateu as pestanas, lisonjeada, e depois acrescentou:

– As mulheres nunca gostaram muito de mim... Tirando irmã Alice, mas essa é invertida.

Sorri outra vez:

– Talvez a madre se tivesse apaixonado também pelo teu homem, e tenha ficado enciumada. Histórias dessas são comuns. O rei D. João V tinha várias amantes, entre as freiras de Odivelas. Uma delas era a madre superiora.

A rapariga suspirou:

– Mas morrer queimada por causa disso?

Toquei-lhe com os dedos ao de leve na cara:

– Tiveste sorte. Se não fosse o terramoto...

Ela acrescentou:

– E o meu confessor.

Contou-me que ele a incentivara, depois dos abalos da terra, dando-lhe o suplemento de força necessário para se lançar, corajosamente, numa fuga através de uma cidade destruída. Depois, sorriu-me e perguntou:

– E tu, porque foste preso?

Recordei a minha epopeia recente: a prisão às mãos dos franceses, os dias no Limoeiro, a manhã do tremor de terra, a luta quase fatal com o Cão Negro. Curiosa, quis conhecer a minha biografia anterior.

— E como te tornaste pirata?

A história saiu-me com leveza: há muitos anos, tinha sido abandonado pelos portugueses, e fora preso pelos árabes. Depois de dois anos de cativeiro, recrutaram-me para as suas frotas, e tornei-me um pirata. Com eles e como eles.

— Estive muitos anos sem vir a Portugal — acrescentei.

— Não tens família por cá?

Abanei a cabeça.

— Nem mulher?

Voltei a abanar a cabeça.

— Nunca te casaste?

Sorri:

— Os piratas não se casam.

Ela sorriu também e acrescentou:

— E nunca se apaixonam?

Dei uma pequena gargalhada.

— Sim, às vezes. Principalmente quando se apoderam de barcos onde viajam raparigas bonitas como tu...

Ela soltou também uma pequena gargalhada:

— Eu não viajei de barco.

— Pois não, mas és muito bonita.

Abracei-a, com ternura, e beijei-a na boca, longamente. Entrelaçámos as pernas, a pele de um aquecendo a pele do outro, os desejos a regressarem. Beijei-a nas mamas, brincando com os seus seios, e gemeu, ofegante. Fomo-nos amando, insaciáveis, mudando os corpos de posição, pois queríamos experimentar múltiplas sensações. Mesmo naquela noite fria, suámos, e acabámos esgotados, já o dia nascia. Adormecemos lado a lado, um sono tranquilo de horas, nus e enrolados, e durante todo esse tempo esquecemo-nos do que se passava à nossa volta, do horror e perdição que consumiam Lisboa.

Já a manhã ia a meio, acordei com Muhammed a observar-me da porta. Não olhava para o corpo da mulher, mas para o meu. Não me incomodei. Estava habituado às tendências do árabe e sorri-lhe:

– Então, há novidades?

O árabe desviou o olhar do meu corpo nu para o da rapariga. Mesmo para alguém que não gostava de mulheres, aquele era um exemplar impressionante. Margarida parecia uma estátua, as suas pernas eram belas, as suas coxas perfeitas, as suas nádegas redondas e empinadas, os seios volumosos, o cabelo uma onda dourada que lhe caía sobre os ombros.

– É bonita, não é? – perguntei, em voz baixa.

– Sim. Ir ser bela – afirmou o árabe.

Suspirou e perguntou:

– Santamaria ir apaixonar?

Sorri e quis saber se tinha novidades.

– Ir haver barcos Terreiro do Paço. Aqui não.

No seu cinto, vi uma pequena bolsa. O árabe tinha roubado alguém.

– Quanto conseguiste?

Muhammed retirou a bolsa do cinto e atirou-ma. Caiu-me no peito e abri-a. Não era muito dinheiro.

– Não dá para chegar ao Brasil – comentei.

A rapariga bonita mexeu-se. Acordou e ficou envergonhada por estar nua à frente de Muhammed. Procurou as roupas, e cobriu-se.

– O que se passa? – perguntou.

Sorri-lhe e disse:

– Bom dia.

Ela sorriu de volta, mas olhou para o árabe, curiosa.

– Temos barco?

Muhammed explicou o que me explicara. Decidimos ir ao Terreiro do Paço, mas antes procurámos na casa algo que comer. Encontrámos pão e chouriços. Comemos e levámos os chouriços que sobraram nos bolsos. Pelo menos teríamos comida durante aquele dia.

Partimos. Quando chegámos à praça, o Paço Real ardia intensamente, do lado oposto. Na zona baixa, na direção do Rossio, mantinham-se ativos muitos incêndios.

A maioria dos habitantes aglomerara-se junto ao rio, na esperança de apanhar os barcos. Ficámos por ali, sem sorte, e meia hora mais tarde ouvimos alguém gritar:

– Irmã Margarida!

Era o rapaz, que corria entusiasmado na nossa direção, aos berros:

– Ouvi a minha irmã! Está viva!

35

– A Assunção está viva!

Mais calmo, o rapaz contou que continuara a procurá-la durante a noite, mesmo quando o fumo dos incêndios invadiu a cave. Sempre a tossir, enquanto o cão gania de preocupação, aguentara até de madrugada, mas depois rendera-se. Afastara-se um pouco da zona, para descansar e respirar um ar menos pesado. Logo que o Sol nasceu, voltara a descer à cave, prosseguindo o seu trabalho de remoção dos entulhos e fora aí que a ouvira.

– Chamou por mim, pela minha mãe!

Invadido por uma impressionante excitação, acalmara a irmã com as suas palavras, prometendo salvá-la. Contudo, a força da menina escapava-se, e só voltara a ouvir a sua tosse, nada mais. Alarmado, impulsionara-se para a frente, cavando com todas as suas forças, tirando as pedras, as madeiras, com o cão atrás, gemendo como um humano aflito.

A luta era imensa, mas desigual. As escavações eram lentas, mas os fogos avançavam depressa, lambendo já as casas vizinhas, as chamas aumentando o calor até ao insuportável, o fumo rodopiando com fúria, ao ponto de ser impossível a permanência na cave. Assustado, o cão escapara-se do túnel e ladrara, chamando-o. Impotente e frustrado, o rapaz abandonara o local uma vez mais, chorando, impedido também de subir à Sé, pois a frente do fogo vinha daí. Então, descera ao Terreiro do Paço a correr, e já há algum tempo que ali estava, procurando ajuda.

A rapariga bonita baixou os olhos, sem dizer uma palavra. Paralisara com um medo irracional, mal o ouvira dizer que o fogo cercava a casa.

— Por favor, ajuda-me — pediu-lhe o rapaz.

Torturada pelos seus fantasmas juvenis, Margarida desatou a soluçar. Vi lágrimas nascerem-lhe nos seus bonitos olhos. Cheguei-me à frente e disse ao rapaz:

— Não lhe podes pedir isso.

— O quê? — gritou o rapaz, incrédulo.

— Ela tem medo do fogo, não lhe podes pedir para ir a tua casa.

O rapaz ficou perplexo, como se tal ideia fosse para ele um absurdo:

— Mas, mas eu ouvi a minha irmã, ela está viva!

Aproximou-se mais de Margarida, tocando-lhe no braço:

— Não me vais ajudar?

Num último recurso, ajoelhou-se junto dela, como um penitente, e implorou:

— Por favor, ajuda-me a salvá-la.

Angustiada, a rapariga levou as mãos à cara, tapou os olhos e murmurou, envergonhada com a sua cobardia:

— Não consigo, não consigo.

O rapaz estremeceu, de desilusão e desaprovação. Abanou a cabeça, desolado, e levantou-se. Depois, olhou para mim, zangado e disse:

— A ti nem vale a pena pedir-te.

Virou-nos as costas e desatou a correr, sem olhar para trás.

Dias mais tarde, vim a saber o que se passou logo após este encontro no Terreiro do Paço. O rapaz atravessou a correr a zona da Alfândega e das feitorias, aproximando-se de sua casa por esse lado. O que viu foi uma carnificina doentia. Junto às lojas inglesas, um grupo de homens comandado por um homem enorme e barbudo (que o rapaz obviamente reconheceu) executava um exercício sinistro.

Num cenário de guerra, travara-se um combate até à morte entre dois bandos (o mesmo combate que Ester e Gold tinham presenciado), e os vencedores tinham regressado para profanar os cadáveres, usando as suas facas e as catanas para degolarem os negros, cujas cabeças colocavam depois em paus, espetados no chão.

Quando passou, o rapaz contou oito cabeças penduradas. Os executores daquele sinistro trabalho pareciam carrascos alucinados, anjos vingadores numa arena sangrenta, para garantir que aquelas tristes almas nunca teriam salvação, os seus corpos seriam desmembrados, esventrados, mutilados até aos limites do horror, para que os vivos percebessem que aquele grupo de assassinos era capaz de tudo.

O rapaz fugiu e conseguiu aproximar-se da sua casa, apesar de as chamas a rodearem de quase todos os lados. Descobriu o cão, que ficara obedientemente nas redondezas. Pela primeira vez, o animal não o seguiu, nem atravessou o círculo de fogo, tinha medo. Apesar de tudo, o rapaz animou-se, pois verificou que a sua casa não estava a arder tanto como as outras que a rodeavam. Assim sendo, acreditou que a irmã podia resistir a mais uma provação-limite. Contudo, teria de o fazer sozinha, pois com tanto fumo e calor ele não conseguia descer ao túnel.

Quanto a nós, continuámos no Terreiro do Paço. Margarida estava muito pálida e triste. Dilacerava-a ter recusado ajuda ao rapaz. Deixara o medo vencer o combate contra o seu bom coração, e estava amargurada.

– Não podes fazer nada – disse-lhe.

Olhou para mim e senti que também estava desiludida comigo.

– Mas tu podias... Santamaria, se não vai haver barcos nas próximas horas, porque não vais ajudá-lo?

Muhammed deu um pontapé numa pedra. O árabe estava prestes a perder a paciência. Compreendia-o. Também nada me ligava ao rapaz, nem sentia qualquer obrigação para com ele.

– Dá-me uma boa razão para o fazer – disse à rapariga bonita.

Ficou a olhar para mim, e engoliu em seco. Prossegui:

– Porque havia de arriscar a vida por causa dele, ou da irmã? A cidade está a arder, rapariga bonita, não te dás conta? Olha à tua volta: Lisboa é um incêndio gigante, só se vê fumo e chamas! Porque havia eu de morrer queimado, só para tentar salvar alguém? Nem sequer sou português! Portugal abandonou-me! D. João V deixou-me a apodrecer nas prisões árabes! Recusou-se a pagar o resgate, o meu e o do meu barco! Por mim, isto pode arder tudo!

Apontei para o Paço Real com o dedo indicador em riste, a raiva há tantos anos sepultada no meu coração a ressuscitar, tomando conta de mim:

– Estas riquezas só existem porque há homens como eu era, como eu fui um dia! Homens que arriscam a vida pelos reis, e lhe trazem o ouro e as riquezas do Brasil! E quando somos presos pelos árabes o que fazem? Abandonam-nos à nossa sorte!

Olhei de novo para ela, a ira dentro de mim ardendo com tanta força quanto as labaredas no palácio:

– Lisboa não me diz nada, por mim pode arder toda! Só quero ir daqui para fora, fugir, esquecer esta terra!!! E tu devias pensar o mesmo!

Bufei, ofegante, e cerrei os dentes:

– O que deves a esta terra, a este reino? As freiras tramaram-te, foste condenada a morrer queimada! O que interessa o que aqui se passa? Temos é de fugir e depressa! Porque vamos perder tempo a ajudar este, ou outro qualquer? O que ganhamos com isso?

O rosto de Margarida contraiu-se, as lágrimas correram-lhe pela cara a baixo, fazendo pequenos sulcos claros, no meio do pó que lhe cobria o rosto.

– Oh! Santamaria... o que nós ganhamos? A nossa salvação.

Abanei a cabeça, incrédulo.

– A nossa salvação? – repeti. – A nossa salvação é isto! O terramoto foi a nossa salvação, os incêndios são a nossa salvação! Enquanto a barafunda continuar, estamos livres. Quando acabar, vamos ser presos, percebes?

A rapariga bonita ficou calada, chorando. Muhammed olhou para mim e, para meu espanto, levou o dedo ao pescoço, gesticulando um golpe mortal. Por ele, matava Margarida, era a sua mensagem. Franzi a testa, surpreendido e chocado com a sua sugestão.

A rapariga bonita murmurou:

– Irmã Alice tinha razão. Só pensas em ti... Só fazes o que queres.

Como um animal atingido por uma flecha, virei-me de novo para ela e enfrentei o seu olhar. Ela perguntou:

– Gostas de mim?

Fechei os olhos e não respondi. Ela acrescentou:

– Se gostasses de mim, fazias o que eu te peço.

Voltei a abrir os olhos, respirei fundo e disse-lhe:

– Se queres sair desta cidade, eu levo-te. Se queres ajudar o rapaz, terás de ir sozinha.

A rapariga bonita recomeçou a chorar. O árabe assobiou e chamou-me. Dei uns passos para junto dele. Falou em voz baixa.

– Santamaria, mulher perigosa, mulher ir perder tu.

Cerrei de novo os dentes, pela primeira vez desiludido com ele, e disse:

– Vamos sair desta cidade, os três. Nem penses em fazer-lhe mal, ouviste?

Revirou os olhos, cínico, e afastou-se, misturando-se na multidão que permanecia no Terreiro do Paço. Passaram umas horas até o ver regressar, agitadíssimo.

– Santamaria, ir olhar!

Apontava na direção do Paço Real, e a princípio não vi nada de novo. O edifício continuava a arder, chamas altas consumiam-no nas várias fachadas e deduzi que o torreão estava condenado. Depois, descobri um pequeno grupo de pessoas junto ao rio. Três soldados acompanhavam um homem vestido de casaca azul, que parecia ridículo e deslocado numa praça onde todos estavam andrajosos. Devia ser um emissário do rei.

– Quem são?

– Muhammed não ir saber, mas eles ir acabar de chegar.

Continuei a observá-los. A rapariga bonita mantinha-se sentada no chão, enrolada sobre si mesmo, com a cabeça pousada nos joelhos. O grupo deslocou-se para o centro da praça, examinando as pessoas.

– Nunca nos irão reconhecer, não com estas roupas – comentei.

O árabe estava enervado. Tinha um instinto de alerta para situações perigosas que, no passado, muitas vezes me fora útil. Era altamente improvável que aqueles soldados fossem os mesmos que nos tinham perseguido no primeiro dia, quando nos cruzáramos com Sebastião José.

Porém, à medida que se aproximavam, comecei também a ficar agitado. Continuávamos sem armas, e ali no meio da praça, se os soldados nos reconhecessem, seria difícil escapar. Subitamente, cruzei o meu olhar com o do homem de casaca azul. Conhecia aquela cara, não me lembrava de onde, mas conhecia! Algures no meu passado em Lisboa convivera com aquele indivíduo. E ele também me conhecia, pois parou e pouco depois chamou um soldado e apontou na minha direção.

Só dias mais tarde soube que aquele homem era Bernardino. Naquele momento, mesmo sem o identificar, tomei a decisão de sair dali de imediato. Levantei a rapariga bonita pelo braço. Confundida, protestou, mas expliquei-lhe que tínhamos de fugir dos soldados. Muhammed, mais rápido do que eu, desaparecera já.

Olhando por cima do ombro, dei-me conta de que, estranhamente, os soldados não nos perseguiam. Parados, continuavam a observar-nos. Talvez o homem não tivesse autoridade sobre eles ou, sendo somente três, talvez não se sentissem seguros para atravessar uma praça em perseguição de três pessoas, uma atitude que poderia provocar revolta e incompreensão no meio de tanto sofrimento.

Corremos para os escombros dos edifícios da Alfândega e das feitorias e deixei de vê-los. De repente, Muhammed reapareceu junto de nós, e trazia uma faca na mão.

– Onde arranjaste a faca?

O árabe não respondeu, continuámos, e, do outro lado, apareceu à nossa frente uma zona de edifícios mais baixos todos arrombados.

– Santamaria onde ir? – perguntou o árabe.

– Não sei.

Sentia-me cercado. Pelo rio, não podia sair da cidade e os incêndios impediam-nos de seguir nos sentidos de Alcântara, do Bairro Alto ou do Rossio. E de Sacavém vinha um regimento. Parei e a rapariga bonita parou a meu lado, esperando uma sugestão. O árabe afastou-se uns metros, observando o terreno. Depois assobiou. Aproximei-me e ele disse:

– Ir olhar...

Subi a uma pequena elevação de entulho. Quando cheguei ao topo, um estranho espetáculo surgiu à minha frente. Havia muitas estacas espetadas no chão e, no topo delas, cabeças cortadas, de negros. Houvera ali uma luta e os derrotados tinham sido trucidados. No chão, viam-se bocados de corpos, esquartejados, às postas.

A rapariga estava a subir também e por isso gritei-lhe:

– Não! Volta para baixo!

Obedeceu-me e desci para junto dela:

– Não quero que vejas. Há muitos mortos ali.

Muhammed comentou:

– Não ir ser soldados, soldados não ir matar assim.

Por momentos, uma ideia passou-me pelo espírito, mas pareceu-me demasiado improvável para ser verdade. A matança era obra de homens maus, talvez de prisioneiros fugidos. E não deviam estar muito longe, pois alguns dos corpos ainda pingavam sangue.

– Temos de sair daqui – disse ao árabe.

– Para onde?

– Vamos para o casebre onde dormimos, junto à Casa dos Bicos – sugeri. – Ficamos lá durante a tarde, e à noite partimos, na direção de Sacavém.

A rapariga bonita estranhou:

– E os soldados?

– Temos de nos esconder. Se passarem por nós sem nos verem, conseguimos continuar... Temos de conseguir.

De súbito, ficámos em guarda, pois ouvimos barulho perto de nós. Subi a outro monte de destroços e vi um homem e uma mulher. Ele tinha o cabelo claro e ela era negra. Eram Hugh Gold e a escrava.

36

Durante a segunda noite, o horrível eco da catástrofe continuou a chegar, permanentemente, a Belém. O Hospital de Todos os Santos fora aniquilado pelo fogo, cinco anos depois de já lhe ter sucedido o mesmo, e soube-se depois que todos os outros hospitais lisboetas tinham tombado também, carbonizados, a sua utilização impedida, amputando a cidade de auxílio médico.

O Limoeiro, o Tronco e mesmo a prisão dos escravos, nos limites orientais da cidade, haviam sucumbido, matando centenas de prisioneiros, mas libertando muitos outros, que em bandos saqueavam. Corria já o rumor de um confronto sangrento, entre grupos de presos e de escravos, sendo que estes últimos aproveitavam a inesperada liberdade para a vingança, roubando os antigos senhores.

Quanto às igrejas, as notícias não podiam ser piores. Em trinta das quarenta paróquias de Lisboa, os edifícios religiosos haviam ruído, fatalmente danificados, e os que resistiam de pé eram fáceis vítimas dos roubos.

Quem vinha do Castelo concordava com quem vinha do Bairro Alto: não havia prédio que houvesse resistido, entre o Rossio e o Terreiro do Paço. São Nicolau, a segunda paróquia com mais habitantes, era uma ruína flamejante, tal como a vizinha Nossa Senhora da Conceição, onde se dizia que nenhuma das duas mil e quinhentas casas escapara ilesa! A norte, junto ao Rossio, a paróquia de Santa Justa transformara-se numa sombra trágica do que fora, arrasada nos seus alicerces.

Antes de correr a Belém, um indivíduo passara pelos Mártires e relatava que, além da igreja com esse nome e do Convento de São Francisco estarem em colapso, se podiam ver os infelizes destroços de vários palácios – o da família Bragança, o da família Corte Real, o do conde da Atouguia, o do marquês de Távora, o do conde do Vimeiro, o do conde da Ribeira Grande, o do visconde de Barbacena, todos ajoelhados pelos golpes dos abalos.

Vinda do Bairro Alto, uma mulher descreveu a fantasmagórica visão que lhe provocara o Convento dos Carmelitas, onde centenas de frades haviam morrido soterrados. Ali perto, mais tragédia se anunciava, pois dizia-se que, no Convento da Santíssima Trindade, ninguém sobrara vivo.

E as variadas narrativas prosseguiam, imparáveis, como se aquele terramoto nunca mais acabasse. De vez em quanto, Bernardino observava a cara do incansável Sebastião José, e convencia-se de que ele não era deste mundo, pois não lhe descobria o mais leve traço de emoção. Enquanto uns se entristeciam ou choravam, e o rei soluçava, comovido, Sebastião José permanecia sério, aqui e ali franzindo a testa, quando ouvia mais uma tenebrosa novidade, mas logo se concentrando sobre o mapa, pensativo.

A torrente de informações não parava, antes corria, cada vez mais forte. A paróquia de Sacramento, altiva e belíssima, fora barbaramente assassinada pelos tremores e pelos fogos. A Igreja de São Roque, morada da fabulosa Capela de São João Baptista, onde o rei D. João V estoirara uma fortuna, fora reduzida a pó e cinzas. A Igreja do Loreto, mais uma, implodira. O Largo de São Roque e a Rua do Carmo não eram mais do que duas memórias na cabeça de todos, pois já não existiam. E mais palácios se juntavam à lista dos aniquilados: o do duque de Lafões, o do marquês de Nisa, os dos condes de Oeiras e Cocolim. Era como se aquela maravilhosa parte de Lisboa, a mais rica, houvesse sido oferecida como um tributo às implacáveis leis da natureza.

A força dos abalos e das réplicas, que não paravam de sacudir a cidade há mais de dois dias, deixara Lisboa devastada. Em São Paulo, a igreja caíra igualmente, bem como a de Santa Catarina, que se dizia ter tragado uma multidão na praça em frente. Os conventos das Bernardas, Inglesinhas e das Trinas, na Madragoa, haviam colapsado igualmente e, em Alcântara, as coisas não estavam melhores: o convento ruíra, matando dezenas ou centenas de freiras, ninguém tinha a certeza.

Contribuindo para a desmoralização geral, homens vindos do oriente da cidade confirmavam que por lá a destruição era imensa, ao contrário do que se pensara, ou esperara, no início. Alfama estava vergastada, o Convento e a Igreja de Santa Clara em fanicos, e as igrejas de Santa Engrácia e São Vicente de Fora haviam-se desmanchado, ceifando milhares de vidas dos que ouviam missas à hora dos abalos. Junto ao Castelo, a paróquia da Madalena era também uma pira fúnebre, que ardia ainda furiosamente.

Entretanto, a meio da noite, Sebastião José ordenou que um grupo de homens partisse de manhã para o Terreiro do Paço, e nomeou Bernardino líder dessa expedição. Queria que ele verificasse se era fidedigno o relato de cataclismo total não só no Paço, mas também nas zonas comerciais, do lado oriental da praça.

Quando a manhã nasceu, Bernardino partiu a cavalo, pois de coche ou carruagem era muito mais difícil chegar ao centro. Ao longo da Rua da Junqueira, mantinham-se, como no primeiro dia, milhares de habitantes acampados nas ruas.

– Isto n'é nada, comparado com o que vai praí, nos campos à volta da cidade – comentou um dos seus companheiros de viagem, um soldado.

Passara os dois primeiros dias na zona norte de Lisboa, antes de ser chamado a Belém, e a sua contabilidade, por mais exagero que contivesse, era assustadora. Milhares haviam ocupado os campos limítrofes, desde Ourique até aos mais a norte. Parecia que uma nova e fantasmagórica urbe nascera, em quarenta e oito horas, um acampamento colossal e desorganizado, de tendas e coches e carroças e pessoas torturadas.

– Já andam a roubar as casas, à procura de camas, colchões, cobertores, e depois voltam para os campos e instalam-se lá, como se fosse a casa deles, aos magotes. Parecem bichos, formigas, sei lá – continuava o soldado.

O frio, a fome, a sede, eram agora os inimigos principais dos habitantes daquela nova Lisboa, provisória, aflita e angustiada, onde já não reinava nem D. José, nem sequer Deus, mas o caos.

– Matam-se uns aos outros por uma manta...

Sebastião José bem avisara para a necessidade de manter a ordem, mas os poucos soldados não conseguiam proporcionar segurança àquelas gentes aterrorizadas.

– Já não há comida...

O soldado estava convencido de que mais um dia ou dois assim e seria o desespero absoluto. Temia o pior: um abismo humano, onde a decência acabaria e nasceria o indescritível e o impensável.

– Se não chegar a comida, vão acabar a comer-se uns aos outros – profetizou o impressionado guarda.

Bernardino sentiu um arrepio na espinha. Ouvira contar histórias de canibalismo nos mares, em navios que se perdiam, em naufrágios em ilhas desertas, mas canibais na sua Lisboa? Era um pesadelo...

Ao longo da sua cavalgada, confirmou a destruição em Alcântara, em Santos, em Remolares. Observou Santa Catarina em cacos, os escombros espalhados pela encosta abaixo, como um vómito de materiais de um zangado deus da arquitetura. Apenas sentiu um breve contentamento quando observou a Casa da Moeda intacta, anotando mentalmente que teria de passar por lá no regresso.

O seu coração não conseguiu conter a comoção ao aproximar-se, pela primeira vez desde o início daquelas tormentas, da principal praça da cidade. A Ribeira das

Naus desintegrara-se, os estaleiros navais só carvão e fumo. O Paço Real ardia e o torreão parecia uma pira triste, que ameaçava ruir a qualquer momento.

Em combustão, quase em fase terminal, negros e despojados da sua beleza anterior, assim estavam o palácio real e a Alfândega. Da Casa da Ópera, novíssima obra de que perdera a festa de inauguração, restava apenas o lugar, e um montão de carvões fumegantes. O mesmo se podia dizer da magnífica Igreja Patriarcal e do Convento de São Francisco. A Casa da Índia, onde existia o arquivo de mais de duzentos anos de comércio com o Oriente, deixara de existir.

Na praça, reinava o caos. No meio, um monte fumegante de haveres, trouxas e sacos, e até mobílias. Aos cantos, viam-se corpos de pessoas, de cavalos e mulas, carbonizados ao lado dos coches. Bernardino deu-se conta da dimensão da onda, que submergira a praça logo na primeira manhã, ao observar com os seus próprios olhos não só o desaparecimento do famoso Cais da Pedra, mas também a existência de partes de barcos, mastros, conveses e amuradas, espalhados pelo chão ou pousados, em posições estranhas, em cima das ruínas.

O lado oriental da praça provocou-lhe igualmente um choque brutal. Não restava um único edifício de pé na paróquia de São Julião, a maior da cidade, junto ao rio. Os mercados de cereais e de carnes, e as centenas de lojas e armazéns, estavam ou já totalmente consumidos pelas chamas, ou em vias de o ser. Bernardino sabia que ali, antes, viviam cerca de vinte mil pessoas, mas agora não poderia viver nem uma.

Como Sebastião José de Carvalho e Melo temia, a cidade estava abruptamente limitada na sua vitalidade comercial, pois sem registos e sem locais para as transações, o comércio não podia recomeçar. Bernardino, desolado, foi andando pela praça. Para lá da Rua Nova dos Ferros e da Rua da Confeitaria, a zona baixa da cidade ardia com uma voracidade que impedia qualquer visita.

Subitamente, no meio da multidão, distinguiu uma figura que o fez parar. Era ele, o prisioneiro do Limoeiro! O homem que tinham visto no primeiro dia, próximo da Igreja de Santa Isabel, e que escapara aos soldados. Estava acompanhado de uma rapariga, por sinal bem bonita, e por outro homem mais baixo, que parecia árabe. Os olhares de ambos cruzaram-se e Bernardino teve de imediato a certeza de que o homem o reconhecera. Quantos anos haviam passado desde a última vez que se haviam visto? Não sabia, mas eram muitos, eram dois jovens nesses tempos.

Sentindo o perigo, o pirata fugiu, pois Bernardino incentivara os soldados, na vaga esperança de o prender. Contudo, eles hesitaram. A praça estava repleta de pessoas furiosas, desesperadas, e qualquer tentativa de repressão podia despoletar uma convulsão geral.

Assim, Bernardino ficou a ver o pirata da petição afastar-se, escapando por entre as pessoas, para o lado oriental. Naqueles dois dias, o homem não conseguira fugir de Lisboa, nem por terra nem por mar. Os portos estavam agora fechados à navegação e, portanto, teria ainda mais dificuldade de abandonar a cidade. Restava-lhe, pois, esconder-se, o que também não era tão fácil como podia parecer, naquela cidade em chamas e em ruínas.

– Vais ter de comer e de beber – murmurou Bernardino.

Beber nem era difícil, pois a água continuava a correr nas fontes, trazida pelo Aqueduto das Águas Livres. Comer, sim, seria um problema, para o pirata ou para qualquer dos desesperados do Terreiro do Paço.

Meses mais tarde, na conversa com Bernardino, fiquei a saber que encontrara Sebastião José ainda sem dormir, sempre concentrado e decidido, e que lhe fizera a listagem dos incalculáveis danos que Lisboa apresentava. O secretário dos Negócios Estrangeiros escutara-o, mais uma vez sem revelar o seu estado de espírito, fazendo perguntas, verificando os mapas, escrevinhando notas nos seus papéis. As suas preocupações fundamentais continuavam as mesmas: o banditismo que grassava, a incapacidade de alimentar as hordas de habitantes famintos que se haviam refugiado nos campos dos arredores, e a fuga geral, o abandono da capital.

– O marquês de Alegrete mandou um emissário avisar-me de que há poucos soldados, muito menos do que ele pensava, em Sacavém. Decidiu avançar por aí com os que tem, para conter os desordeiros. Os Dragões de Évora só chegarão amanhã ou depois.

Informou Bernardino de que fora possível reunir algumas dezenas de soldados ali em Belém, e que essa força estava disponível para se aproximar da cidade no dia seguinte, entrando pela porta de Alcântara.

– Era melhor enviá-los à Casa da Moeda – sugeriu o ajudante.

Informou que se esquecera de lá passar, pois Remolares estava uma confusão. Sebastião José franziu a testa, perplexo. Depois, Bernardino tossiu e ganhou coragem:

– A razão foi outra. Vi o pirata, o que fez a petição, no Terreiro do Paço...

Sebastião José fulminou-o com o olhar:

– Porque não o prendeste?

Bernardino explicou o estado geral dos ânimos no local, a precaução dos soldados e a fuga imediata do pirata.

– Fizemos bem em fechar os portos – comentou Sebastião José.

Depois, observou o mapa mais uma vez e disse:

– Havemos de apanhá-lo... Por terra não conseguirá sair, por causa dos fogos. Pelo rio também não... Se não morrer à fome, ou for morto por outros bandidos, apanhamo-lo.

De repente, parou e perguntou:

– Disseste que estava acompanhado por uma mulher?

Bernardino confirmou:

– Sim. Uma rapariga, bonita e jovem.

Sebastião José ficou em silêncio por momentos e Bernardino pareceu ver um ligeiro sorriso nos seus lábios.

– Isso é bom – concluiu o ministro. – Com uma mulher ao lado, a vida é mais perigosa para ele.

37

Foi tal a surpresa do inglês ao ver Margarida, e a surpresa dela ao vê-lo, que deduzi prontamente que já se conheciam. Aceitando a minha sugestão, de início a rapariga bonita mantivera-se uns dez metros atrás de nós, enquanto eu e Muhammed nos aproximámos de Hugh Gold e da escrava. O inglês remexia no chão, e olhou para cima. Como se tivesse sido apanhado a roubar, perguntou:

– Hey, you, que é?

Parámos perto dele. A escrava voltou a sorrir-me, mas o inglês nem se deu conta. Para ele, era como se Ester não estivesse ali.

– Vocês, outra vez – comentei.

Gold surpreendeu-se com estas palavras. Não se recordava do nosso cruzamento, logo no dia inicial. A escrava, sim, e avivou-lhe a memória:

– Já os encontrámos, inglês. Da primeira vez que viemos há procura do teu dinheiro.

A palavra «dinheiro» produziu um efeito imediato em todos nós, e esse devia ser o objetivo da escrava. Os olhos de Muhammed examinaram o inglês, à procura de sinais de riqueza. Apresentava-se ferido no ombro, mas despojado de sacos, facas ou pistolas.

Tenso, o inglês fulminou com o olhar a negrinha. Pressenti que, ao colocá-lo em perigo à nossa frente, Ester estava de certa forma a vingar-se, retribuindo-lhe uma desilusão que ele lhe provocara antes.

– Têm dinheiro? – perguntei.

Sarcástica, a escrava libertou uma gargalhada:

– Isso queria ele! Há dois dias que anda com esta conversa! Diz que tem dinheiro aqui, na sua loja, mas já cá viemos várias vezes e nada!

O inglês permaneceu calado como um rato.

– Ontem, ainda descobriu um cofre e dizia que era onde estava o dinheiro, mas agora o cofre desapareceu e ele está outra vez pobre!

Foi nesse momento que Margarida se acercou e, ainda antes de ver com quem dialogávamos, informou:

– Está um cofre ali.

O inglês virou-se para ela, e foi aí que os seus olhares se cruzaram, e me foi evidente que eles se conheciam. Margarida não conseguiu conter um pequeno grito, levando a mão à boca.

Sorri e comentei:

– Pelos vistos aqui todos se conhecem...

A escrava olhou para a rapariga bonita e interrogou-me:

– Quem é ela? A tua mulher?

O inglês deitou-me os olhos, franzindo a testa. Sorri para a negra.

– Como te chamas?

– Ester.

– És escrava?

– Já não sou. Fui liberta pela lei. Trabalho no Paço Real... Trabalhava, pois agora não sei como vai ser.

Estiquei o dedo para o inglês e perguntei:

– E ele?

– Hugh Gold – respondeu Ester. – É um comerciante inglês. Diz que era marinheiro, comandante de um navio, mas não sei se é verdade.

Arqueei as sobrancelhas e questionei-o:

– És um homem do mar?

Paralisado, em choque, Gold limitava-se a olhar para Margarida. Lentamente, absorveu o meu pedido de esclarecimento e respondeu por fim:

– Yes, fui, mas not now, now comerciante.

Esquivo e furtivo, Muhammed estava já próximo do local onde Margarida descobrira o cofre. Mas a rapariga bonita correu para lá, chegando primeiro do que o árabe. Apanhou o pequeno baú do chão, e avisou Muhammed:

– Isto não é teu.

O árabe olhou na minha direção, à espera de uma ordem. Bastava um gesto meu e ela era neutralizada. Mas não era isso que eu queria. Já gostava dela e tinha a certeza de que a conseguiria acalmar.

– É o teu dinheiro? – perguntei ao inglês.

Ele disse que sim.

– E o que vais fazer com ele? Não há nada para comprar nesta cidade.

Gold olhou para mim e encheu o peito de ar, para ganhar coragem.

– Well, what vou fazer is with me, my dinheiro, my money.

Sorri perante a sua fútil bravata. Contra nós não tinha hipóteses. Mas Margarida continuava com o cofre na mão. Pisquei então o olho a Muhammed e, rápido como um gato, o árabe deu um salto e caiu junto da rapariga bonita. Antes que ela pudesse reagir, deu uma sapatada no pequeno cofre, que rebolou das mãos dela para o chão. Com novo pulo, o árabe pisou-o com o pé direito e, quando a rapariga o enfrentou, sacou da faca e apontou-lha ao peito.

– Não a magoes – gritei.

Com um sorriso vitorioso nos lábios, o árabe pegou no cofre, colocou-o debaixo do braço e recuou, afastando-se da rapariga bonita. Chegou ao meu lado e entregou-me o baú. Irritada, Margarida correu para mim e disse:

– O dinheiro não é teu, é do Hugh!

Bufei, fingindo-me divertido:

– Sim, eu sei. Mas queres explicar-me primeiro de onde conheces... o Hugh?

A rapariga bonita ficou calada e desviou os olhos, incapaz de cruzá-los com os meus. Pressenti naquela fuga ocular uma história que a constrangia. Ao nosso lado, Ester soltou uma nova gargalhada:

– Ah, inglês, és levado da breca! Não há mulher em Lisboa que não tenha sentido o peso da tua barriga.

Gold irritou-se e acusou-a:

– Hey slave, não talk assim! She não é like you!

Um curto silêncio caiu sobre o nosso improvável grupo. Margarida não aparentava vontade de me explicar de onde conhecia o inglês, e tentei recordar-me do que me contara ao longo da nossa fogosa noitada. Seria ele o homem de quem falara, o que lhe provocara emoções e a levara a desejar deixar o convento? Dissera-me que não haviam tido oportunidade para namorar, mas, ao que parecia, permanecia entre eles um sentimento forte. A rapariga bonita guardava segredo, protegendo-se a si e ao inglês. E Gold retribuía-lhe com a proteção da reputação, diferenciando-a da escrava.

Não era homem de perder tempo e dirigi-me a Ester, sorrindo-lhe:

– Se ele fala assim de ti, é porque também tu já sentiste o peso da barriga dele. Não é verdade, negrinha gira?

Divertida, soltou mais uma risadinha e também me apercebi de que entre nós existia um entusiasmo mútuo, luxuriante, palpável. Apesar de pequenina e magricelas, os seus seios eram grandes e saltavam à vista por cima dos trapos que vestia.

– Ó giraço, se quiseres que sinta o peso da tua, é só dizeres – provocou ela.

Esta troca inflamada de piropos incomodou a rapariga bonita, que se interpôs:

– Santamaria, não me interpretes mal.

Voltei-me para Margarida, fingindo desinteresse:

– Não sei de que falas.

A sorrir, tentou dissolver a minha desconfiança.

– Sim. Foi este o homem de quem te falei, o que conheci no convento.

Olhou para Hugh Gold, que permanecia calado. Sentado, a uns metros de nós, Muhammed limpava as unhas da mão com a ponta da faca, escutando, atento, a explicação de Margarida.

– Trocámos bilhetes, carícias, nada mais do que isso. Foi por causa dele que as freiras de Alcântara se voltaram contra mim. Algumas queriam-no também, mas ele só me vinha visitar a mim. Foi um sentimento bonito, forte. Depois, já sabes o que aconteceu. Fui presa, houve o processo, a condenação, o auto-de-fé... Nunca mais o tinha visto! E agora, de súbito, no meio desta cidade destruída, encontro-o! É natural que esteja confusa, não achas?

Ao ouvir o relato da rapariga bonita, Hugh Gold franziu a testa:

– Hell, what? You foste condenada, tu in jail?

Margarida elucidou-o, listando os factos:

– Sim, estava presa e ia morrer no domingo, queimada, no Terreiro do Paço. Foi o tremor de terra que me salvou. Fugi da cadeia da Inquisição, e ando às voltas pela cidade há mais de dois dias, sem saber como fugir.

Cada vez mais espantado, Gold perguntou:

– But, girl, que fizeste? Why presa by Inquisição?

Em poucas frases, Margarida resumiu a sua absurda via-sacra e ele exaltou-se, indignadíssimo:

– Good lord, I was in the convento várias vezes! I asked por ti, but they said que tu was doente, in bed! One day, disseram you went to terra, to Norte, to die por lá! It was big mentira! Never pensei que tu in jail, to die, condenada, in the fire...

Tristes, como dois seres a quem o destino pregara uma partida sem graça nenhuma, olharam-se, sem saber o que fazer ou dizer. Ester interrompeu a pausa, batendo palmas, e imitou, irónica, as salvas de uma ópera:

– Bravô! Que história linda, comovente! Finalmente, o amor é possível entre eles! Bravô, bravô!

Soltou mais uma gargalhada:

– Mas atenção, menina bonita, nada de pensar qu'ele é homem bom ou inocente! Além de ser casado com uma mulher que desprezava, e que, para sorte dele, morreu no sábado de manhã, com umas valentes pedradas na tola, tinha como amante uma criada gorducha, que tomava um xarope para evitar engravidar, xarope esse que era a minha mãe que lhe vendia!

Bateu de novo as palmas, divertida:

– Coitada da criada, também bateu a bota, e também com pedradas na tola! Mas há mais!

Divertida, deu um pulinho e abriu os braços de par em par, como se fosse o bobo de uma peça teatral:

– Essa era só a primeira! Além dela, há a senhora Locke, mulher do senhor Locke, com quem ele fornicava às sextas. E também há a marquesa, a da Rua da Junqueira, que tem o marido em Paris, e que ele amassa sempre que pode. E sei lá mais quantas, que este é de muito alimento, e eu sei do que falo!

Executou uma pequena e rápida pirueta e sorriu-me, acrescentando:

– Sim, é verdade, caríssimo amigo pirata, já me pus debaixo dele! E não foi nada mau, não senhora! Pula como um coelhinho adolescente...

Muhammed e eu demos uma gargalhada simultânea, e vi nascer um sorriso breve, mas orgulhoso, nos cantos da boca de Gold. Só Margarida se abalou com este chorrilho de revelações. Mas, imparável, Ester deu um novo pulinho, bateu mais palmas e prosseguiu:

– Mas o pior neste gajo inglês não são as putas das mulheres! Pode foder bem, mas é um cobardolas de primeira! Se há coisa que não suporto num homem é a cobardia! E aqui este belo garanhão, que fornica como um possesso, mal se viu cercado pelos bandidos, o que fez? Em vez de me defender, a mim, que, apesar de escrava e um bocado puta, não deixo de ser uma donzela sensível, deixou que me furassem a rata só para se safar!

O árabe deu nova gargalhada. Mirei o inglês e Margarida, e comentei:

– Como vês, todos temos defeitos.

O inglês pressentiu uma justificação nesta minha frase e de pronto se aproximou de Margarida e perguntou:

– Girl, you... tu sleep com ele?

Com um inesperado constrangimento, que me enervou, a rapariga bonita escolheu o silêncio, os seus olhos saltitando entre mim e Gold, como se nos comparasse. Apeteceu-me esganá-la e matá-lo a ele, mas contive-me nos atos e nas palavras, para evitar quebrar o vínculo que, apesar desta provação, ainda sentia existir entre mim e ela. Porém, no seu canto, Muhammed não deixou escapar a deixa:

– Mulher bonita não ir ser nada santa! Mulher bonita ir ser muito porquinha! Na cadeia, ir brincar com o peru do carcereiro! Depois, ir enrolar-se à noite com a velha! E ontem ir cavalgar Santamaria, e ir levar por trás e pela frente a noite toda!!!! – Fez um sorriso perverso: – Muhammed ir ouvir tudo, ir ver tudo! Mulher bonita ir ser muito fogosa! Muito puta...

Desatei à gargalhada e a escrava também. Só o inglês e Margarida ficaram sérios, incomodados. Fazia sentido: de todos nós, só eles tinham uma reputação a defender. Nem Muhammed, paneleirote, com as suas tendências invertidas; nem a escrava, uterina, com os seus ímpetos selvagens; nem eu, um pirata sem eira nem beira, possuíamos, nem mesmo vagamente, qualquer reputação que merecesse defesa.

– Bem – concluiu a escrava, ainda a rir –, parece-me que tu, inglês, e esta princesa religiosa foram feitos um para o outro.

Sem lhe dar troco, Margarida aproximou-se de mim, tocou-me no braço e justificou-se:

– O que o teu amigo diz não é verdade. Não fiz nada com o carcereiro, nem dormi com irmã Alice.

Mantive-me calado, embora por dentro estivesse em ebulição. A desconfiança é um poço sem fundo, e o ciúme é a água que enche esse poço. Como poderia eu saber se falava verdade?

– E quanto a ele – continuou Margarida, olhando para o inglês –, não passou de um sentimento. Só trocámos uns beijinhos, nada mais.

Hugh Gold optou mais uma vez pelo silêncio, não desejando confirmar ou desmentir a rapariga bonita. Cínica, a escrava comentou, em voz intencionalmente baixa, como se estivesse a lançar um perigoso falso testemunho:

– Seria a primeira vez que um homem seduz alguém nas grades e não a possui. Todos sabemos o que se passa nos conventos...

Margarida, enervada, enfrentou pela primeira vez Ester:

– Não digo que não pudesse ter acontecido, mas a verdade é que não aconteceu! Não nos deixaram. Fomos apanhados antes.

A escrava esboçou um sorriso, cética e cáustica, e disse, ainda em voz ténue:

– Que pena... E foste condenada à morte por causa de uma fama sem proveito?

Margarida ripostou:

– Não foi essa a razão! Fui condenada à morte porque diziam que falava com o Diabo!

Bufei. Aquela conversa não nos levava a lado algum. Observei o cofre, pousado aos pés de Muhammed, e depois interroguei o inglês:

– Quanto tens ali?

– Hell, who knows? Não sei. Did not count, nos últimos days.

– Será suficiente para nos tirar da cidade?

O inglês encolheu os ombros:

– Who knows? What querem?

– Queremos um barco – respondi. – Um barco que nos transporte, aos três, para fora de Lisboa.

Hugh Gold olhou na direção do rio:

– Well, ports are fechados. No navegação.

Sorri:

– Nada que uma mão-cheia de dinheiro não resolva. Há barqueiros à noite, a sair da Casa dos Bicos. Se lhes pagarem, levam-nos até ao lado de lá. Por isso, vamos lá a ver o que há aqui.

Possessivo, o inglês deu um passo em frente, crescendo para mim, mas Muhammed foi novamente mais rápido e, num pulo, colocou-se à frente dele, com a faca levantada na direção da sua garganta, ameaçador.

– Muhammed ir cortar goela, ir ser rápido.

O capitão Hugh Gold estacou, convicto de que o árabe não teria qualquer drama de consciência por lhe espetar uma estocada na traqueia. Limitou-se a protestar, entre dentes:

– Fucking camels! Dinheiro is mine!

Abri o cofre. Esperava ter de forçar a fechadura, arrancá-la dos trincos, mas o equipamento cedeu à primeira, o que me levou a desconfiar. Levantei a tampa e sofri uma desilusão.

– Nada.

Exibi o seu interior, mostrando a todos o vazio. O inglês deu um grito:

– Fucking camels, roubaram-me! They steal me! Friday it was cheio, tinha...

Calou-se, antes de revelar o valor que supostamente deveria existir naquele cofre. Atirei o pequeno baú para o chão, irritado.

– Bem, parece-me que não nos podes ajudar a sair da cidade.

A escrava, ainda sentada, avisou-me:

– Santamaria, ele é um mentiroso, não acredites nele!

Muhammed levantou a faca e o inglês gritou, assustado:

– I swear, juro! There was dinheiro, alguém steal! Maybe it was monstro espanhol, que kill estes blacks!

Surpreendido, perguntei:

– Quem?

Gold descreveu-me o homem enorme, o mastodonte espanhol, e tive quase a certeza de que se tratava do Cão Negro. Muhammed também estava certo disso, li medo no seu olhar.

– Anda por aí, esse tal espanhol? – perguntei.

O inglês e a escrava relataram o episódio sucedido. Mas como sobrevivera o bruto à onda gigante? A última vez que o vira fora no meio do rio, a uns metros da nossa falua. Rápida, uma imagem passou pela minha mente:

umas mãos a segurarem-se ao barco, enquanto éramos lançados pela onda contra o Terreiro do Paço. Teria aquele bacamarte conseguido agarrar-se à falua? Mas como resistira à força das águas?

– Fucking camels! They roubaram my dinheiro! – afirmou o inglês, com enorme raiva.

Bufei. Mais uma oportunidade perdida, mais uma expectativa que não se concretizava. Mais uma vez, não podíamos fugir. Fechei os olhos, pensando no que fazer. Não sabia para onde ir, onde me esconder, onde proteger a rapariga bonita. E agora, com o inglês por perto, ela tinha uma alternativa, podia ir com ele. Aliás, sem dinheiro, o inglês era inútil para nós. O facto de conhecer Margarida tornava-o um rival, e mais vontade me dava de me ver livre dele. Mas matá-lo aqui, em frente dela, seria demasiado brutal, e destrutivo do seu afeto por mim.

– Queres vir connosco? – perguntei a Ester.

– Para onde vão?

Disse-lhe que íamos para Sacavém, onde tentaríamos atravessar o Tejo.

– Sim, quero.

Sorri-lhe e depois olhei para Gold.

– Então vamos. Tu ficas – disse ao inglês. – E dá graças a Deus por não te matarmos.

Ester e eu demos uns passos e Margarida seguiu-nos, relutante. Muhammed ficou a observar o inglês, com vontade de o golpear, mas não o fez e começou também a afastar-se. De repente, ouvimos nas nossas costas um grito de Hugh Gold:

– Santamaria, wait! Há ouro, gold, lots of ouro! In Casa da Moeda! And não há guards!

Espantado, olhei para Ester. Ela confirmou:

– Só há um homem, um soldado jovem. Os outros morreram ou fugiram.

O inglês voltou a gritar:

– Good lord, I falei com guard! We go, eu talk com ele, tu kill ele! If we formos já, we ricos, very ricos! Há lots of gold, todos ricos! Then you podes fugir, buy boat!

Finalmente contente, Muhammed abriu um largo sorriso. Ester também. Olhei para Margarida e ela encolheu os ombros, comentando:

– Se isso nos ajudar a sair da cidade...

Regressámos para junto do inglês, e disse-lhe:

– Então vamos lá. Todos. Ester, vais à frente, a seguir ao Muhammed. Depois vai a Margarida e tu, inglês. Eu vou atrás, para não te deixar fugir.

Formámos uma fila indiana, deixando cerca de cinco metros entre cada um, e começámos a regressar ao Terreiro do Paço. Tínhamos de atravessar de novo a zona dos mercados, dos armazéns, das lojas. Mas não fomos exatamente pelo mesmo caminho, para evitar o macabro cemitério das cabeças cortadas. Desviámo-nos cerca de cem metros, para junto do rio.

A dada altura, verificámos que os prédios derrubados formavam um emaranhado de traves, muito perigoso, cheio de fendas e fundos buracos. Fomos avançando devagar. Ouvi uns ruídos, mas nem tive tempo de reagir. Escutei um grito nas minhas costas.

– Ei, cabrón!

Virei-me e o meu coração deu um pulo. A pouco mais de dez metros de mim, numa das fendas entre os edifícios, estava a figura monumental e grotesca do Cão Negro. Empunhava uma espingarda, apontada na minha direção e sorria, mostrando os caninos. Ouvi mais gritos e olhei para os meus companheiros. Margarida e o inglês corriam, e vi homens a tentarem apanhar Ester, e Muhammed a empunhar a faca. Depois, ouvi um tiro nas minhas costas, senti uma pancada violenta na cabeça e a escuridão absorveu-me.

38

A confusão instalou-se perante a investida do gangue do Cão Negro e cada um tentou escapar como pôde. Muhammed e Ester lutaram pela vida, e foram feridos, em especial o árabe. Conseguiram no entanto fugir, aos trambolhões, rastejando entre as fendas.

Quanto a Margarida e ao inglês, a fortuna sorriu-lhes. Quando o Cão Negro disparou sobre mim, estavam à minha frente, num local onde existia uma passagem lateral, no meio das rachas nas paredes, uma espécie de túnel que passava por baixo dos escombros. O inglês mergulhou de imediato nessa fenda e chamou Margarida, que o seguiu. Como uma parte do gangue estava atrás de nós, e a outra à nossa frente, as laterais estavam livres. Assim, correram o mais depressa que aquele chão instável permitia, e escapuliram-se dali.

Quando mais tarde nos reencontrámos, reconheceram só ter parado de correr quando o terreno começou a subir, na direção da Sé. Ofegantes, esconderam-se atrás de um monte de madeiras. Ao contrário do que esperavam, ninguém os perseguia. Ao longe, escutaram gritos celebrativos.

– Meu Deus – disse Margarida, aterrada. – Achas que eles morreram?

O inglês tentou primeiro acalmar a respiração. O ar estava carregado de fumos, e tossiu várias vezes.

– Good lord, yes, vão morrer! You saw the negros, as heads cortadas?

Poupada por mim àquela visão, ouviu impressionada a descrição de Gold daquele diabólico cemitério.

– Hell, são monsters, will kill piratas...

A rapariga bonita ficou subitamente muito triste.

– Reza, pray pela soul deles! It will be horrível – insistiu Gold.

Margarida desatou em pranto, sofrendo. O capitão inglês deixou-a chorar e depois passou-lhe a mão pelos ombros, tentando confortá-la.

– Poor Margarida, I know gostavas dele, but... The spanish monstro is a assassino, very bad homem. He kills negros, mulheres, whites... I was lucky, muita sorte, escapei yesterday... But the pirata? Não acredito... He was shot na cabeça, I saw, vi blood...

Margarida levou as mãos à cara, tapando-a, e chorou convulsivamente. Depois, aos soluços, lançou no ar a sua dilacerada dúvida:

– Quando é que isto vai acabar, este horror?

Meigo e oportuno, o inglês abraçou-a ainda mais e tentou animá-la:

– Maggie, got to be forte. You passaste a lot, and sobreviveste!... You escape the fogueira, the Inquisição guards... And now, good lord, tu atacada e estás alive, here, bem viva! Others não, others dead!

Ela gemeu mais uma vez, já convencida da minha morte.

– Ele era um homem bom, lá no fundo, eu sei que era.

O inglês continuou a confortá-la:

– It's hell, estes dias. I saw muita morte, also. My wife morreu, my criada morreu... A woman e one bebé died ao meu lado... In Terreiro do Paço, I saw dezenas dead... Death is around nós, but... we continuar, we are vivos. Me and tu, Margarida, we are vivos!

Ainda imune aos seus sugestivos apelos, Margarida olhou para ele, os olhos marejados de lágrimas, e perguntou:

– Vão-lhe cortar a cabeça e pendurá-la numa estaca?

Estava aterrada com a ideia de ver a minha cara mutilada, a minha cabeça decepada, espetada num poste. O inglês fechou os olhos, num esgar forçado mas eficaz, como se recusasse também essa horripilante visão e depois disse:

– Good lord, não think assim... You continuar, you viva, not morta. No more morte... Mortos have to leave you, esquecer mortos! If they stay dentro de ti, they kill you também. Don't think em mortos, forget the pirata... you continuar, you viva, pirata is dead...

De olhos desfocados, atordoada de dor, Margarida pareceu, ao inglês, perdida. Mas, pouco a pouco, deu-se conta de que não era apenas isso. Os olhos da rapariga bonita contraíram-se e depois as suas pálpebras piscaram.

– Maggie, what, que foi? – perguntou o inglês.

Parecia em êxtase, ao mesmo tempo baralhada e lúcida, como se estivesse no mesmo lugar, mas noutro ponto do tempo, no passado.

– Esta rua, este sítio... – murmurou.

Levantou-se.

– Foi aqui que eu e irmã Alice apanhámos com a onda que veio do rio! Foi aqui que vi o fantasma de negro.

Gold não a compreendeu:

– What fantasma?

Ela não o elucidou. Deu uma volta lenta sobre si própria, como uma dançarina de uma caixa de música.

– E foi... é aqui, mais ali em cima, a casa do rapaz.

Gold continuou sem perceber:

– What rapaz, the pirata?

– Não.

Parou de rodopiar, e olhou para ele, os olhos ainda cheios de lágrimas, mas a sua mente já à frente dessas emoções.

– Um rapaz que anda à procura da irmã – esclareceu. – Ela está soterrada debaixo da casa deles, e ele ouviu-a, está viva!

O capitão inglês pediu que ela lhe explicasse melhor e assim fez. Gold revelou-se de imediato muito impressionado com a história, e insistiu que, já que estavam ali perto, deviam ir ver o que se passava. O inglês sabia como chegar ao coração de uma rapariga, e concentrou-se nela e nas suas preocupações.

Meia hora mais tarde, viram o cão do rapaz, ladrando aos incêndios, que, apesar de ainda próximos, já se tinham afastado e perdido grande parte do seu anterior fulgor. A altura e a voracidade das chamas eram muito menores, por ausência de material novo que alimentasse a combustão. Para onde se olhasse, só se via um terreno negro, um rescaldo de brasas, fumegante, mas já sem a impetuosidade dos dias anteriores.

Margarida revelou a sua agitação na vizinhança das chamas, mas a presença do inglês parecia tranquilizá-la, bem como as suas palavras. Chamaram o cão, e o animal veio a correr, abanando a cauda. Habilidoso, o inglês fez-lhe festas, brincou com ele, atirou-lhe pedaços de madeira para ele ir buscar a correr. Sem darem por isso, o rapaz aproximou-se, estranhando a presença daquele homem.

Margarida sorriu-lhe, abraçou-o e perguntou:

– A tua irmã?

Encolheu os ombros. Não voltara a ouvi-la desde ontem. Mais de vinte e quatro horas haviam passado sem um gemido, um grito, um tossir. Mas os olhos do rapaz e as suas palavras continuavam a mostrar uma crença inabalável.

– Sinto que ela está viva. Deve ter sofrido muito, ontem e hoje, com o fumo e com o calor, mas não morreu. Ela é rija, de boa cepa.

Simpático, Hugh Gold animou-o com uma história.

– Well, you know, em London, in the Great Fogo, lots of pessoas survived, muitos days... A man survived seis days! And a child survived seven dias, under the fogo... Hell, it's muito duro, very difficult, but possível... You believe, acredita!

O rapaz simpatizou com o capitão inglês. Era a primeira pessoa, desde o tremor de terra, que acreditava ser possível salvar a irmã, e que o incentivava a continuar a busca.

– O cão também tem a certeza – acrescentou o rapaz.

– Good lord, that's fantástico! Great sinal! – entusiasmou-se Gold. – Dogs know pessoas alive, dogs sabem!

Fez uma festa ao cão e prosseguiu:

– This malandro knows! Your irmã alive, dog sabe!!

Sorriram os três, e Margarida sentiu uma nova esperança invadir o seu coração.

– És inglês? – perguntou o rapaz.

Gold contou a sua história, onde vivia, o seu casamento, a sua vinda para Lisboa, embora tivesse sido esperto ao omitir a razão, certamente por estar na presença da rapariga. Relatou o que vivera desde os abalos: os passeios pela cidade, o encontro com a escrava, o fogo no Palácio, a ida à procura do cofre, o médico que o tratara no Terreiro do Paço. Quando o ouviu falar de Ester, a rapariga bonita ficou tensa. Roeu uma unha e perguntou:

– Ela não é prostituta? Fala como uma.

Gold pasmou, surpreendido:

– Good lord, uma whore? Será? To me ela disse ser maid, in the Paço, her mother was cozinheira. Mas... Well, she talked muito em money, my dinheiro... She was comigo for my dinheiro. Hell, she podia fugir, but ficou, wanted my dinheiro...

Margarida permaneceu em silêncio, uns momentos, e depois perguntou:

– Ela falou... no peso da tua barriga... Era verdade?

O inglês sorriu e olhou para o rapaz:

– Hey, boy, close your ouvidos! És muito young para estas things.

Foi a primeira vez que Margarida viu o rapaz a sorrir, e isso encantou-a. Gold exaltou-se, acusando a escrava de ser mentirosa.

– Hey, she é uma slave... Talks muito e mal... Tongue afiada, you know? Nothing with me, comigo nada. We just walk, like tontos, running, fugir... My belly, minha barriga? Mentira! She lies, she is mentirosa, big mentiras...

Suspirou e acrescentou:

– Well, some is verdade. My wife, my criada, dead, mortas no terramoto... And yes, verdade, no love minha mulher... But resto? Resto big mentira, slave doida. Fucking maluca!

Margarida hesitou, sem saber se podia confiar nas palavras dele. Olhou para o chão e murmurou:

– Podias ter-me procurado com mais insistência.

O inglês mostrou-se indignadíssimo:

– But, como? In the convento they disseram-me you went embora! Never pensei you went to prisão!

De repente, calou-se, pois julgou estar a falar de mais em frente do rapaz. Mas este tranquilizou-o:

– Não te preocupes. Sei de onde fugiu. E descansa, não vou denunciá-la.

Margarida sorriu ao rapaz, e ele afirmou:

– Não sabia que vocês os dois se conheciam. Antes do terramoto, é o que quero dizer.

Gold alegrou-se:

– Good lord, Sim!!!

Bem-disposto, deu um passo em frente, dobrando um joelho, erguendo uma mão para Margarida, como um conquistador no teatro:

– We namorar! I went to the convento with flores, e little presentinhos, in the grade dos doces, in Alcântara. Conheci-a there, in the convento. She was the mais bonita woman in Lisbon!

Franzindo a testa, a rapariga bonita fingiu-se ofendida:

– Só em Lisboa?

– Oh my God, in the mundo!!! – exagerou Gold. – She is linda, these eyes lindos, the hair maravilhoso! I was in love logo que a vi, mad da cabeça! She, in the princípio, fugia! Pretended não me ver... But I was firme! And, devagarinho, she open the doors!

Encheu o peito, ufano e contente:

– Well, it was the mais feliz day of my vida!!

Divertida e lisonjeada com a representação, mas sem perder a lucidez, Margarida riu-se e comentou:

– És um palerma.

Gold protestou:

– Me? I juro! – gritou. – Never my coração felt like that!

A rapariga bonita teve dúvidas:

– Não?

Gold, brincalhão, também franziu a testa:

– Well, maybe, talvez... Yes, that dia... We went to the armazém, in secret... we namorámos... Yes, that was fantástico!

Ela ficou subitamente triste, e relembrou:

– Foi por causa dessa noite no armazém que acabei presa e acusada de artes demoníacas.

O inglês espantou-se:

– What, why me, why minha causa?

Margarida explicou-se:

– Foi para ir ter contigo que causei aquele alvoroço no convento, colocando uma cabeça de galo na almofada da madre superiora. Foste tu que me deste a cabeça de galo, lembras-te?

Riram-se. O rapaz escutava-os, divertido, e aos três parecia que a vida regressava a uma certa normalidade com aquela conversa, que os fazia esquecer a monstruosidade à sua volta. A tarde foi passando e o rapaz recuperou forças, e depois informou que iria voltar a casa, ao seu túnel, para procurar a irmã gémea. Gold e Margarida acompanharam-no e o inglês mergulhou também naquele buraco, e cavou terra, e removeu escombros, enquanto a rapariga os ajudava, recolhendo o que vinha de lá de baixo, à entrada do túnel, e depois indo despejar o entulho mais longe.

Quando a noite caiu, sentiram muita fome. O cão também, e andava agitado, de focinho colado ao chão, pelas redondezas, à procura de algo que pudesse comer. Num casebre próximo, ouviram-no a ladrar, e o inglês descobriu o animal a comer bocados de fruta seca. Observou o espaço carbonizado e encontrou umas pedras de granito que deviam ter servido de fogão. Procurou debaixo delas e teve sorte. Descobriu três potes de barro intatos. Lá dentro, havia bocados de carne de porco salgada. Cheirou-os e concluiu que estavam em condições de ser comidos. Regressou a casa do rapaz, onde foi recebido como um herói pela rapariga bonita.

– Assim passamos a noite sem fome!

Estava contente, orgulhosa dele, e abraçou-o. Hugh Gold comentou:

– Well, we need água. Carne very salgada.

O rapaz falou na fonte que existia perto, e deslocaram-se até lá. Junto à fonte, viram duas mulheres e um homem, que logo se afastaram, com receio deles.

– Hell, no need ter medo... We don't fazer mal – anunciou Gold.

As duas mulheres pararam, mas o homem não. Uma delas avisou-os:

– Anda por aí muita gente má. Já mataram aqui perto. Se fosse a vocês, fugia.

As mulheres desapareceram também. O rapaz e o inglês encheram as vasilhas que tinham trazido, e a rapariga aproveitou para se lavar. Levou água à cara, ao cabelo, molhou-se debaixo dos braços e depois pediu-lhes que se afastassem. O inglês e o rapaz sentaram-se, de costas, a cerca de dez metros.

– Hey boy, you conhecias Santamaria, the pirata? – perguntou Gold.

– Vi-o duas ou três vezes – disse o rapaz. – É um mentiroso, e nunca me ajudou em nada.

O inglês ficou pensativo e depois perguntou:

– Well, he and Margarida, sabes... they were juntos, at night?

O rapaz abanou a cabeça:

– Não vi nada. Só se juntaram porque queriam fugir da cidade, mais o árabe e a outra freira.

– Who?

O rapaz descreveu a Gold a freira mais velha e ele murmurou:

– Oh, right, the one que gostava de women...

Nesse momento, a rapariga bonita regressou, e parecia ainda mais bonita de cara lavada, os olhos a brilharem na escuridão, o corpo limpo e os contornos da pele bem desenhados, sem o pó e a sujidade que haviam carregado nos últimos dias.

– Uauu, you are mesmo bonita! – comentou o inglês. Ela sorriu:

– E que tal vocês lavarem-se também? Parecem porcos na pocilga!

O rapaz e o capitão riram-se e lá foram até à fonte, e lavaram-se o melhor que podiam. No regresso, o rapaz perguntou:

– Achas que Santamaria morreu?

– Yes, morreu – disse Gold, com convicção. – He was shot, tiro na cabeça, head... And then caiu, in a fenda, and the homem enorme shot the pistola... Many tiros... No man survives muitos tiros.

Uniram-se de novo os três, começando a procurar um local onde pudessem pernoitar. Havia algumas casas, poucas, de pé, numa rua próxima da fonte, e uma delas era a mesma onde o rapaz vira, logo no primeiro dia, uma mulher a ser violada pelo Cão Negro, depois de o marido ser abatido a tiro.

O corpo desse homem já não estava ali, certamente tinha sido recolhido pelos frades da Sé. O rapaz informou os outros de que aquela casa tinha os tetos em condições e os três entraram. O rapaz olhou de imediato para o local onde vira a mulher a ser violada, à espera de ver ali o corpo dela, mas não estava lá. Não sabia o que lhe acontecera, se morrera ou não.

– Well, one de nós can stay in the sofá – sugeriu o inglês.

A rapariga bonita explorou a casa, tentando não pisar nenhum objeto que lhe pudesse magoar os pés. Uns minutos depois, regressou.

– Há um quarto, a meio do corredor, com uma cama grande. Os outros quartos estão cheios de pedras e madeiras, pois o teto ruiu. E não há nada na cozinha.

Sentaram-se no chão da sala e comeram a carne salgada, e beberam água. Depois, sentiram-se cansados e o inglês propôs que fossem dormir.

– Well, I stay aqui, in the sofá – disse. – You dormem na bed.

Margarida ficou ligeiramente desapontada, mas não protestou e deu as boas-noites a ambos. O rapaz deixou-a sair da sala e depois deitou-se no sofá e disse:

– Inglês, ela quer que tu vás ter com ela.

Gold sorriu-lhe. O cão deitou-se no chão ao lado do sofá e o rapaz perguntou:

– Acreditas que vamos encontrar a minha irmã viva?

– Good lord, yes! I told you, in Londres...

Ia recomeçar a contar o que já contara antes, mas o rapaz interrompeu-o:

– Já sei o que aconteceu em Londres.

Sorriu e disse-lhe:

– Obrigado. Boa noite.

O inglês passou-lhe a mão pelos cabelos, com carinho, e retribuiu-lhe as boas-noites. Depois, foi ter com a rapariga ao quarto. Sentou-se a seu lado na cama e reparou que ela tirara o casaco e o vestido, e estava quase nua, debaixo dos lençóis. O inglês descalçou os sapatos, despiu o casaco e as calças em silêncio, e depois entrou na cama e deitou-se ao lado da rapariga bonita. Sentiram o calor do corpo um do outro e abraçaram-se. Gold disse:

– The árabe said you dormir with the pirata...

Ela indignou-se, irritada:

– Isso é mentira! O árabe é um sodomita aldrabão, nojento e mau. Por várias vezes me quis matar. Ele é que queria dormir com o pirata, é desses...

Gold abriu a boca.

– Do you think eles... os dois are?...

– Sei lá! São esquisitos, parecem um casal. O árabe é a mulher, e Santamaria o homem. O árabe fica sempre nervoso quando o outro anda perto de mulheres, e diz mal delas, como disse de mim.

O inglês sorriu-lhe:

– Well, then, after me in the convento, não more namorados?

Irritada, Margarida respondeu:

– Mesmo que quisesse, não podia! Estive presa, quase morri, e na prisão não havia lugar a essas coisas.

O inglês continuava desconfiado:

– Well, and the carcereiro, and irmã Alice?

– O árabe é doido! É como a escrava, gente horrível, que só o terramoto nos fez conhecer. Espero nunca mais os ver!

O inglês abraçou-a e a rapariga bonita enrolou-se nele, e fizeram amor de uma forma poderosa, mas ao mesmo tempo carinhosa, pois aquele era um reencontro desejado entre dois corpos que já se haviam unificado antes. Contudo, Gold sentiu-a diferente. Da primeira vez que a tinha amado, longos meses atrás, escondidos no armazém do Convento de Alcântara, tirara-lhe a virgindade e ensinara-a a fruir dos prazeres do sexo, atingindo a excitação. Agora, ela mexia-se de outra forma, mais solta, mais entregue, e Gold teve a certeza de que a rapariga lhe mentira, que estivera certamente com outro homem. Ou na prisão, ou, como dizia o árabe, com Santamaria. E ainda mais convicto ficou quando ela, no final, começou a chorar.

– What, girl, why choras? – perguntou o inglês.

– Por nada.

Virou-se de costas para ele e Gold abraçou-a por detrás, colando o seu corpo ao dela, e ficaram em silêncio até que ela adormeceu. Gold fechou os olhos. Ainda bem que o pirata morrera, foi o seu último pensamento, antes de cair num sono profundo.

Acordou com a luz da manhã a entrar no quarto, e viu o rapaz à porta. A rapariga estava nua, deitada de costas, as nádegas redondas ao ar matinal. Olhou para o rapaz e perguntou:

– Boy, never viste mulher nua?

O rapaz ficou atrapalhado, mas continuou a olhar para o corpo nu de Margarida e disse:

– Temos de ir. Depressa.

– Porquê, why? – perguntou Gold, sentando-se na cama

– Há homens maus, aqui perto. E os cães voltaram.

– Dogs, cães? – perguntou Gold.

– Os cães da cidade.

Nesse momento, a rapariga bonita acordou e sentou-se também na cama, e os seus seios belos e redondos ficaram à mostra em todo o seu esplendor. Estremunhada, esfregou os olhos, e só depois viu que o rapaz estava à sua frente. Tapou-se de imediato, e o rapaz desapareceu. Ela e Gold vestiram-se e foram para a sala.

– Espreita pela janela – disse o rapaz.

Gold aproximou-se e olhou lá para fora. A vinte metros da casa, vários mal-encarados remexiam no entulho. Um deles espetou um punhal no chão. Depois, baixou-se e arrancou algo à facada, e quando se levantou Gold sentiu um aperto no estômago. O homem acabara de arrancar um braço de um corpo e examinava-o. De seguida, atirou-o para um cesto, onde havia mais bocados de seres humanos.

Um cão vadio aproximou-se do cesto e farejou, e ia abocanhar quando o homem o afastou com um pontapé. Gold viu então os outros cães, muitos. Os animais de Lisboa, os abandonados e sem dono, que haviam fugido na véspera do terramoto, estavam de volta à cidade.

Gold virou-se para a rapariga bonita, com a tez pálida e disse:

– Hell, we have to go traseiras. These fucking camels are perigosos.

Saíram, os três e o cão do rapaz, por uma porta ao fundo do corredor. Examinaram as redondezas e avançaram. Viram mais cães. O cão do rapaz ladrou, mas os outros não ripostaram, pois estavam entretidos a farejar o solo, a escavá-lo com as patas, à procura de comida. Só na primeira centena de metros, Gold contou mais de vinte cães, rafeiros de várias cores e raças, todos com um ar faminto e agressivo. Enfiavam-se no meio dos escombros, no meio das pedras, das ruínas ou das casas, poucas, que ainda estavam de pé, numa frenética procura de alimentos.

Desceram a encosta, e quando estavam quase a chegar à casa do rapaz, dois cães castanhos e grandes correram na direção do cão do rapaz, rosnando e mostrando os dentes. O rapaz tentou agarrar o seu cão, mas não conseguiu e os outros caíram sobre ele, mordendo-o. Ele não se ficou, lutando, e os três cães morderam-se com fúria, ladrando e rosnando, num combate raivoso. Gold e o rapaz pegaram em paus e pedras e conseguiram afugentar os outros cães, mas o do rapaz tinha feridas a sangrar, na boca e no focinho. O rapaz limpou-o, com a manga da camisa. O inglês fez festas ao animal, falando com ele, acalmando a sua agitação, e comentou:

– Hell, dog corajoso. Did not run deles, fight eles...

Nesse momento, a rapariga bonita gritou, pois vira vários homens ao longe, a aproximarem-se. Entre eles, Gold reconheceu o canibal que há pouco cortara o braço ao cadáver. Lançaram-se a correr, na direção do rio, seguidos pelo cão.

39

Só mais tarde descobri o que se havia passado entre Margarida e o inglês, e mesmo assim a verdade nunca se tornou clara, restaram manchas de dúvidas no meu espírito. A desconfiança, sempre a desconfiança... Quando nos apaixonamos por alguém, nasce de imediato dentro de nós o terror da traição, da infidelidade, o medo do abandono e da substituição. Outro pode tomar o nosso lugar, na nossa ausência, e depois só nos resta sofrer, sentir a nossa imaginação adoecer, toldada pelo ciúme, atacando o nosso cérebro com visões do que pode, ou não, ter sido a realidade.

O episódio atrás relatado, em parte foi-me contado pelo inglês, em parte pelo rapaz, da única vez em que se dignou a conversar comigo naqueles dias. Quanto a Margarida, continuou até ao fim fiel à sua versão: nunca dormira com o inglês no Convento de Alcântara, no passado; apenas tentara seduzir o carcereiro com o objetivo de obter a corda, mas sem praticar com ele qualquer ato sexual; e resistira sempre às investidas de irmã Alice, que na noite em que as encontrei tentara apalpar-lhe o corpo.

Por fim, reconheceu que, da vez em que ficara no casebre, tudo mudara, pois pensava que eu tinha morrido, atingido pelas balas do Cão Negro, e estava infeliz e triste, com um buraco no coração. Mas, mesmo sobre esse episódio, só concedeu um pouco, nunca me revelou a verdade na sua dimensão real.

De certa forma, essa noite que ela passou com o inglês é a única mentira que posso aceitar. Eles estavam convictamente convencidos de que eu morrera. Não posso estranhar isso, pois até eu, a princípio, pensara estar morto. A bala da espingarda do Cão Negro atingira-me na cabeça, embora apenas de raspão. Provocara uma dor muito forte, um desmaio e uma queda abrupta naquelas fendas. Caí, vários metros desamparado, batendo nas traves, raspando nas pedras, um corpo desfalecido a rolar desenfreado por ali abaixo. Depois, o Cão Negro disparou a sua pistola lá de cima, tentando atingir-me, e só por mera sorte não o conseguiu. Quando, horas mais tarde, me mexi naquele buraco, vi as madeiras ao meu lado furadas por balas, a centímetros do local onde a minha cabeça e o meu tronco haviam ficado.

Quanto tempo permaneci desmaiado, não sei. Só sei que já era noite quando recuperei os sentidos. Lembrava-me muito vagamente do que se tinha passado. Moído, com dores terríveis nas pernas, nos braços, nas costas, parecia que tinha um martelo a bater-me na cabeça. Era-me extremamente difícil mexer, e qualquer gesto ou me provocava ainda mais dores, ou esbarrava com pedras e madeiras, impossibilitando a minha locomoção. Além disso, tinha sangue pisado na cara e na cabeça, o cabelo empapado de uma massa que admiti ser parte do meu cérebro, e voltei a apagar-me.

Acordei com vozes à minha volta. Um homem velho e negro colocava-me panos na cabeça, dobrado sobre si próprio naquela gruta improvisada de destroços. Tentei falar, mas não consegui e desmaiei, sem forças. Regressei a mim, não sei quanto tempo depois, e o homem continuava lá, e tentava dar-me de beber um líquido de uma chávena. Emborquei a mistela e sabia mal: uma mistura de chá e álcool, com odor a eucalipto e absinto, que me causou um aquecimento da boca e me fez tossir várias vezes.

– Quem és tu? – perguntei ao homem.

Ele sorriu e disse, numa voz profunda e tranquila.

– Abraão. A tua amiga, e minha amiga também, trouxe-me até aqui para te salvar.

Ao lado, vi Ester, os seus dentes brancos surgindo na obscuridade.

– Temos de te tirar daqui – disse ela.

– Os nossos irmãos estão a chegar – acrescentou Abraão.

Bebi mais daquele preparado, e aos poucos comecei a sentir-me melhor. Ouvi barulhos lá em cima, e vários negros desceram pela fenda. Abraão deu-lhes instruções: içaram-me para fora daquele buraco e depois colocaram-me numa padiola improvisada. Ainda perguntei aonde me iam levar, mas de novo um enorme torpor me invadiu e adormeci.

Quando voltei a acordar, ainda de noite, estava entre quatro paredes, com Ester a meu lado. Perguntei-lhe:

– Estou a esticar o pernil?

Ela sorriu e disse:

– Não. Tás taralhouco da pancada, mas não vais bater a bota, Santamaria. E, com o que Abraão te enfiou pelo gargalo abaixo, daqui a nada estás fino!

De facto, sentia-me muito melhor. Embora tivesse dores no corpo todo, não tinha nada partido, nem hemorragias.

– Onde estamos?

– Mocambo – respondeu ela.

Era o nome que os negros africanos davam ao bairro da Madragoa, onde se haviam concentrado ao longo dos últimos séculos. Fiquei espantado. Tinham atravessado uma parte da cidade comigo, desde a zona do rio, para lá do Terreiro do Paço, até ali, à Madragoa.

– Tenho de agradecer aos homens que carregaram a padiola.

Ester sorriu:

– Livra, aquilo lá pra baixo tá um pandemónio. Tudo a matar-se... Os homens que te carregaram estavam na prisão dos escravos, e vieram a fugir dos soldados.

A prisão dos escravos ficava para lá dos limites orientais da cidade, bem depois de Alfama, junto ao rio.

– Aqui estamos todos mais seguros – continuou a rapariga.

Perguntei-lhe como escapara e ela contou-me que, depois de lutar com um homem, atirara-se para as fendas e fugira, rastejando.

– E Muhammed?

– Não sei. Vi-o a matar um homem com a faca, antes de fugir.

Fiquei em silêncio e ela antecipou-se:

– E não me perguntes o que aconteceu à branquinha e ao inglês porque não faço ideia! Devem ter sido apanhados pelos cafajestes. Se calhar, a esta hora, as tolas deles estão espetadas numas estacas, como as outras que vimos. E a branquinha não teve ter tido uma morte bonita. Aqueles animais não iam deixar passar uma oportunidade de a provar. Todos...

Recusei-me a imaginar a cena. Nesse momento, Abraão entrou no quarto, transportando uma vela. Era um homem muito velho, quase careca, cheio de rugas no rosto, mas dele emanava uma serenidade contagiante.

– Vejo que estás bem melhor, *sallyman*.

Sorri. O velho usara a expressão com que os ingleses classificavam os piratas e os corsários.

– Em terra, pouco valho – ripostei.

Sentou-se a meu lado e colocou a mão na minha cabeça.

– Isso não é verdade. Esperam-te feitos nobres, embora difíceis.

Franzi a testa. Ele prosseguiu:

– Tens um caminho longo a percorrer, cheio de provações. Terás de vencer o mal que está dentro de ti, superando-o. E depois terás de vencer o mal que está fora de ti, matando-o. Por fim, o teu coração irá levar-te a praticar o bem, e serás feliz como nunca foste.

Abstive-me de comentar a sua profecia. Ele continuou:

– Viverás grandes alegrias, mas antes viverás grandes dores.

Sorri-lhe, curioso:

– E fico vivo no fim?

Olhou para mim, muito sério.

– Nada chega ao fim, Santamaria, se é que é esse o teu nome. Nem o mal, nem o bem, chegam ao fim. Continuam sempre. Mas precisas de dormir agora. Recupera-te, pois tens muito pela frente.

Abraão e Ester saíram do quarto. Muito cansado, deixei-me adormecer. Quando acordei, algumas horas depois, era ainda noite, mas sentia-me cheio de energia. Ouvi música lá fora, sons africanos, tambores. Os negros também tinham as suas casas destruídas, mas pelo menos tentavam divertir-se. Levantei-me da cama, vesti as calças e a camisa, calcei os sapatos e saí do quarto. Atravessei um pequeno compartimento e depois uma porta para a rua.

Ao examinar o espaço à minha frente, senti-me em África. Não era por acaso que os seus habitantes chamavam Mocambo à Madragoa. Dezenas de negros, homens e mulheres, estavam sentados no chão, à volta de várias fogueiras, tocando tambores ou outros instrumentos de batuque, cantarolando ou emitindo pequenos gritos divertidos, enquanto grupos de outros dançavam, em círculos mais pequenos, entre as fogueiras, abanando o corpo de forma agitada e sensual. Pareciam celebrar, sorriam e cantavam, dobrando a cabeça para trás e olhando para o céu, e depois dobrando a cabeça para a frente e olhando para o chão. Os ritmos das músicas eram apressados, primitivos, próximos do movimento instintivo dos seus corpos e do bater dos seus corações. O resultado era vibrante: os músculos suavam, os corpos mexiam-se em imitação de gestos sexuais, excitando tanto os dançarinos como os espetadores.

Homens e mulheres agarravam-se, trocavam de par constantemente, roçavam-se uns nos outros, tocando-se com as mãos, fazendo caretas de prazer. Chegavam mesmo a lamber-se, no peito, na cara e nas pernas, os homens às mulheres e as mulheres aos homens. Alguns, sentados, fumavam cachimbos de água ou de outras substâncias, largando baforadas de fumo, impregnando o ar de um odor adocicado.

Procurei Abraão e Ester, mas não os descobri. Deixei-me ficar ali, encostado à porta, embalado pelo ritmo dos tambores. Minutos mais tarde, escolhas começaram a ser feitas: uma mulher aproximava-se de um homem, dançarino ou espetador, e ele sorria e abraçava-a, e depois os dois desapareciam na noite. À medida que os pares iam acasalando, o número de pessoas na festa diminua, bem como a força da música e a energia da dança coletiva.

Ester pousou uma mão no meu braço. Só nesse momento reparei quão baixinha ela era, nem me chegava ao ombro.

– Não te vi nas danças – disse.

Ela encolheu os ombros:

– Já escolhi o meu parceiro, não preciso de dançar.

Sabia o significado daquela frase: ela disponibilizava-se para uma noite de amor comigo. Porém, tive um momento de dúvida sobre a minha força física.

– Não te quero desiludir, mas estou todo moído.

Deu uma pequena risada:

– Vais ver que a poção de Abraão faz milagres.

Era verdade, como verifiquei a seguir. Pegou-me na mão e levou-me de novo para dentro do quarto. Fechou a porta e despiu-me. Começou a beijar-me no corpo, e logo mergulhou, ajoelhando-se à minha frente, chupando-me. Senti-me forte e excitado. Durante as horas que se seguiram, até de manhã, fornicámos sem um momento de fraqueza, gozando ambos de um fortíssimo e repetido prazer, num estado de vigor que me surpreendeu, pois pensava estar mais fragilizado do que me descobri. É verdade que Ester, apesar de pequenina, era uma força da natureza: um corpo ágil, quente e totalmente disponível, e que gozava sem receios nem contenções. Quando tinha explosões de prazer, guinchava, gritava, puxava-me os cabelos, dizia palavrões porcos e mordia-me, num frenesim contagiante. Cavalguei-a de várias maneiras, e ela cavalgou-me a mim, num jogo que parecia não ter fim nem princípio, e que nos deixou totalmente saciados.

Quando a luz do Sol entrava já pela janela, ela estava sentada em cima da minha barriga, os seus joelhos dobrados para trás, as suas mamas roçando o meu rosto, e disse-me:

– Esquece-a, Santamaria. Não voltes para a cidade.

Fechei os olhos, sentindo o seu odor de fêmea negra nas minhas narinas.

– Tenho de os procurar, a ela e ao meu amigo.

Ester começou a abanar-se, os seus mamilos chocando na cana do meu nariz, e deu uma risadinha:

– A branquinha não faz o que eu faço, não dá o que eu dou.

Era verdade, mas isso não é tudo, pensei. O meu coração chamava por Margarida. A minha memória, naquelas duas horas, várias vezes me pregara partidas, e visualizara a cara dela, o seu corpo, como uma sombra que passava, um fantasma amoroso que vivia dentro de mim.

Persistente, Ester acrescentou, com malícia:

– Ela gosta do inglês, espero que tenhas percebido. E esta noite dormiu com ele.

Antes de o dizer, enfiara-me um mamilo na boca e eu lambia-o, mas fiquei de repente tenso, e parei.

– O que foi, meu pirata? Não gostas do sabor da minha mama? – perguntou.

De olhos fechados, devolvi-lhe outra pergunta:

– Como sabes que dormiu com o inglês?

A negrinha levantou um pouco as costas, lançou uma mão para trás e começou a massajar-me o pénis. Voltei a sentir desejo, e uma força cresceu no meu músculo, que endureceu. Estava espantado com o meu furor, e acreditei que se devia à bebida que Abraão me dera, provavelmente com o conhecimento, e até o pedido expresso, de Ester.

– Abraão vê tudo – explicou ela. – Sabes que o seu espírito sobrevoa a cidade?

– Então eles estão vivos – comentei.

Ela não respondeu. Continuou a mexer-me no pénis e quando sentiu que eu estava pronto, levantou-se um pouco, e colocou a cabeça do meu pénis no seu ânus, e voltou a descer o corpo. Comecei a entrar dentro dela. Mexeu as ancas, para ajudar a penetração, e iniciou pequenos movimentos, elevando-se e depois descendo, e introduziu-me mais fundo. Compreendi que lutava por mim como nenhuma mulher antes lutara, e fiquei-lhe grato. Mas sabia que, no fim, me iria embora, à procura de Margarida.

Ester acelerou o vaivém do seu corpo, excitada. De repente, levantou-se de mais e fiquei fora dela. Pensei que ia dar por findo o nosso momento, mas ela saiu de cima de mim e ordenou-me, apontando para a beira da cama e para o chão:

– Põe-te em pé, ali, fora da cama.

Levantei-me e assim fiz. Ela girou o corpo. Dobrou os joelhos, colocou as mãos no colchão, ficou de quatro, arrebitando as nádegas para mim e disse:

– Possui-me, assim.

Inesperadamente, o meu cérebro soltou imagens estranhas, ao ver o rabo dela erguido. Um mal-estar invadiu-se, ensombrando-me o espírito. Senti uma dor interior, como se me estivessem a rasgar por dentro, e fui incapaz de continuar. Fechei os olhos, não para deixar de a ver, mas para tentar tirar da minha mente sórdidas recordações.

Ester esperou, mas vendo que eu não investia, perguntou:

– Que se passa?

Suores frios percorreram-me, tinha as mãos húmidas, e senti-me sem forças, como se a minha energia interior se tivesse perdido. Meio tonto, encostei-me à parede. A rapariga pressentiu o meu incómodo e virou-se para mim intrigada, de olhos muito abertos:

– Perdeste a vontade?

Limpei o suor da testa e bufei. Mas não tinha forças nas pernas e sentei-me no chão, pensando que ia desmaiar.

– Não é isso – disse. – Sinto-me mal.

Ester aproximou-se, intrigada, e perguntou:

– Sentiste-te mal ou sentiste o mal?

Um pouco mais calmo, com a respiração recuperada, olhei para ela. Ela recordou:

– Abraão disse que o mal está dentro de ti.

E então as más visões voltaram. Tentei fechar os olhos, lutando contra elas, mas não consegui. Ester desceu da cama, ajoelhando-se à minha frente. Colocou a minha cara entre as suas mãos e obrigou-me a olhá-la nos olhos.

– Deita o mal cá para fora – disse.

Assim fiz. Contei-lhe o que nunca contara a ninguém, o segredo terrível da minha vida. Muitos anos antes, o meu navio fora abordado pelos piratas árabes, e a tripulação dizimada, na luta, ou assassinada, no fim. Por ser piloto, e hábil, só eu escapara. Levaram-me para uma cidade africana, onde fui colocado na prisão. Durante o cativeiro, quase enlouqueci, privado da liberdade e do mar, vivendo num esterco permanente, lutando pela minha vida contra os outros prisioneiros. Portugal abandonou-me: o rei decidira não pagar o resgate exigido para a devolução do navio, que se chamava *Santa Maria*, e por isso os árabes me passaram a chamar Santamaria.

Dois anos depois, um homem veio visitar-me à cela. Era o comandante do navio que me prendera, o responsável pela morte dos meus companheiros. Disse-me que admirara a forma exemplar como eu navegara o meu barco, fugindo aos piratas durante três dias e três noites, obrigando-os a um esforço extraordinário para apanharem a minha valiosa carga, ouro vindo do Brasil.

– És um grande piloto, e precisamos de homens como tu.

Perguntei-lhe o que queria e disse-me que, uma vez que fora esquecido pelo rei de Portugal, poderia tornar-me um pirata árabe. Oferecia-me o lugar de seu imediato, e uma percentagem dos ganhos obtidos nos saques.

– Em troca de quê? – perguntei-lhe.

Sorriu, de forma maliciosa e disse:

– És um homem bonito. Se te entregares a mim, dou-te a liberdade.

Durante três meses, recusei a proposta. Contudo, a minha convicção começou a degradar-se. Sentia que, se não saísse daquela cadeia, morreria, ou enlouquecia em definitivo. Então, acedi ao seu pedido. Veio visitar-me à minha cela, sorridente, e logo nessa tarde impôs a sua vontade. Sentei-me de joelhos no chão frio da minha cela, baixei as calças, e ele caiu sobre mim, como um gavião. Penetrou-me fundo, provocando-me uma dor aguda, e senti uma humilhação e um nojo profundo, como nunca experimentara na vida. Nessa noite, sangrei do ânus, e vomitei sem parar horas a fio.

Cumpriu a promessa e no dia seguinte de manhã fui libertado, e levaram-me até ao seu navio. Recebeu-me, contente, e prometeu que eu seria bem tratado. Depressa percebi o que isso queria dizer, mas não voltei a ceder aos seus caprichos. Fizemo-nos ao mar no outro dia, e resisti sempre, nas três semanas que se seguiram. Por sorte, tinha outra alternativa para as suas folias, um árabe pequeno, triste e efeminado, chamado Muhammed. Tornou-se meu amigo e eu sabia que ele sofria em vez de mim, e que odiava a brutalidade com que o outro o tratava. Então, na primeira oportunidade que tive, matei-o, em pleno oceano Atlântico e, com a cumplicidade de Muhammed, lancei o seu corpo ao mar. No dia seguinte, ninguém na tripulação sabia o que fazer e, como eu era imediato e piloto engenhoso, tomei conta do navio.

A minha eficácia era tanta que rapidamente nos apoderámos de barcos estrangeiros e das suas riquezas, e quando voltei a terra, com tanto ouro, ninguém quis saber o que se passara com o comandante. A minha carreira começou, mas nem a morte do meu violador soltara o mal que havia dentro de mim. Dez anos de pirataria no alto-mar apenas conseguiram enterrar esse mal bem fundo, mas não destruí-lo. E agora, como Abraão profetizara, ele voltara para me consumir as entranhas.

– É por isso que não consigo – disse a Ester.

Ela olhou-me, muito séria, e retorquiu:

– Pelo contrário. É por isso que tens de conseguir. Só assim vencerás o mal, só assim serás mais forte do que ele. Foi isso que Abraão quis dizer, tens de superar o mal que transportas na alma.

Sentia-me agora mais calmo, depois da minha confissão. Ester sorriu-me mais uma vez e disse:

– Não tenhas medo da força que tens dentro de ti.

Fechei os olhos, e deixei-me ficar assim longos minutos. A imagem do que se passara na masmorra árabe, há muitos anos, desaparecera, como que dissolvida, libertada pelas minhas palavras. Abri de novo os olhos e senti que aquele momento me transformara.

Ester sorriu-me e eu sorri-lhe de volta, e ela ficou feliz. Voltou a beijar-me, na boca e na cara, e mergulhou outra vez, lambeu o meu pénis e chupou-o, fazendo-o endurecer novamente. Levantou a cabeça e sorriu-me:

– Uma recordação boa pode matar uma recordação má. Queres tentar outra vez?

Sorri, ela saltou para cima da cama e, divertida, voltou a empinar o rabo na minha direção. Suavemente, com a cabeça limpa, encostei-me a ela e conduziu-me, primeiro devagar e depois mais depressa, até a excitação animal tomar conta de nós, até eu explodir, mais uma vez, dentro dela.

Ficámos algum tempo a recuperar o fôlego e depois levantei-me e vesti-me. Admirei o corpo dela, pequeno e nu, as suas nádegas redondas, as suas costas onde se podiam ver os nós dos ossos da espinha, e perguntei:

– Sabes onde eles estão?

Ela nem sequer levantou a cabeça, mas respondeu:

– No Terreiro do Paço.

Não lhe perguntei como sabia. Bufei:

– Adeus.

Sem se mexer, e mantendo-se de costas para mim, com a cara enfiada no colchão, Ester disse-me:

– Nunca te vou esquecer, Santamaria. Mas nunca mais te vou ver.

Eu ainda não sabia que era verdade, mas ela já o sabia. Naquele momento, limitei-me a sair de Mocambo devagar, passando no meio dos escombros e dos escravos que já haviam iniciado o seu novo dia, e que me olhavam, sem desconfiança nem medo. Desci até ao Poço dos Negros, aproximei-me do rio, e fui caminhando junto a ele, passando por São Paulo, por Remolares, pelo Corpo Santo, a imensidão da destruição da cidade ganhando uma nova dimensão em mim. Quando avistei a carbonizada Ribeira das Naus, vi do lado de lá o Paço da Ribeira, o palácio de D. José, que ainda ardia. Andei mais uma centena de metros, e subitamente ouvi um enorme estrondo. O Paço caía, como um moribundo que tomba, esgotado de tanto lutar, desmoronando-se, o último vencido daquele gigantesco combate que se travara entre a cidade e a natureza. Resistira aos abalos iniciais, à fúria de três ondas, ao fogo incessante a corroê-lo por dentro, e por fim entregara-se, batido, o símbolo final do colapso daquela metrópole, sobre a qual se dizia: «Quem nunca viu Lisboa, nunca viu coisa boa.»

Senti angústia. Então, ajoelhei-me no chão e chorei, soluçando convulsivamente, as lágrimas caindo-me dos olhos sem cessar, uma tristeza infinita a invadir-me o coração. Não chorava por mim, nem pelo meu imprevisível destino, nem pela mulher que amava ou julgava amar, nem pelo meu amigo árabe, companheiro de tantas lutas, que temia ter perdido. Chorava pela cidade, pelo sofrimento que este golpe do destino lhe provocara, aniquilando-a, numa mutilação impiedosa e fatal. Chorava pela perda da Lisboa que eu amava, que fora minha, me vira crescer, ser jovem e cheio de vida, ser homem, e me vira partir para o mar, ir e voltar, e à qual, muitos anos depois de sair pela última vez, regressara preso e humilhado, talvez com o único propósito de assistir ao seu fim, presenciar a sua despedida trágica deste mundo.

As cidades não são apenas espaços de prédios e vidas e monumentos e pessoas desconhecidas. São, acima de tudo, partes do nosso ser, da nossa vida, dos nossos sentimentos, das nossas memórias; camadas e camadas de vivências humanas que se vão sobrepondo, umas sobre as outras. E agora Lisboa morrera, e eu sentia que uma parte importante de mim morria com ela. O momento em que tive finalmente consciência dessa despedida, dessa partida, dessa perda, só se verificou ao ver o Paço a soçobrar, cansado e derrotado. Como eu. Como nós. Como Lisboa.

Parte IV

AR

40

O estampido do tiro de espingarda ecoou nos tímpanos de Bernardino, enquanto observava o tigre-de-bengala a cair, morto, bocados do cérebro a espirrarem sangue para o pavimento. Era um dos últimos animais a serem abatidos. O Jardim Real, antes um alegre lugar, onde as feras rugiam para deleite dos visitantes do rei, transformara-se no palco de um massacre. Leões, panteras, rinocerontes, bisontes, veados, macacos, dezenas e dezenas de animais das mais exóticas proveniências haviam sido executados, um a um, por ordem real, e o seu sangue inocente espalhava-se pelo chão.

Os soldados haviam carregado as armas, sentindo-se corajosos, o que não era difícil, protegidos como estavam pelas grades das jaulas. Apontavam, sorrindo como basbaques, para a cabeça dos animais e disparavam, matando-os sem piedade. Cada bicho que morria entristecia mais Bernardino, que sempre gostara daquele local, da sua festividade surpreendente, do seu exotismo, da variedade das feras, das suas peles, dos seus roncos, das suas manias animais.

Muitas vezes, quase sempre que visitava o palácio em Belém, escapulia-se para aqui e passeava junto às jaulas, admirando aquela fauna majestosa que era, também ela, um sinal da riqueza e da extensão do Império Português. Os exemplares vinham de todos os lados, e eram belos, orgulhosos, ferozes alguns, mais meigos outros, e Bernardino sentia-se privilegiado por poder visitá-los.

O terror de mais terramotos apressara a sua sentença de morte. Aterrado com a possibilidade de que, durante uma das permanentes réplicas, os animais se pudessem soltar e atacar as pessoas; e incomodado com o terrível barulho que, assustados, faziam sempre que a terra tremia de novo, o rei D. José perdera a paciência e decidira mandar abater todos os animais. O fuzilamento iniciara-se naquela manhã e, para Bernardino, era mais um evidente sintoma de que nada, em Lisboa, voltaria a ser como dantes.

O peso da situação esmagava os espíritos e as determinações. Bernardino descobria nos homens da corte uma sombra permanente no olhar, um silêncio pungente, uma contenção da alegria, um desaparecimento do riso e dos apartes engraçados. Ninguém arriscava uma graçola, ninguém sugeria uma patuscada, e todos moíam a desgraça dentro dos estômagos e dos cérebros, numa homenagem torturada à defunta capital do reino.

Sebastião José era o único que revelava uma persistente teimosia, uma necessidade de reação anímica. Era ele, com as suas ordens, a sua autoridade natural, a sua resolução, que combatia, quase sozinho, o desânimo generalizado que contaminava a corte de D. José. Não que o fizesse de forma a espantar a negra sombra das mentes, dissolvendo a tristeza com piadas. Nada disso. O que queria era ação, e era essa energia pura e dura que obrigava as pessoas a avançarem, a pensarem, a movimentarem-se. Como um touro, empurrava-os para a frente com a sua força bruta, e os outros tinham de o seguir, pois uma vontade mais forte do que a deles comandava-os, não os deixando cair numa letargia mais do que compreensível, mas ainda assim perigosa.

Sebastião José mandara fechar os portos definitivamente, em parte porque corria o boato de que os piratas árabes se preparavam para desembarcar na cidade – notícia que mais tarde se soube ser falsa, e que pode mesmo ter sido um rumor espalhado pelo próprio Sebastião José, para garantir uma legitimidade prévia à decisão – e em parte porque o ministro queria evitar que mais gente abandonasse a cidade. Se os comerciantes desistissem de Lisboa, se os mercadores fugissem, a cidade não sofreria apenas uma perda temporária, mas permanente, que podia inviabilizar o seu futuro coletivo.

Bernardino sabia que os danos na comunidade inglesa, por exemplo, haviam sido elevados. Não tanto pela perda de vidas, mas mais pela perda de dinheiros, arquivos, armazéns e lojas, que fora quase total. Segundo o embaixador, Abraham Castres, a maioria dos mercadores preparava-se para abandonar aquele vulcão de amarguras. Fechar os portos era uma forma de evitar a fuga imediata, e de obrigar os interessados a repensarem as suas decisões.

Além disso, Sebastião José compreendera que a fuga da população lisboeta era um sinal terrível de desconfiança nas capacidades do reino para ultrapassar a calamidade. Explicara a D. José e aos outros nobres ser absolutamente essencial evitar uma debandada em massa, um sinal de desistência que golpearia a capital de forma letal. Enquanto o padre Malagrida argumentava pela necessidade de prover às almas torturadas e ao seu arrependimento, e propunha ao rei a realização de procissões no Rossio, o ministro empenhava-se em defender, de forma entusiástica e inesperada, a colocação de tropas nas portas da cidade, cercando-a, para suspender o êxodo dos habitantes.

Gerou-se, contou-me Bernardino, um intenso debate. O marquês de Alegrete, presidente da Câmara, também não considerava prioritárias as logísticas religiosas de Malagrida, mas não concordava com o fecho da cidade. Justificava que, com frio e ausência de alimentos, a balbúrdia se propagaria pelos acampamentos provisórios, e melhor seria que se deixasse a população partir para as vilas em redor da cidade, ou mesmo para mais longe. Contudo, Sebastião José opôs-se com veemência a essa hipótese, insistindo que o êxodo, a acontecer, seria definitivo, e as pessoas jamais voltariam, matando a cidade com a sua ausência. Portanto, os soldados teriam de impedir a fuga em massa, com armas e tiros, se fosse caso disso, para que a população entendesse que teria de ficar e participar na reconstrução, mesmo que isso implicasse, no presente, um elevado grau de sofrimentos. Alguns, admitia Sebastião José, poderiam morrer de frio e de fome, outros seriam vítimas de doenças ou conflitos, mas no final a cidade salvar-se-ia, resistindo, e recomeçaria a viver.

Com a sua habitual retórica, a sua convicção inabalável, o ministro lembrava que Lisboa era uma das mais importantes capitais comerciais da Europa e, mesmo depois do terramoto, teria de continuar a sê-lo, o que só seria possível se a população não fugisse e se a corte desse imediatos sinais de vontade de reconstrução.

Como era costume, D. José deixou-se convencer pelo poder argumentativo do seu ministro, e Bernardino sentiu que, no meio daquela desolação, o rei encontrara nele um farol de esperança, ao qual se agarrava com unhas e dentes. Ao contrário do que dizia o seu confessor Malagrida, e à revelia do sentimento geral das mulheres e dos homens mais fracos de espírito, havia pessoas que acreditavam na capacidade dos habitantes, na sua vontade de resistência, na ressurreição de uma energia coletiva que, à superfície, parecia aniquilada.

E tudo isto se dava num momento em que as notícias que continuavam a chegar eram sempre piores. Os incêndios haviam consumido a Baixa, dizia-se que não havia casa de pé, que tudo estava carbonizado, e que a força das chamas só estava a diminuir porque já não havia mais nada para arder. Os saques e as pilhagens continuavam, e as zonas junto ao rio eram palco de uma selvajaria permanente. Bandos de homens violentos e armados lutavam, como gladiadores, até à morte.

Para além disso, a fome assentara arraiais. Quem não fugira para os campos e permanecia na cidade estava, a cada hora que passava, mais faminto e mais desesperado. Aliás, corriam já relatos macabros de canibalismo. Começavam a comer-se os mortos, diziam, e em seguida iriam os vivos, numa dança assassina e cruel que só pararia com a chegada dos soldados.

Desesperado, o marquês de Alegrete justificava-se: era quase impossível, com o número de soldados disponíveis, realizar os dois trabalhos em simultâneo. Para fechar a cidade, tornava-se necessário colocar soldados nas mais de quarenta portas de Lisboa, preparados para enfrentar multidões desesperadas e famintas, mas a quem não se desejava impor mais agravos. Ao mesmo tempo, limpar a cidade dos assassinos e dos malfeitores era missão impraticável, pois nesse caso os soldados teriam de estar em permanente movimento, perseguindo os criminosos, e não podiam ficar junto às portas. A manta é curta, dizia o marquês de Alegrete, se puxamos de um lado, destapamos o outro.

Gerou-se nova polémica sobre este tema, que se prolongou noite fora e pela manhã do dia seguinte. Por fim, foi decidido que os soldados estacionados nas zonas baixas continuariam a sua luta titânica contra os fora da lei, matando-os a torto e a direito. Sebastião José exigiu que as cabeças dos bandidos fossem cortadas e colocadas nas esquinas das ruas, em paus altos, para que todos aprendessem a lição.

Entretanto, o marquês de Alegrete colocaria soldados nas portas da urbe, em número suficiente e armados, servindo como dissuasor da fuga dos habitantes, e também nas estradas, para obrigar os fugitivos a retroceder. Sebastião José impusera os dois objetivos em simultâneo, sobrepondo a sua vontade à do presidente da Câmara, e este, esgotado, acabara por ceder.

Bernardino contou-me que Sebastião José não dormia, só passava pelas brasas uma ou duas horas por noite, e alimentava-se mal. Exceto quando ia falar com o rei, estava sempre dentro do seu coche, correndo de Belém para o centro, visitando as estradas, os limites da destruição citadina. Depois, regressava, trocava os cavalos e voltava a partir, na ânsia de tudo decidir e tudo querer resolver.

Na manhã seguinte, recebeu o arquiteto Carlos Mardel – que desenhara o Aqueduto das Águas Livres – bem como Manuel da Maia, para escutar os seus projetos para o futuro da cidade. Segundo o ajudante de escrivão me relatou, à discussão foram lançadas três ideias. A primeira era reconstruir uma Lisboa igual à que desaparecera: com as mesmas ruas, as mesmas igrejas, os mesmos palácios. A segunda era abandonar em definitivo aquela zona da cidade, a Baixa e o Terreiro do Paço, e construir uma nova capital em Belém, junto aos Jerónimos e ao palácio do rei. Por fim, a terceira ideia, era a mais polémica: reconstruir a cidade no local onde ela existia, mas de uma forma totalmente diferente, inovadora, linear, pensada.

Nas primeiras horas, penso que a solução mais bem recebida era a segunda hipótese. Belém não sofrera muito com o terramoto, era um local plano, com uma colina por detrás, cheio de sol e luz, e parecia ser o berço perfeito para uma nova capital, sem a sombra da destruição e da morte a pesar sobre o terreno e sobre as almas. «Não estaremos a construir sobre uma montanha de mortos» era um argumento poderoso. Porém, havia um outro argumento que, embora ninguém o verbalizasse muito alto, atravessava os espíritos. D. José, temendo as réplicas, decidira que, até ao fim dos seus dias, jamais viveria debaixo de tetos de pedra, e mandara construir um palácio de madeira e materiais leves, onde passaria a viver, segundo dizia, até que Deus o levasse. A Real Barraca, como ficou conhecida, era uma construção alta e longa, mas feia e deslocada, sem qualquer tipo de dignidade real. Construir uma cidade à volta de uma tenda gigante onde vivia um rei parecia um motivo de gozo, uma oportunidade para os estrangeiros nos massacrarem com o ridículo. Já bastava o que diziam de nós os espanhóis, que éramos «pocos y locos».

Assim, à medida que os dias foram passando, a hipótese preferida de Sebastião José, a terceira, foi ganhando apoiantes. Semanas mais tarde seria esse o caminho escolhido, com aprovação geral de todos, incluindo do rei.

Porém, quando se soube que o Paço Real havia finalmente caído, consumido pelas chamas, e o rei acrescentou que não desejava construir um novo palácio naquele local, todos compreenderam que Sua Majestade jamais voltaria para a Baixa. Cedia na questão da cidade, dando a Sebastião José a sua «nova Lisboa», mas guardava Belém para si, recusando o centro como residência permanente da corte. A «nova Lisboa» seria mais mercantil, mais habitacional, mas menos real. O rei ficaria na Real Barraca.

Ao final da tarde, e depois de Sebastião José ter decretado que todos os padeiros e pasteleiros da capital estavam obrigados a fabricar pão nos acampamentos provisórios, obrigados pelas armas, se fosse caso disso – o que só se tornou eficaz uma semana depois do terramoto –, as preocupações voltaram a recair sobre o ouro da Casa da Moeda.

Nenhum grupo de soldados ainda por lá passara, mas também não havia relatos de combates ou assaltos no local. Aparentemente, os bandidos que vampirizavam Lisboa, verdadeiros abutres que caíam sobre os restos mortais da fustigada capital, haviam-se esquecido dessa possibilidade. Era-lhes mais fácil saquear casas, ruínas, escombros, mortos, do que atacar um edifício que resistira de pé e que eles julgavam defendido por um corajoso grupo de fiéis guardas. Esse erro, ou melhor, esse desconhecimento, foi uma das poucas boas notícias daqueles dias. O roubo de tanto ouro teria sido um golpe talvez mortal na viabilidade de Portugal enquanto reino financeiramente autónomo, e na corte deu-se graças a Deus.

Sebastião José comentou que o padre Malagrida podia organizar as suas procissões, pedindo o perdão e a misericórdia de Deus, mas que ele só rezaria pela salvação do ouro. E, para que tal fosse definitivamente garantido, destinou-se a esse objetivo um grupo de soldados que acabara de chegar junto do Palácio das Necessidades, e que na manhã seguinte avançaria para a Casa da Moeda, para a cercar e defender, salvando para sempre o metal precioso. O ministro do rei acrescentou que, se pudesse, iria também, mas que, em qualquer dos casos, Bernardino acompanharia os soldados, para verificar se era mesmo verdade o já lendário heroísmo do sargento que guardava sozinho o local.

Ao cair da noite, chegaram notícias de que alguns criminosos já haviam sido sumariamente abatidos, na zona dos mercados, próximo do Terreiro do Paço, o que muito alegrou Sebastião José. Animado, o ministro insistiu na questão de as cabeças dos vândalos serem cortadas e colocadas em estacas, o que, segundo se dizia, ainda não fora feito.

O dia chegou ao fim com mais uma decisão do ministro, uma decisão que, segundo me contou Bernardino, ele a princípio não entendera. Fora mandado chamar o responsável pela *Gazeta de Lisboa*, o jornal que era publicado na cidade. Sebastião José exigiu que uma nova edição fosse impressa, a todo o custo. Contudo, proibiu que se fizessem extensos relatos sobre o terramoto. Obrigou a que fosse escrito um único texto, de cinco linhas, onde se relatava que a cidade de Lisboa fora sacudida por um tremor de terra, mas que o rei e os haveres reais se encontravam bem.

No jornal que a população, os nobres e os estrangeiros iriam ler nos dias seguintes, a tragédia era anulada, suprimida, como se não tivesse acontecido, e apenas uma boa notícia real era revelada, para aliviar o espírito da população. E era tudo. Sebastião José não queria drama, não queria desânimo, pretendia limitar os estragos ao máximo.

É evidente que quando o padre Malagrida tomou conhecimento deste facto, se insurgiu. O confessor do rei retirava da catástrofe a sua energia, como se ela fosse uma confirmação dos seus pensamentos sobre a cidade e sobre a perdição dos seus habitantes. A dimensão do desastre validava as suas razões. Lisboa, dizia bem alto, era Sodoma! Uma cidade pervertida, pecadora, onde a gula e a luxúria imperavam! O terramoto, o maremoto e os incêndios haviam sido o equivalente do sal bíblico que queimara Sodoma. Para castigo dos lisboetas, que se deleitavam com a sodomia e outros horríveis pecados, Deus oferecera uma lição, uma funesta demonstração, um implacável castigo. Limitar a hecatombe a um pequeno texto, como Sebastião José ordenara, era um gravíssimo erro, um insulto a Deus, um desprezo pelas Suas leis e pelo Seu poder, e, portanto, Malagrida condenava tal decisão com todas as suas forças. Para ele, o povo tinha de compreender a dimensão dos seus erros e a gravidade da punição divina. O povo tinha de se arrepender e rezar. Esquecer isso era ofender Deus, desafiá-lo! Em vez de negar o cataclismo para reerguer a cidade, Malagrida queria dar à barafunda da natureza uma justificação pecaminosa, que possibilitasse uma explosão de culpa e de arrependimento coletivo, mantendo o povo concentrado no seu temor reverencial a Deus.

Era evidente para Bernardino, e provavelmente para muitos, que o conflito entre Sebastião José e o padre Malagrida crescia, prenunciando uma confrontação futura, que se adivinhava próxima. O confessor do rei podia, e iria, organizar as suas procissões, proclamar as suas condenações terríveis, equiparar Lisboa a Sodoma ou Gomorra, mas isso só contribuía para irritar o ministro do rei.

E, sabia Bernardino e todos o sentiam, Sebastião José ascendia a cada hora à condição de organizador do futuro coletivo, transformando o terramoto numa oportunidade de consolidar o seu poder e preparando, de caminho, uma revolução. Não havia Malagrida nenhum, por mais inflamado ou carismático que fosse, que tivesse energia ou habilidade para o parar. Para o ministro do rei, Deus era apenas um argumento, não uma vontade. A única vontade com poder para determinar o que aí vinha era a sua.

41

Quando, de manhã, cheguei ao Terreiro do Paço, rapidamente me dei conta de que já não se viam mercadores, nem portugueses, nem ingleses, nem italianos; já não se viam frades, nem padres; já não se viam nobres, nem burgueses, nem mulheres com filhos por perto. A praça era agora ocupada por homens de má cara, grupos de bandidos, prostitutas, marinheiros perdidos, prisioneiros evadidos e desertores. Como se a ralé da cidade se tivesse reunido ali, num encontro geral dos fora da lei.

Quase todos estavam armados, com facas, sabres, catanas, pistolas, e até algumas espingardas, provavelmente roubadas a soldados que haviam sido aniquilados. Aqui e ali, nasciam rixas espontâneas, habituais entre qualquer comunidade de malfeitores. No meio de círculos de barbudos, de olhar feroz, que cantavam ou urravam à volta das fogueiras que ainda ardiam, havia prostitutas deitadas no chão, de barriga para cima ou de gatas no chão, as saias levantadas, satisfazendo os desejos masculinos à vez, acompanhadas de grande algazarra.

A fauna recordou-me a ilha de Tortuga, covil de piratas que várias vezes visitara. Mas havia diferenças essenciais: aqui, ao contrário do que se passava nas vilas onde os piratas se divertiam, não havia álcool, mas também não havia comida ou água. Os homens revelavam-se em estado de necessidade, nada bêbados, mas mesmo assim agressivos, conflituosos, prontos a matar, pela simples razão de que estavam com sede e com fome.

Junto aos grupos dispersos que se haviam formado, viam-se haveres roubados. Sacos, cestos, vasos de cerâmica, baús ou roupas, revelavam uma inesperada evidência: o fogo fora mais rápido e mais eficaz do que qualquer bandido, o fogo fora o ladrão mais bem-sucedido daqueles dias, e roubara às pessoas os seus bens e aos ladrões a possibilidade de serem felizes. O produto daquela orgia de saques coletivos era irrisório, e notava-se nas suas caras que os homens maus estavam frustrados.

Não vi o Cão Negro nem os seus espanhóis, mas decerto andavam por ali. Talvez estivessem a dormir, deitados no meio da confusão. Mas consegui descobrir quem procurava, ao fundo da praça, no canto por onde se ia para a Sé: Margarida, o inglês e o rapaz. Comecei a dirigir-me para lá. De repente, escutei uma voz nas minhas costas:

— Santamaria!

Virei-me e vi o meu amigo árabe. Abraçámo-nos e contou-me que fugira, depois de lutar com os homens do Cão Negro. Matara um deles, mas estava ferido numa perna, onde um pedaço de pano, enrolado, tentava estancar o sangue.

— Temos de tratar isso — disse-lhe.

Muhammed mostrou-se sombrio:

— Não ir haver médicos, só bandidos.

Apontei para o fundo da praça, e ele viu também o que parecia a imagem da única família feliz no local: o inglês, de mão dada com a rapariga bonita, com o rapaz ao lado e o cão a saltitar junto.

— Ir ser perigoso — murmurou Muhammed. — Mulher e rapaz, aqui, ir ser muito perigoso...

Ambos sabíamos que uma rapariga bonita, como Margarida, e um rapaz daquela idade eram um alvo fácil para os desejos mais negros dos desesperados que por ali vegetavam. Reparei na faca que o meu amigo levava à cintura e pedi-lhe:

– Arranja-me armas, depressa.

Avancei na direção dos outros, enquanto Muhammed se dedicou a explorar no meio da canalha. À medida que me ia aproximando, um estranho sentimento apoderou-se de mim. Perante aquele deslocado quadro de felicidade, senti uma dor no coração, um irracional ciúme, que me magoava e enfurecia, e ao mesmo tempo confirmava as palavras de Ester. Quando vi Margarida a sorrir, e eles se sentaram no chão, junto a um coche abandonado e destruído, tive a certeza de que tinham estado juntos na noite anterior, e cerrei os dentes e os punhos, tentando controlar a minha raiva. A cerca de cinco metros deles, falei:

– Não deviam estar aqui.

O cão correu para mim, abanando o rabo, e o rapaz chamou-o, irritado. Mal ouviu a minha voz, Margarida levantou-se num pulo. Com a cara mais surpreendida que alguma vez vi numa mulher, exclamou:

– Meu Deus, Santamaria, estás vivo!

Atirou-se a mim, abraçando-me, numa alegria esfuziante e totalmente inesperada. Repetiu:

– Não acredito, não acredito, ó meu Deus...

Desatou a chorar, a soluçar. Eu, que a princípio permanecera tenso e duro, tentando parecer distante, senti o meu corpo a ceder, perante a força das suas emoções, e acabei por abraçá-la também, confortando-a.

– Pensei que estavas morto – murmurou ela.

– Good lord, we thoughy tu morto! – acrescentou de pronto o inglês.

No seu olhar, descobri deceção. Não comigo, que eu pouco lhe interessava, mas com a emoção que Margarida revelava ao ver-me.

– Christ! Never pensei that tu survived aos tiros! – explicou-se Hugh Gold. – We saw tu cair, like a morto!

Quase histérica, Margarida acrescentou:

– Ainda por cima, eles dispararam muitos tiros! Com a pistola!!

Justificavam-se, e até acredito que dissessem a verdade. Eu próprio ainda não sabia bem como havia sobrevivido.

No entanto, havia em Margarida algo mais do que surpresa. Talvez um véu de culpa e de remorso, que esta abrupta libertação de emoções não eliminava na totalidade.

– Sou duro de roer – comentei.

O capitão inglês observou a minha testa e disse:

– Well, someone te tratou! A doctor, a médico?

Sorri:

– Sim. Um homem negro e velho, chamado Abraão. Salvou-me a vida. Se estou aqui, devo-o a ele e à escrava.

O inglês demonstrou espanto, mas não proferiu comentários. Incomodada, Margarida soltou-se e olhou-me nos olhos:

– Ela está contigo?

Bufei, desinteressado.

– Não. Estão em Mocambo, entre os negros e os escravos. Bem melhor que esta gente toda.

Olhei para a praça e depois para ela:

– Isto não é lugar para ti. Nem para ele – e apontei para o rapaz.

Sempre com a sua hostilidade à superfície, o rapaz disse-me:

– Não te preocupes comigo, sei o que fazer!

Ignorei-o e continuei o meu aviso:

– Esta gente é perigosa. São prisioneiros, bandidos, violadores, assassinos, a escumalha da terra. Se vos apanham...

O rapaz encolheu os ombros, mas a rapariga ficou angustiada. Hábil, o capitão Hugh Gold deu-me razão.

– Well, it's verdade, Margarida! These guys will matar, matar everybody! We need to partir, and depressa!

Surpreendida com a sua mudança de discurso, a rapariga bonita disse-lhe:

– Viemos aqui ver se havia comida e bebida, lembras-te? Foste tu que sugeriste...

Mostrando-se preocupado, o inglês passou os olhos pela praça:

– True, but não há. Não food, não drink. Only balas and bandidos...

Desconfiada, Margarida perguntou-me:

— E para onde podemos ir?

Bufei e depois olhei para Hugh Gold.

— Este teu amigo disse que havia ouro, na Casa da Moeda. Vamos lá. Se conseguirmos algum, podemos fugir da cidade.

Desatinada, a rapariga bonita indignou-se comigo:

— Santamaria, só pensas em roubar?

Aproximei-me dela e perguntei:

— O que te interessa o que eu penso?

Ela ficou admirada, sem saber o que dizer. Gold sorriu, quase impercetivelmente, e apeteceu-me sová-lo. Bufei de novo, e tentei chamá-la à razão.

— Achas que voltei de Mocambo aqui por causa do ouro? A Casa da Moeda é para aqueles lados, podia ter ficado por lá.

A minha resposta pareceu satisfazê-la. O inglês adiantou-se, cheio de pressa.

— Well, let's go, vamos — declarou. — Here is perigoso, let's andar.

Estendeu-me a mão, para me cumprimentar. Aceitei a sua saudação, e ele exclamou, cortês:

— Hell, man, I'm contente that you survived!

De repente, o rapaz enfureceu-se:

— E ninguém me vai ajudar? Agora, são todos amigos e esquecem-se de mim?

O inglês encolheu os ombros, e reparei que isso surpreendeu, primeiro, e depois dececionou o rapaz. Deu um pulo para junto de Gold e interpelou-o:

— Hoje já não me vais ajudar? Ontem eras o meu melhor amigo, e agora já estás pronto a fugir daqui, a esquecer a minha irmã, e a ir roubar ouro como um pirata?

Fingindo-se exausto, Gold suspirou:

— Well, boy, rapaz, look à tua volta. See these gente? These homens are os mesmos we vimos in the morning, near tua casa. Fucking cannibals, cortam arms and comem! We, no armas, no guns! We two homens, one mulher e one rapaz! It's very fácil kill us, me or Santamaria! And, depois, what happens to Margarida, to you?

Abanou a cabeça, sem esperança:

– Boy, melhor pensar... They kill...

Margarida aproximou-se então do rapaz e colocou-lhe a mão sobre os ombros:

– Eles têm razão. Precisamos de sair daqui. E tu tens de vir connosco! Não podes ficar. Não resistes um dia sozinho.

Indignado, o rapaz esquivou-se ao abraço da rapariga bonita.

– E a minha irmã? – protestou. – Ela está viva, eu sei! Não a vou abandonar agora! Cada dia que passa é pior para ela.

Tentei intervir:

– Não lhe serves de nada se estiveres morto.

Como de costume, lançou-me um olhar carregado de raiva, e enfrentou-me, zangado:

– E tu que te importas? Só pensas em roubar, em fugir daqui, queres lá saber da minha irmã!

Alguns homens, próximo de nós, escutavam a discussão, e lançaram bocas de taberna.

– Vês? – disse-lhes. – Está a começar. Vamos.

Puxei o braço do rapaz, mas ele libertou-se com fúria e gritou:

– Não me toques! Não mandas em mim!

Receoso, Gold começara já a caminhar à minha frente, e Margarida seguiu-o. Ao ouvir esta última revolta do rapaz, desinteressei-me dele, e avancei atrás dos outros dois. Nesse momento, Muhammed apareceu ao lado do inglês, que se assustou com a sua súbita chegada, e interrogou-se:

– Good lord, tu... também alive?

A rir, o árabe atirou-me uma faca pelo ar, e logo de seguida uma pistola. Agarrei-as e coloquei ambas no cinto.

– Quantas balas tem? – perguntei, examinando a arma de fogo.

Levantou dois dedos, sem querer revelar às redonde-zas as nossas limitações balísticas. Saltitei os meus olhos de Gold para Muhammed.

– Tens arma para ele?

O árabe sorriu:

– Inglês ir querer faca?

O capitão Hugh Gold aceitou a oferta, e Muhammed atirou-lhe uma das facas que tinha no cinto, onde con-tei mais três.

– Não ir matar Muhammed? – perguntou o árabe, com um sorriso cínico, mostrando os dentes de forma ameaçadora.

Gold tranquilizou-o, explicando-lhe que agora éra-mos um grupo, que íamos para a Casa da Moeda à pro-cura do ouro. Contudo, o meu amigo informou-nos de que não era esse o seu objetivo imediato:

– Ir comer primeiro.

– Onde? – perguntei.

Baixando o tom de voz, explicou que, na direção da Baixa, a primeira rua tinha casas onde havia pão e bolos.

– Na Rua da Confeitaria? – perguntou Gold, mais alto do que devia.

Lancei-lhe um olhar desaprovador, e ele abriu as mãos, pedindo desculpa. O árabe prosseguiu:

– Sim. Ir haver comida. Ir vir comigo.

Atravessámos um monte de escombros, na direção do Rossio, e pouco depois estávamos no que restava da Rua da Confeitaria, que, como o próprio nome indicava, era o local de muitas padarias e fábricas de bolos e chocolates de Lisboa. Por um capricho do des-tino, o fogo consumira apenas o início e o final da rua. Apesar de em ruínas, alguns prédios não estavam totalmente carbonizados. Vimos homens a enfiarem--se nos escombros, como minhocas a mergulharem na terra, enquanto Muhammed nos conduzia a um dos edifícios destruídos, onde apontou para a entrada de uma cave.

– Cave grande, cave ir cheia. Ir entrar depressa.

Com o cão no meio de nós, descemos os cinco uma escadaria, e vimo-nos num espaço grande, uma espécie de armazém subterrâneo. No meio dos estragos que o terramoto produzira – o teto desabara, havia pedras no chão –, encontravam-se também imensos sacos, armários de madeira e baús, de onde emanava um intenso cheiro adocicado.

Ao fundo, três homens retiravam coisas dos armários, comendo-as ou enchendo pequenos vasos de cerâmica.

– Ir ver – exclamou Muhammed –, ir ser chocolate!

O árabe abriu um saco e retirou de lá bolinhos de chocolate. Estávamos, pois, numa fábrica de bolos e, à nossa volta, descobrimos farinha, pão, doces e uma infinita quantidade de especiarias. Por segundos, ficámos num estado de paralisia, acabrunhados, mas de repente, como que cedendo a uma voz de comando, interior e simultânea, atacámos os sacos que nem possessos, estupidamente felizes. Vi o inglês atirar rebuçados para a boca, aos molhos, e Margarida a lambuzar-se depois de mastigar vários bolinhos de chocolate. Até o rapaz parecia ter-se esquecido da irmã, e comia avidamente bocados de um bolo amarelado, que retirara de um armário. O cão também atacava uma saca de bolos com creme, lambendo-os com avidez.

Durante alguns minutos fomos como crianças pequenas numa festa de aniversário, chupando gomas, lambendo os beiços com os dedos untados, pegajosos do açúcar das guloseimas. Naquele desvario, nem demos conta de que, pouco a pouco, mais homens e até duas mulheres haviam entrado no armazém, e nos imitavam, atacando aquelas iguarias com uma voracidade de alucinados. Quando me apercebi do perigo que corríamos, já era tarde de mais. Dezenas de bárbaros estavam agora a entrar na cave, num acesso de excitação coletiva, e começavam a empurrar-se uns aos outros, a disputar o chocolate, os bolos, o açúcar. Olhei em volta e vi Margarida a ser empurrada por dois barbudos, que lhe roubaram a saca de bolinhos de chocolate, para logo de imediato serem atacados por outros, que rasgaram a saca, espalhando os bolinhos pelo chão.

Vi o cão levar um pontapé e ouvi-o ganir. O rapaz também sofreu um encontrão e caiu, e vários indivíduos atacaram o seu armário de bolos, empoleirando-se nele, o que desequilibrou o móvel, fazendo-o tombar com estrondo. Sem um segundo de hesitação, mais esfomeados se atiraram para cima dele, rebentando as madeiras com os pés e com facas. Dois deles irritaram-se, competindo pelos pedaços de bolos, e começaram a lutar. Uma faca brilhou e foi espetada num estômago. Um vómito de sangue caiu para cima dos bolos.

De repente, a cave endoideceu: as lutas propagaram-se e multiplicaram-se, ouviram-se muitos gritos e soaram dois tiros. Um vulto caiu, arrastando consigo vasilhas de granulados, que se espalharam pelo pavimento. Um homem foi lançado contra um armário, cujos vidros explodiram nas suas costas, libertando uma nuvem branca, de farinha. Em segundos, a refrega transformou-se numa batalha campal, de loucos famintos, que lutavam com facas e punhos, mas também com bolos, com pães de leite, com bolas ou bolinhos de chocolate, com gomas ou com passas, com pacotes de açúcar ou de farinha, com broas e massas, num absurdo combate pela alimentação e pela doçaria, mas também pela vida.

Foi então que o vi, ao Cão Negro. O mastodonte espanhol estava ao fundo da sala, levantando duas sacas, que colocou atrás das costas, a um canto, onde já estavam mais alguns haveres. A partir daquele ponto, o Cão Negro e os seus homens – pareceram-me quatro – tentavam dominar o território e açambarcar para eles o maior número possível de produtos alimentares. E matavam, sem apelo nem agravo, quem os impedia. Assobiei bem alto e gritei:

– Gold, Margarida, fujam!

Havia mais duas portas no armazém. Vi o rapaz a sair por uma delas, a mais longínqua, e Gold a aproximar-se da que estava mais perto de mim:

– Onde está Margarida? – gritei.

– Aqui – respondeu ela.

Encontrava-se a pouco mais de quatro metros, mas havia entre nós uma barreira de lutadores, disputando barras de açúcar e chocolate. O Cão Negro viu-nos e soltou um urro. Pegou na espingarda e disparou um tiro na minha direção. Baixei-me a tempo e uma cabeça explodiu ao meu lado, libertando um jato irregular de sangue, que espirrou sobre a farinha e o açúcar espalhados pelo chão.

Puxei Margarida, e recuei, a caminho da porta. O Cão Negro dava saltos na minha direção, urrando, enquanto ordenava aos seus homens que protegessem o seu canto da confeitaria. A nossa sorte foi a mole de desvairados que havia na cave, a qual impediu o avanço do Cão Negro. À catanada, o mastodonte matou dois antes de eu ter conseguido sair para a rua.

– Vamos! – gritei, já cá fora.

Corri com Margarida à ilharga, e o inglês um pouco à frente. Cinquenta metros depois, o rapaz juntou-se a nós.

– O meu cão – gritou –, o meu cão?

Nenhum de nós vira o cão. O inglês obrigou o rapaz a correr, não o deixando parar, dizendo-lhe que o cão iria aparecer. O rapaz assim fez, apesar de contrariado. A arfar, o capitão perguntou-me:

– O árabe?

Diminuído, Muhammed não podia lançar-se naquelas velocidades pedestres. Mas, se o Cão Negro não o apanhasse, iria ter connosco à Casa da Moeda.

– Está ferido, não pode correr.

Sempre a dar às pernas, mas um pouco espantada, Margarida perguntou-me:

– E deixas o teu amigo para trás?

Não respondi. Continuámos a galope e só parámos no Largo do Corpo Santo, para recuperar fôlego. Esgotada, Margarida não conseguia prosseguir, e ficámos junto ao rio, escondidos atrás de uns destroços.

Quando a rapariga bonita estabilizou a sua respiração, olhou para mim, preocupada, e repetiu a pergunta:

– Deixaste o teu amigo para trás?

A sua boca tinha marcas castanhas de chocolate, que me apeteceu lamber. Embora cansada, era mesmo bonita e senti que a amava, sendo que isso me provocava, ao mesmo tempo, prazer e dor.

– Temos de procurar um esconderijo para passar a noite – afirmei. – O mais próximo possível da Casa da Moeda.

Exasperado e zangado, o rapaz olhou para Margarida e gritou:

– Vês como ele é? Não quer saber de ninguém! Nem da minha irmã nem do meu cão, nem sequer do amigo!

Não liguei e o inglês também não interveio. Então, a rapariga bonita pousou os olhos no chão, mais uma vez desiludida comigo.

42

– Porque é que o defendes sempre?

O rapaz dirigiu a pergunta a Margarida. Caída a noite, assentáramos arraiais a pouco mais de cem metros da Casa da Moeda. Abrigados junto a uma ruína, com uma pequena e improvisada fogueira à nossa frente, esperávamos a chegada de Muhammed, por cuja vida temia, e também da madrugada, a melhor hora para atacar o depósito de ouro, como expliquei a Margarida e ao inglês.

– A minha irmã vai passar mais uma noite sem que a ajudemos – protestou o rapaz, intrometendo-se na conversa.

A rapariga bonita tentou suavizar o seu ressentimento, e pela primeira vez perguntou-lhe o nome:

-- Como te chamas, rapaz?

O rapaz respondeu:

-- Filipe.

Ao ouvir o nome dele, surpreendi-me, mas nada disse.

-- É um nome bonito – comentou Margarida. – Filipe e Assunção. Vocês são gémeos, não são?

O rapaz confirmou, mas voltou à carga:

-- Porque é que fazes sempre o que ele quer?

Falava de mim, mas apontou para Gold:

– E tu também! Ontem, iam ajudar-me. Pensavam que ele estava morto. Mas hoje, que ele está vivo, fazem o que Santamaria diz. Porquê? Tens medo dele, é isso?

O rapaz olhava fixamente o inglês.

– Ela – e apontou para Margarida –, até consigo compreender. Pensa que gosta dele... Mas tu? Porque fazes o que ele quer?

O inglês suspirou e disse:

– Well, boy, if we ficar juntos, we live, we vivos. Santamaria, not meu amigo, but... he is esperto, he kills, he pirata... We need Santamaria, percebes?

O rapaz não compreendia.

– Não. O Cão Negro quer matá-lo a ele, não a nós. Tem sido assim desde o primeiro dia. Foi Santamaria quem levou o tiro, e quase morreu. Ficar junto dele é muito mais perigoso do que seguirmos o nosso caminho.

O rapaz não deixava de ter muita razão e nenhum de nós o contestou. Prosseguiu, pousando o seu olhar de novo em Margarida:

– Eles só estão os dois contigo porque os dois te querem, e não querem que seja o outro a ficar contigo.

Mexi na minha pistola e disse:

– O que quero é sair desta cidade. O ouro é a única forma de o conseguir.

O rapaz levantou-se:

– Podes sair da cidade, se quiseres, a pé! Porque não o fazes? Porque voltaste para trás?

Olhei para Margarida e depois para ele, e revelei-lhes uma novidade que Ester me contara:

– As portas de Lisboa estão guardadas pelos soldados. A cidade está cercada, não deixam sair ninguém. A população ficou retida nos campos, não pode meter-se à estrada. Ordens de Sebastião José, ministro do rei.

O inglês ficou surpreendido:

– Good lord, the city cercada? Why?

– Não sei – respondi. – O rio é a única saída e, mesmo assim, só com muita sorte e muito dinheiro conseguimos um barco. Caso contrário, os soldados acabam por nos prender.

Foi a minha vez de olhar para a rapariga bonita:

-- Foi por isso que voltei para trás. Ela não pode ser presa, senão metem-na outra vez nos calabouços da Inquisição, para morrer na fogueira.

Margarida sorriu-me, para espantar o medo. Disse-lhe que devia ir dormir, deitar-se no interior da ruína, onde teria menos frio. Ela concordou e levantou-se. O rapaz comentou, irritado:

-- Vocês só pensam em roubar, matar, fugir, fornicar. E salvar uma criança, não vos interessa? Nenhum de vocês sabe o que é fazer o bem. Nem ela, nem o inglês e muito menos tu!

A rapariga bonita não reagiu à provocação e afastou--se, embrenhando-se dentro da casa em ruínas. O inglês manteve-se também em silêncio. Limitei-me a contrapor ao rapaz:

-- Devias descansar.

Furioso, levantou-se:

-- Santamaria, Gold, não percebem que estão os dois a ser enganados por ela? Pensam que ela vai ficar com vocês? Não vai! Ela é como vocês, só pensa nela.

Depois desta irada proclamação, o rapaz afastou-se de nós alguns metros e encostou-se à ruína, amuado. O inglês e eu permanecemos algum tempo calados, e depois ouvimos um assobio, a imitar um cuco. Assobiei em resposta, replicando o mesmo pássaro. Ouvimos então barulho, e Muhammed apareceu. Cansadíssimo, com a ferida a sangrar, inflamada. Sentou-se junto de nós, e dediquei-me a lavar-lhe a ferida, retirando-lhe o pus e tentando estancar o sangue.

-- Eles vieram atrás de ti? – perguntei.

-- Não saber. Ir dar volta grande, ir fugir deles. Praça ir estar confusão, todos ir matar todos.

Ao nosso lado, o inglês comentou:

-- Fucking camels... Lisboa mad city...

Depois de tratar a perna do árabe, coloquei mais lenha na fogueira. Gold perguntou-me onde estava quando a terra tremeu pela primeira vez, e fui-lhe descrevendo a nossa epopeia, desde o Limoeiro até nos cruzarmos com ele e com Ester. O inglês devolveu-nos em troca a sua história: como fora colhido pelo terramoto em casa, a morte da mulher e da criada, o encontro com a escrava, as ondas, o fogo no Paço. Há medida que íamos partilhando as nossas narrativas, descobrindo semelhanças ou diferenças, o inglês foi ficando mais bem-disposto, e rapidamente nos levou para o seu tema favorito, as mulheres. Em tom confidencial, confessou a sua relação fria com a falecida esposa, as brincadeiras tórridas com a falecida criada, os momentos de folgança com a sua amiga marquesa, que não sabia se estava viva ou morta; e também os encontros furtivos com a senhora Locke, cujo marido encontrara na manhã dos abalos, coberto de pó.

É necessário reconhecer que Gold era um bom contador de histórias, acrescentando apartes divertidos e picantes, e entreteve-nos durante quase duas horas. Em momento algum falou de Margarida, sobre os tempos do convento ou o que se passara na noite anterior. Falava apenas das outras mulheres, protegendo a rapariga bonita com esse voto parcial de silêncio.

Contudo, o relato da sua noite com a escrava Ester, quando dormitaram no palácio, foi particularmente efusivo, detalhado em pormenores e comentários.

– Hey, hey, my boy, very good mamas! She chupa well! And she grita a lot, the negrinha!

Libertou uma gargalhada boçal e não reagi, sem jamais revelar que também tivera a minha noite tórrida com Ester. No entanto, não interroguei Gold sobre a última noite. Ester, invocando o conhecimento de Abraão, dissera que Gold e Margarida tinham dormido juntos, e isso era o mais provável. Contudo, saber essa verdade, fosse da boca de Gold ou de Margarida, teria provocado estragos mais profundos e, naquele momento, eu não os desejava. Pelo contrário, temia-os. Não sei o que teria feito se Gold se tivesse vangloriado ali das suas façanhas com Margarida. Ainda hoje sinto vontade de o matar, e nem quero pensar no que faria se isso tem acontecido.

A sós com os meus pensamentos, não me dei conta de que Gold se calara. Vi-o a observar-me com muita atenção. Ergui a sobrancelha, como que a questioná-lo, e ele afirmou:

– Santamaria, you are not homem pra ela.

Permaneci calado e ele prosseguiu:

– Good lord, you are a pirata! You are an aventura! Dangers, viagens, emotions! Women love homens like you! But, Santamaria, not para casar! Tu fugitivo, tu danger, tu bandido. Sooner or later, tu apanhado by soldiers, your cabeça in a poste! No future para mulher, tu sabes?

Sorri, mas continuei sem dizer nada. Então, o inglês avançou a sugestão que julgava mais correta:

– Hell Santamaria, why not deixar ela? Do you believe ela sair de Lisbon? With you? Don't be tonto, Santamaria...

Examinei a minha pistola e a minha faca, e ele continuou:

– That pistola, only two balas! And that faca? Good lord, Muhammed is ferido, very bad, in perna... Why don't you fugir? You run, you marinheiro, you get a barco! Not her...

Ouvi Muhammed dizer, em voz baixa:

– Inglês ir ter razão, mulher ir perder Santamaria.

Entusiasmado com o seu novo e improvável aliado, Gold exclamou:

– You see! Even your amigo! Run, Santamaria, run e forget rapariga!

Sorri de novo, bufei e disse-lhe finalmente:

– Isso querias tu, para ficares com ela.

Como se tivesse sentido a sua honra posta em causa, Gold empertigou-se, primeiro, e depois dobrou-se para a frente, na minha direção, colocando enorme ênfase nas palavras:

– Hell, you right! And not melhor para ela? My wife morta, Margarida can casar comigo! We ter filhos! I'm a comerciante, not very rico, but more rico than you!

Remexi nas brasas, enquanto Muhammed abanava a cabeça, concordando com as ideias de futuro do inglês.

– Women need segurança, a rich homem. I know lots of pessoas in Lisbon, important pessoas! I'm a friend of the ambassador, a friend of D. João da Bemposta!

Quase de joelhos, Gold aproximou-se de mim, baixando a voz, colocando um tom de confidência:

– Santamaria, I can make her perdoada... My friend, the ambassador, is amigo de Sebastião José, the new boss. It's fácil she perdoada...

Esta afirmação era verdadeira: o inglês conseguiria, com muito mais facilidade do que eu, obter um perdão real para ela.

– Think, Santamaria.

Já totalmente de joelhos, Gold abriu os braços:

– When she acordar, I say you went embora, you are pirata! Piratas never care what mulheres dizem... There is no amor for piratas!

Estava, pois, o inglês de joelhos, os braços abertos, como um fiel a rezar, quando de súbito escutámos um ruído, proveniente da ruína. Margarida escutava-nos, junto à porta. O inglês baixou prontamente o olhar, envergonhado, e ainda mais rapidamente voltou a sentar-se. Ela ficou a examiná-lo uns momentos, antes de intervir.

– Ouvi-te dizer que queres casar comigo, inglês?

Gold levantou-se, surpreendido. Não esperara que ela tivesse ouvido a conversa. Embasbacado, abriu de novo os braços:

– Well, it's a maneira de dizer.

Sarcástica, a rapariga bonita ergueu as sobrancelhas:

– Maneira de dizer? Não compreendo, queres ou não queres?

O inglês entupiu e baixou os braços. Margarida encolheu os ombros, enervada:

– Foi o que pensei. Na verdade, o que tu queres é ganhar o combate com o Santamaria. Queres ser melhor do que ele, levando-o a abandonar-me. Isso é que é importante para ti.

Dirigiu-se a ele, muito séria:

– É a tua natureza, não é? O que tu gostas é de ser mais macho do que os outros. Mais macho do que o marido da marquesa, mais macho do que o namorado da criada, mais macho do que o senhor Locke, mais macho do que Santamaria. Nós, as mulheres, não somos importantes, somos apenas o objeto da luta, mas a tua luta é com os homens, e é disso que gostas. – Fez uma careta: – Achas mesmo que eu casaria com um homem que traiu a mulher comigo e com tantas outras mulheres?

Furiosa, deu meia volta, regressando ao interior da ruína. Gold nem tugiu nem mugiu. Do seu canto, Muhammed produziu uma casquinada que se assemelhava vagamente a uma gargalhada e comentou:

– Mulher ir ser fogo...

Foi nesse momento que ouvimos o grito desesperado de Margarida. Levantei-me num pulo, mas, ao olhar em volta, paralisei. Vários bandidos estavam à nossa frente, armados. A luz da fogueira permitiu-me reconhecer a cara de um deles: era um dos espanhóis do gangue do Cão Negro. Desatei a correr para a ruína e, pelo canto do olho, vi que o inglês, por acaso do lado oposto ao dos homens, largara a fugir a grande velocidade.

43

«Terás de vencer o mal que está dentro de ti e também o mal que está fora de ti.» As palavras de Abraão ecoaram na minha cabeça, ao ver-me cercado por inimigos. O mal, o mal que está dentro e o mal que está fora, não são eles o mesmo e único mal? Onde acaba um e começa o outro?

Ouvi o grito de Margarida, sabia-a em perigo, e o meu primeiro instinto foi correr para a ruína. Porém, dos cinco homens do gangue do Cão Negro, três estavam entre mim e o casebre tombado. Apontei a pistola a um e disparei, e depois apontei a outro e disparei também. Caíram ambos, dois tiros certeiros em duas cabeças, mais duas mortes na minha longa lista de troféus sinistros.

O terceiro bandido hesitou. Esperou que lhe apontasse também a pistola, mas não o fiz, pois não tinha mais balas. Atirei então uma faca, que se espetou na garganta dele, perfurando-lhe a traqueia. Abateu-se, emitindo sons estranhos, que me lembraram o resfolegar de um porco a comer. Virei-me para trás: Muhammed lutava com o seu segundo adversário, depois de já ter vencido um primeiro, que se esvaía no chão, moribundo. Corri para lá e atingi o homem com uma violenta pancada na cabeça. Nem teve tempo para me ver, e desfaleceu.

– Dá-me uma faca! – gritei ao meu amigo.

Deu-me duas. Corri para a ruína e entrei. A cena que se me deparou provocou-me uma violenta emoção do mais puro ódio. Em terra, deitada de costas, Margarida estava com as pernas abertas e as saias levantadas, e o Cão Negro cobria-a, agarrando-lhe os braços, tentando violá-la. Ao ver-me, a rapariga bonita gritou, e o bruto pressentiu a minha chegada. Rodou sobre si próprio, rápido, procurando com a mão a pistola. Caí sobre ele antes de me apontar a arma, e isso impediu-o de disparar. Mas, com o seu longo e poderoso braço, evitou também que o atingisse com a faca.

O Cão Negro teve de optar. Ou procurava usar a pistola, restando-lhe um braço livre para me agarrar, ou a esquecia, libertando o outro braço para a luta. Escolheu manter a mão na pistola, tentando agarrá-la melhor, para me dar um tiro. Com isso, apenas me conteve com um único braço, que agarrava o meu braço direito e sustentava o meu corpo, afastando-o dele. Num segundo, senti que esse pequeno erro do mastodonte me dera uma vantagem. Tinha a segunda faca na mão esquerda, e a mão liberta. Apesar de não ser canhoto, coloquei toda a minha força nesse braço, fechando o meu punho no cabo da faca, e lancei-o contra a garganta do Cão Negro. Espetei-lha de lado, e guinchou, com um urro lancinante, largando a pistola e levando a mão à ferida. Ao mesmo tempo, diminuiu a força na sua mão direita, que deixou de conseguir suster o meu braço direito. Com um novo gesto rápido, dei-lhe o golpe de misericórdia com a faca que tinha na mão direita, espetando-a no seu peito, no lugar do coração.

Guinchou de novo. Os olhou quase lhe saltaram das órbitas. Vi que, no fundo deles, aparecia já a morte: uma ausência súbita de brilho, a terrível angústia de um ser que sabe que observa, pela última vez, o mundo à sua volta. O seu corpo estremeceu, com espasmos; o sangue espirrou dentro da boca; e emitiu um som, um esgar de desespero, antes de se imobilizar, de olhos abertos, a cabeça caindo para trás desamparada, os braços tombando, o corpo perdendo a energia no espaço de segundos.

Matara-o, àquele monstro que há dias me perseguia. Fiquei em cima dele, recuperando o fôlego, sentindo o seu cadáver já sem vida em contacto com o meu corpo, e dei-me conta de que era muito maior e mais alto do que eu, um colosso de músculos, que tresandava a sangue, a suor, a urina, a morte.

– Santamaria, estás bem?

A voz da rapariga bonita parecia vinda de outro mundo. Recompusera-se, as saias estavam onde deviam estar, as pernas cobertas, a camisa fechada. Ficara sentada no chão, a cara num alarme terrível, temendo pelo desfecho da contenda.

– Sim. E tu?

Saí de cima do Cão Negro e, de joelhos, ofegante, avancei na direção dela.

– Ele magoou-te?

Ela abanou a cabeça:

– Não chegou a estar dentro de mim.

Bufei, exausto:

– Ainda bem.

Margarida perguntou:

– Está morto?

– Sim. Finalmente. Foi uma longa luta. Não descansaria sem me matar. Era eu ou ele.

Margarida abraçou-me e depois beijou-me na boca.

– Obrigado por me teres salvo a vida outra vez.

Sorri-lhe. Ela acrescentou:

– És um homem bom, no fundo de ti há bondade. – Sorriu-me também, brincalhona: – Está é muito lá no fundo...

As nossas testas tocaram-se, com carinho. Senti uma onda de calor nascer dentro de mim. Depois, a rapariga bonita perguntou:

– Os outros? O rapaz, o inglês, o Muhammed?

Ouvi uma voz lá fora, e virei-me.

– Muhammed ir viver, rapaz ir viver.

À porta da ruína, o árabe e o rapaz observavam-nos.

– O inglês? – perguntei.

Muhammed encolheu os ombros e não disse nada, deixando no ar a possibilidade de Gold ter sido ferido, ou mesmo morto. Penso que desejava provocar uma reação na rapariga, para ver o que ela dizia. Mas ela não disse nada, e apenas olhava para o corpo morto do Cão Negro. Foi o rapaz quem falou:

– Fugiu. Vi-o a correr na direção de Santa Catarina... Nem sequer lutou com os salafrários. Simplesmente fugiu.

Olhei para a rapariga bonita, mas ela continuava a fitar o mastodonte.

– O que foi? – perguntei.

Agitou-se e abraçou-se a si própria, como se estivesse com frio.

– Antes de o Cão Negro aparecer, vi o meu fantasma.

– O quê?

A rapariga bonita contou-me a história do seu fantasma, o homem de negro que aparecia sempre que ela estava em risco de vida.

– Acordei e o fantasma estava ali, e apontou para o canto da ruína. E, de repente, este bruto saltou para cima de mim.

Tentei sorrir-lhe.

– Já passou.

Deixei-a a sós com a sua imaginação e virei-me para o meu amigo.

– Os outros estão mortos? – perguntei.

– Sim. Santamaria ir matar três, Muhammed ir matar dois.

– E ele? – perguntou o rapaz, apontando para o Cão Negro. – Está morto?

Confirmei, levantando o polegar.

– Como conseguiste matá-lo? – perguntou o rapaz.

Nos seus olhos, pressenti pela primeira vez admiração. Talvez a opinião que tinha de mim se tivesse alterado com este episódio. Isso enervou-me.

– Não queiras saber – disse-lhe, com desdém. – Sou um homem mau, lembras-te? Sou um pirata, um assassino, um mentiroso. Só por isso sou capaz de matar com tanta facilidade. Não admires tal coisa.

Surpreendido com a minha reação empolgada, o rapaz remeteu-se a um silêncio constrangido.

– Pelo menos, salvaste-me a vida – disse Margarida. –
Algum valor isso terá.

Aproximou-se de mim e disse, tocando-me com os
dedos na cabeça.

– Estás ferido, aqui, tens sangue.

A rapariga bonita começou a limpar-me, e eu infor-
mei-a:

– Esse sangue não é meu.

Ela continuou:

– Precisas de ser limpo na mesma.

Não me estava só a limpar, era evidente. Pelo canto
do olho, vi Muhammed conduzir o rapaz para fora da
ruína. Ficámos sozinhos, e ela continuou a limpar-me a
testa, a cara, o pescoço. O toque das suas mãos sabia
muito bem. De novo o calor me invadiu e fechei os olhos.
Feliz, Margarida trauteou uma melodia. Deixei-me ficar,
de olhos fechados, esquecendo-me de quem era e de
onde estava, apenas ouvindo aqueles sons mágicos.

Amámo-nos com imensa ternura, beijando-nos lentamente, tocando-nos com carinho, como duas pessoas
que estão apaixonadas, sem pressa mas com uma emoção profunda que há muito não sentiam. Lembro-me de
ter pensado que faria qualquer coisa para manter aquela
mulher perto de mim o resto dos meus dias. Depois,
adormecemos.

De madrugada, o rapaz entrou na ruína e replicou o
nosso assobio, imitando um cuco. Acordei. Margarida
estava nua, parte do seu corpo em cima de mim, e o
rapaz admirava-a.

– Nunca viste uma mulher nua? – perguntei.

– Já – respondeu o rapaz.

Fiquei calado e, como ele não se atrevia a falar, perguntei:

– O que se passa?

– Muhammed está com febre.

Com delicadeza, afastei Margarida, tapando-a. Vesti-
-me e saí da ruína. Muhammed estava encostado à parede,
a tremer. Pus-lhe a mão na testa e senti-a muito quente.

Peguei numa vasilha e fui à fonte buscar água. Quando regressei, tentei fazer descer a febre, colocando-lhe água fria na testa. O árabe acordou.

– Tenho de te tratar da ferida.

Ele manteve-se mudo. Tirei o trapo que lhe cobria a perna. A ferida estava infetada, mas procurei limpá-la o melhor que podia. De repente, lembrei-me de que vira uma garrafa, no chão da ruína, a uns metros do Cão Negro, e pedi ao rapaz que fosse buscá-la. Quando regressou, passou-ma: cheirei o gargalo e era rum. Limpei a ferida com o álcool e Muhammed cerrou os dentes, com dores. Depois, rasguei a camisa de um dos mortos e voltei a ligar a perna do árabe.

– Vais ficar melhor – disse.

O árabe não tinha crença nesse resultado, mas tentou descansar. Nos minutos seguintes, fiz um inventário dos haveres dos mortos. Recolhi várias facas, uma pistola e uma espingarda. Infelizmente, a espingarda não tinha balas, e não encontrei nenhuma nos corpos. Não era grande armamento. Sabia que, se só houvesse um homem na Casa da Moeda, como dissera Gold, seria possível vencê-lo, mesmo que estivesse armado. Mas, com Muhammed assim, se lá estivessem mais soldados, não teríamos possibilidades.

Espreitei para o interior da ruína: Margarida continuava a dormir. Sem sono, sentei-me cá fora. O rapaz estava também sentado, e perguntou-me como me tinha tornado pirata. Contei-lhe uma história de marinheiros e prisões. Sem aviso prévio, perguntou-me:

– Estás apaixonado por ela?

Que raio de pergunta, em especial vinda de um fedelho de doze anos, pensei.

– Ela é importante para mim.

O rapaz espreitou a ruína, como para verificar se a rapariga lá estava à escuta, e só depois prosseguiu.

– Há pouco, perguntaste-me se eu já tinha visto uma mulher nua, lembras-te?

– Sim.

– Vi-a ontem, a ela, exatamente na mesma posição que hoje, nua. Mas estava deitada com outro homem.

Bufei. O rapaz prosseguiu:

– Tenho doze anos e não percebo nada de mulheres. Mas é normal uma mulher estar uma noite com um homem e, na noite seguinte, com outro?

Encolhi os ombros:

– Rapaz, tenho quarenta anos e nunca percebi as mulheres. Com elas, nunca sabemos o que é normal.

O rapaz manteve-se calado uns momentos, e depois perguntou:

– Pensou que estavas morto e esqueceu-te depressa?

Bufei de novo, mais prolongadamente:

– O melhor é perguntares-lhe a ela.

Olhei em volta. Muhammed continuava a dormir, o dia começava a nascer. Pensei em dizer qualquer coisa que pudesse irritar o rapaz, como retaliação.

– Afinal, o teu cão não nos descobriu – disse.

O rapaz indignou-se.

– Ele não me abandonou! Sei onde ele está.

– Com a tua irmã? – perguntei.

– Sim. Está com ela, onde eu devia estar.

Cansado de tanta determinação e certeza, bufei terceira vez, com tédio, e disse-lhe:

– Devias ter fugido com o inglês. Ias por ali, até ao Bairro Alto, ou podias descer ao Rossio e convencer alguém a ajudar-te. Nós não vamos voltar para trás. Com o árabe assim, não é possível. Ou conseguimos ouro e depois um barco, ou ficamos por aqui. Talvez fujamos para Mocambo, à procura da escrava ou do Abraão. São os únicos que nos podem ajudar. Logo que nascer a manhã, tu e a Margarida devem partir.

Espantado, franziu a testa:

– Não levas a rapariga contigo?

Dentro de mim, emoções contraditórias confrontavam-se. Por um lado, sentia o princípio de uma paixão, um desejo fortíssimo de a amar e de a possuir. Por outro, não confiava nela. Sabia que me tinha mentido várias vezes, que era uma rapariga muito inexperiente e bastante confundida. Provocara em mim dor, mal-estar, incómodo, uma incapacidade para acreditar nas suas palavras, e uma dúvida permanente sobre o seu carácter. Margarida, que desprezara o inglês por ser um homem infiel, que dormira com várias mulheres, que enganara a sua, não era também assim, como ele, um ser infiel? O que se passara com o carcereiro, o que se passara com irmã Alice, o que se passara comigo e depois com o inglês não eram provas suficientes de que era uma mulher perigosa, dúplice, capaz de mentir, mas sem a habilidade suficiente para não ser apanhada? Sim, provavelmente ela era assim. Porém, quem era eu para exigir comportamentos corretos a uma mulher, ainda por cima naquelas circunstâncias, naqueles dias? Também eu dormira com a escrava, e não era por isso que se anulava o sentimento muito forte que sentia por Margarida. Fosse como fosse, perdera as ilusões, morrera a fantasia da nossa história começar bonita e assim continuar, sem outras pessoas dentro dela.

Quando regressei à ruína, já o dia nascia, e Margarida acordara. Sentou-se no chão e estendeu-me os braços, mostrando-me o seu maravilhoso e bonito peito, que parecia à minha espera, tremelicante e desejoso. Abracei-a e depois beijei-a nas mamas, trincando os seus mamilos, ouvindo os seus risinhos. Fomos mais uma vez felizes, entrei dentro dela o mais fundo que pude, com um desespero intenso, sentindo que aquela era a última vez que a possuía.

Vestimo-nos e, quando íamos sair da ruína, aproximei-me dela e olhei no fundo dos seus olhos:

– O inglês tinha razão. Devias ir com ele. Comigo não vais ter um destino bom e bonito.

Recordei-lhe que Muhammed estava ferido, que não aguentava mais do que um dia, que iríamos ser apanhados pelos soldados a não ser que fugíssemos. Disse que, se as coisas corressem mal, iria para Mocambo, ter com Abraão, pois só ele me podia ajudar a sair de Lisboa.

– Não é lugar para ti. Se os soldados nos apanharem, vai para o Rossio com o rapaz, tenta ajudá-lo a encontrar a irmã.

Margarida irritou-se:

– Queres é ir ter com a escrava! És um mentiroso, um aldrabão.

Bufei e disse-lhe:

– Se há alguém entre nós que mentiu, não fui eu. Sabes perfeitamente o que se passou na noite de ontem.

Ela ficou calada, incapaz de apresentar qualquer argumento em sua defesa, até porque isso implicava admitir a verdade. Sorri:

– Mas não vale a pena zangarmo-nos. Se tudo correr bem, continuamos juntos. Senão... já sabes o que fazer.

Saí da ruína e ela correu atrás de mim, e agarrou-me pelo braço e gritou:

– Santamaria, para! Eu amo-te, quero ficar contigo!

Muhammed coxeava já, a caminho da Casa da Moeda. O rapaz estava a olhar para nós, encostado à parede da ruína. Voltei a procurar as íris verdes da rapariga bonita e disse:

– Eu também quero. Mas não sei se há muitos ou poucos soldados. Se eu não voltar, faz o que te digo.

– Então não vás, fica comigo! – suplicou. – Pensei que me amavas. Porque é que só pensas em ti?

Ri-me, e disse:

– Estás a precisar de te ver ao espelho.

A rapariga bonita ficou de repente muito séria e largou o meu braço. Dei meia volta e segui Muhammed, a caminho da Casa da Moeda e do ouro, as palavras de Abraão sobre o mal a ecoarem de novo na minha cabeça.

44

Um mau pressentimento invadira-me desde o acordar. Aquela abordagem ao ouro não iria correr bem. Fragilizado e febril, Muhammed encontrava-se incapacitado para uma luta digna desse nome. E sobre a Casa da Moeda só conhecia o que os meus olhos viam: um edifício compacto, de um piso e com um pátio central. Era insuficiente para planear um assalto aos seus pontos fracos, por isso decidimos um ataque direto, pelo portão principal. Fiámo-nos nas palavras de Gold, quando nos disse que apenas um guarda defendia o local. Um homem podia ser convencido, controlado, atordoado, ludibriado. Contudo, a descrição do inglês atribuíra um carácter heróico ao sargento, e isso preocupava-me. Um medroso era bem mais fácil de vencer do que um corajoso, imbuído de uma força espiritual poderosa. Esses costumavam vender cara a pele, resistir até à morte.

O árabe caminhava a meu lado, arrastando a perna ferida, com um esgar de dor na cara. Junto à ruína, deixáramos Margarida e o rapaz, a primeira a chorar, o segundo desiludido por, mais uma vez, não ter conseguido mudar as minhas ideias. Dissera-lhes que se escondessem e não se aproximassem em caso algum da Casa da Moeda, pois não os queria cúmplices do nosso ato. Se voltássemos com algum ouro, planearíamos o futuro a quatro. Caso contrário, ficariam por sua conta, e esperava sinceramente que Margarida seguisse o meu conselho, regressando ao Rossio.

De certa forma, compreendia o sofrimento dela. Acreditava que estava apaixonada por mim e queria fugir de Lisboa comigo, embora soubesse também que era uma mulher volúvel e precipitada, que agia mais por interesse próprio do que por comandos do coração. Dormira ontem com o inglês porque sinceramente se convencera de que eu estava morto, e nesse caso Gold era a melhor ajuda que podia ter, o seu objetivo momentâneo. Quanto às mentiras sobre o passado, é evidente que haviam sido formas de não se degradar aos meus olhos, preservando a sua pureza feminina, a que muitos homens eram sensíveis; mas também um cálculo racional, pois necessitava da minha habilidade para escapar ao inferno.

Sei bem que pouco tinha para lhe oferecer como homem, pois a minha vida nunca fora vivida de forma a satisfazer uma mulher. Gold, com todos os seus defeitos, era um homem respeitado na sociedade lisboeta, um comerciante, que ainda por cima ficara viúvo no terramoto e, portanto, podia, sem escândalo, proporcionar a uma rapariga uma vida estável e segura, uma família e filhos, coisas que eu teria muita dificuldade em oferecer a Margarida. A caminho da Casa da Moeda, invadiu-me uma sensação de inevitabilidade do meu destino solitário de pirata, uma triste certeza de perda, de alguma coisa que nunca tinha tido, nem teria: o amor de uma mulher, uma casa, uma família.

Concentrei-me na minha quimera. Aquilo que me preparava para fazer era, ao mesmo tempo, necessário e terrível: garantia a minha salvação no presente, mas também a minha perdição para o futuro, elevando-me finalmente à categoria de inimigo declarado do reino. Fora preso no Limoeiro porque os franceses me tinham capturado, não porque fosse um criminoso no reino de Portugal, o que de certa forma ainda alimentava a minha ténue expectativa de libertação. Se assaltasse a Casa da Moeda, tornava-me um proscrito da coroa, um bandido com a cabeça a prémio, impossibilitando qualquer perdão futuro. Certamente por isso, o mau pressentimento não me largava...

Aproximámo-nos devagar da entrada do edifício. O grande portão de grades de bronze encontrava-se fechado, e não se ouvia qualquer ruído, a não ser o chilrear dos pássaros, e o rumor do Tejo, ali tão perto que dava vontade de nos lançarmos a ele, nadando nas suas águas frescas e calmas àquela hora da manhã.

– Muhammed não ir conseguir – murmurou o árabe.

Parou a dois ou três metros do portão. Transpirava, cansado, e a febre devia estar a subir, pois os seus olhos apresentavam-se brilhantes e encarniçados.

– Vou pedir ajuda. Deita-te no chão, cai.

O árabe deu um tímido passo. Depois, o joelho esquerdo quebrou, e esticou o braço para mim, como me quisesse agarrar. O movimento foi demasiado brusco, desequilibrou-o, e o seu outro joelho cedeu também. Caiu no chão, desamparado. Por instantes, tive a sensação de que desmaiara mesmo, tal a veracidade do exercício. Mas piscou-me o olho, demonstrando ser um excelente ator, e eu debrucei-me. Pus-lhe a mão na testa, examinei-lhe a ferida e depois levantei-me, fingindo uma aflição real.

– Ó da casa, está aí alguém? Preciso de ajuda! Socorro, ei, ajudem! Este homem está a morrer!

Ninguém pareceu ouvir os meus chamamentos. Longos minutos passaram, e só então vi surgir um soldado, a um canto do pátio, encostado à parede, usando-a como proteção.

– O que se passa? – gritou.

Pela farda, adivinhei ser o sargento identificado por Gold.

– Este homem está a morrer, preciso de ajuda!

Apontei para Muhammed, que se fingia inanimado.

– Por favor, ele está a morrer!

Cauteloso, devagar, o sargento chegou-se ao portão. Trazia um molho de chaves à cintura, e observou-nos à vez antes de dizer:

– Não sou médico, nem tenho nada com que tratar esse homem.

Dei um passo para ele, simulando aflição:

– Preciso de água, de álcool, de lavar os ferimentos e de os desinfetar – expliquei. – Por favor, ajude-me!

O sargento permaneceu impassível e sugeriu:

– Há água numa fonte, ali perto de São Paulo. Não tenho álcool comigo.

Levei as mãos à cabeça, fingindo-me desesperado.

– Aquilo para lá é um perigo! Há homens a matarem--se uns aos outros, não posso levar lá um ferido. Por favor, é só uma pequena ajuda.

O sargento hesitou, os olhos num vaivém entre Muhammed e mim.

– Quem são vocês, o que fazem aqui? – perguntou.

Bufei, impaciente:

– Somos tripulantes de um barco, o *Santa Maria*. Estávamos em terra quando se deu o terramoto, e não podemos voltar a embarcar. Temos andado por aí, mas a cidade está um caos, há cada vez mais assassinos à solta. Ele foi ferido durante a noite, no Terreiro do Paço. Perdeu muito sangue.

O sargento não se comoveu:

– Deviam procurar um médico.

– Sim, mas aonde? A cidade está desfeita, não há um prédio de pé...

Ficou espantado, perplexo com as minhas palavras. Dei--me conta de que ele não tinha consciência da dimensão da catástrofe, desde o início que não saíra da Casa da Moeda.

– A cidade está destruída? Vê-se daqui que Santa Catarina e São Paulo foram muito atingidas, mas... o resto também?

Contei-lhe o ocorrido no Paço.

– E o rei? – perguntou.

– Ouvi dizer que estava em Belém, mas ninguém tem a certeza.

Daquele homem emanava uma sensação aguda de abandono e de solidão, que colocou em palavras.

– Há vários dias que não falo com ninguém, revelou. Nos primeiros dias, ainda passaram por aqui pessoas, mas deixaram de passar. Dá a sensação de que toda a gente abandonou Lisboa.

– É verdade – confirmei. – A maioria está nos campos, à volta da cidade. Só os saqueadores ficaram.

– E os soldados? – perguntou. – Porque não chegam?

– Não sei, não vi nenhuns. É a lei da selva.

Manteve-se por uns momentos calado e depois anunciou:

– Vou ver se encontro água e álcool.

Quando desapareceu, avisei Muhammed, em voz baixa:

– Mal abra o portão, agarro-o e tu corres lá para dentro.

– E se não ir abrir portão?

– Nesse caso, dou-lhe um tiro.

Carreguei as pistolas e esperei. O sargento regressou com uma garrafa, uns panos e uma vasilha de água e informou:

– Vou abrir o portão e colocar isto aí fora.

Pousou as coisas, e retirou o molho de chaves do cinto. Colocou a chave na fechadura do portão e rodou-a. Ouvimos a fechadura ranger e depois o lado direito do portão abriu-se, e ele voltou a pegar nas coisas e deu um passo em frente, saindo. Quando chegou a dois metros de mim, apontei-lhe as duas pistolas, dizendo:

– Quieto.

Ficou lívido de raiva por ter sido enganado. Muhammed levantou-se, com a faca na mão, e preparava-me para entrar pelo portão quando ouvimos um grito alarmado, ao longe. Virei-me para trás, na direção da ruína onde estava Margarida, mas não vi ninguém. Entre nós e o Largo de São Paulo só existiam destroços.

O sargento aproveitou a minha curta distração e atirou a garrafa à cara de Muhammed. Este tentou proteger-se, erguendo um braço, mas cambaleou para trás com o choque. Rápido, o sargento deu meia volta e correu na direção do portão. Tentei disparar um tiro, mas a arma encravou. Depois, espantado, ouvi estampidos e uma saraivada de balas caiu junto a nós.

Uma dezena de soldados avançava, em passo acelerado, na nossa direção. Nem hesitei. Não tínhamos qualquer hipótese contra tantos e decidi fugir. Gritei a Muhammed:

– Vamos, para o rio!

O árabe olhou para mim, desesperado. Incentivei-o:

– Tu consegues, vamos!

Enquanto o agarrava, nova chuva de balas foi disparada. Baixei-me para evitar ser atingido, mas o árabe cambaleou. Agora era mesmo verdade, estava a cair, sem forças.

– Santamaria, tu ir fugir! – gemeu.

Fora atingido nas costas por uma bala, e cuspiu sangue para o chão. Os soldados gritaram de entusiasmo. Pouco mais de vinte metros nos separavam deles. Baixei-me e tentei levar o árabe aos ombros, mas ele não deixou.

– Não! Ir fugir, Santamaria!

Ofereceu-me a sua pistola e uma faca, e apertei-lhe a mão com força. Depois, desatei a correr na direção do rio, de cabeça baixa, aos ziguezagues. Sabia que ia perder para sempre a sua companhia e a sua amizade, mas sabia também que, se ficasse para trás, morreria.

Corri como um desesperado, enquanto as balas assobiavam nos meus ouvidos. Ao chegar ao rio, vi uma pequena ladeira enlameada e desci, aos saltos, evitando prender os pés naquela mistela. Dei um pulo para a água e nadei uns metros, largando as pistolas, inutilizadas, pois já estavam molhadas. Depois, mergulhei, e nadei debaixo de água mais de dez metros, dando braçadas longas, afastando-me o mais possível da margem. Ao vir à superfície respirar, fui recebido pelos gritos dos soldados, que descarregaram outra vez as suas espingardas. Mas, como mergulhei de novo, rapidamente as balas não me atingiram. Nadei e da vez seguinte que vim ao de cima já estava demasiado longe para me ferirem.

Depois de mais umas quantas braçadas boiei e observei os soldados. Um homem, que me parecia o mesmo que dias antes vira no Terreiro do Paço, fazia uma pala com a mão e olhava na minha direção. Os soldados retiravam, conscientes de que já não me podiam acertar. Do local onde estava, não via o portão da Casa da Moeda, mas dei-me conta de que a corrente do rio, junto à margem, me empurrava na direção do Terreiro do Paço. Uns minutos depois, já conseguia ver o portão, e assisti à execução bárbara de Muhammed, abatido por uma rajada de balas.

Os soldados colocaram o corpo numa pequena padiola e o grupo afastou-se a caminho de São Paulo. Ainda procurei identificar as ruínas onde Margarida e o rapaz se haviam escondido, mas sem sucesso. Estava de novo sozinho. E o rio empurrava-me de volta ao centro da cidade.

45

Quem me observava a nadar no rio era obviamente Bernardino. Acompanhara a batida dos soldados à Casa da Moeda, a mando de Sebastião José. Quando me vira junto ao portão, informara o capitão da companhia, invocando um interesse especial do ministro em mim. A minha fuga deixara frustrados não só Bernardino, como o capitão e os seus soldados, que descarregaram a fúria em Muhammed. Mataram-no com uma primeira rajada de balas e, com uma segunda, a que eu assistira do rio, mutilaram-no horrivelmente.

As ordens de Sebastião José eram claríssimas: executar os bandidos, degolá-los e depois exibir em público as suas cabeças, penduradas em postes, nas praças, até que a anarquia amainasse. Foi o que fizeram com o árabe. Enquanto Bernardino verificava o ouro com o sargento herói, o cadáver do meu amigo foi transportado para o largo da Igreja de São Paulo. O corpo foi atirado para uma pilha de restos mortais, e à cabeça decepada o próprio capitão a carregou no seu cinto, um dia inteiro, como troféu, até a pendurar, à noite, num poste em pleno Rossio.

Quanto a Bernardino, regressou a Belém e foi de pronto falar com Sebastião José. Encontrou o ministro enervado por ter sido obrigado a debater, com vários nobres e com o padre Malagrida, a organização de procissões no Rossio.

Naquele dia, o rei revelava-se ainda mais emocionado e amargurado e, portanto, a sua alma era terreno fértil para a espiritualidade e a religião. O seu confessor, sentindo a carência, não perdeu tempo e amplificou as suas ambições.

– As procissões são a única forma de arrependimento! A cidade, o seu povo pecador, têm de pedir a misericórdia de Deus. Lisboa foi castigada, como Sodoma, como Gomorra, que Deus transformou em sal! Só com preces, penitências, orações, é que podemos chegar à salvação.

Malagrida não se limitava a pregar, Malagrida gritava, a sua voz tensa de emoção. Os nobres, na sua maioria, eram tementes a Deus, e as propostas do confessor real soavam razoáveis. Quem, naqueles dias, podia negar o castigo? Na corte, Malagrida somava aliados, enquanto Sebastião José os perdia. As suas preocupações: a alimentação, o crime, o abandono da cidade, o enterro dos mortos, pareciam triviais à maioria dos bem-pensantes, futilidades logísticas quando comparadas com o transcendental, o que dava grande ânimo ao padre Malagrida.

Houvera alarido e até inflamada indignação quando Sebastião José propusera que os mortos, até à data a serem empilhados junto às igrejas, em montes cada vez maiores, fossem de imediato enterrados, em valas comuns, abertas no solo. A tradição portuguesa não era essa, gritou-se, mas, sim, a de enterrar os mortos no chão das igrejas! Fazê-lo em valas, ainda por cima comuns, era sacrilégio! Os urros de Malagrida eram secundados pelos clamores dos outros religiosos presentes: seria pecado gravíssimo não dar enterro digno aos defuntos do terramoto! Portanto, dizia a lógica, era necessário esperar que as igrejas estivessem preparadas para os receber.

Esta argumentação, à superfície digna e de respeito pelas tradições fúnebres de um povo, deixara Sebastião José furioso. Declarava, lúcido mas irado, que não só o empilhar dos mortos era espetáculo terrível e desmoralizador dos vivos, como deixá-los assim, à espera, era convocar as doenças que sempre consumiam os cadáveres a céu aberto. A cidade não podia ser invadida pela pestilência, nem vítima de epidemias, fatais naquelas circunstâncias. Para mais, recuperar as igrejas demoraria meses, senão anos, pois a grande maioria delas não passava de ruínas. Era, pois, imperioso enterrar os mortos, o mais depressa possível! Deixá-los meses a apodrecer, comidos por animais, ou por pessoas, esse era o verdadeiro sacrilégio.

Ao escutar a mera possibilidade de canibalismo, a maioria dos presentes benzeu-se, em aflição, e Malagrida rezou alto uma oração, pedindo a Deus o perdão por essa horripilante afronta. Mas o argumento colou, como uma lapa, e o rei D. José deu neste ponto razão ao seu ministro, em detrimento do seu confessor. Autorizou o enterro dos cadáveres, em valas comuns, justificando-o com epidemias, que, apesar de ainda só imaginárias, ele temia profundamente.

Contudo, e talvez em compensação, a polémica deu a Malagrida uma vitória importante: o rei permitia que o seu confessor organizasse, a partir daquele dia, procissões no Rossio, conduzindo a população através da oração. Malagrida poderia dirigir-se às multidões na praça, numa espécie de missa campal permanente. A decisão deixara Sebastião José irritado, pois incomodava os seus planos de ordem na cidade, e foi nesse estado de espírito que Bernardino o encontrou.

– Os bandidos vão misturar-se no meio dos fiéis, e vai ser mais difícil apanhá-los – resmungava o ministro.

Bernardino aproveitou então para lhe fazer o relato da expedição à Casa da Moeda, onde o ouro repousava tranquilamente. Uma guarnição ficara a guardá-lo, e Bernardino realçou, com convicção, o heroico trabalho do jovem sargento. Orgulhoso desta história, que classificou como exemplo fundamental, Sebastião José adiantou a ideia de promover o sargento a tenente, proposta a fazer em breve ao marquês de Alegrete. Depois, ao ouvir que o pirata se escapara, perguntou:

– Eles estavam a atacar a Casa da Moeda?

Bernardino narrou o episódio: o engano do jovem sargento, os meliantes apontando-lhe as pistolas, a atuação dos soldados. Não se chegara a perceber as reais intenções dos piratas, mas boas não eram certamente.

Sebastião José comentou, um leve sorriso nos lábios:

– Então, a partir de agora, é um criminoso e um inimigo do reino. Há que encontrá-lo e matá-lo.

Bernardino descreveu a morte brutal do árabe, mas viu, com surpresa, que Sebastião José franziu o sobrolho:

– Não foi inteligente. Vivo, o outro iria tentar salvá-lo.

Tal dedução escapara a Bernardino, que encolheu os ombros, justificando o bárbaro fuzilamento com a fúria dos soldados.

– E a mulher? Não estava com eles? – perguntou o ministro.

Ninguém fora encontrado nas redondezas, explicou Bernardino. Sebastião José manteve-se calado e novos assuntos distraíram a sua atenção. Só a meio da tarde, quando o ministro recebeu o embaixador inglês, Abraham Castres, é que o tema regressou inesperadamente. Em audiência, o embaixador relatou as agruras da sua comunidade. Já perto do final, pediu a atenção do ministro para a estranha história de um comerciante inglês, antigo capitão da marinha de Sua Majestade, e que vivia presentemente em Lisboa. De seu nome Hugh Gold, apresentara-se pela manhã na sua residência e contara-lhe que estivera prisioneiro de alguns homens que se preparavam para atacar a Casa da Moeda.

Ao escutar esta referência, Sebastião José sugeriu que se mandasse chamar o britânico, para que a narrativa dos factos fosse mais fidedigna. Foi assim que Bernardino conheceu Gold, e ficou a saber quem eram os nossos acompanhantes: a rapariga bonita, chamada Margarida; e também um rapaz, de doze anos, que procurava a sua irmã gémea, supostamente ainda viva debaixo dos escombros da casa de ambos.

Perante um interessadíssimo ministro, Hugh Gold descreveu a anarquia no Terreiro do Paço, os gangues de escravos, de bandidos de todas as nacionalidades, que faziam da praça lisboeta uma arena de lutas, e depressa descobriu que o ministro estava mais preocupado em saber o paradeiro de Santamaria.

– Well, he is trying to fugir de Lisboa. He needs a barco... He wants the ouro to buy a barco...

Sebastião José interrompeu-o:

– Ele é português?

Sim, disse o inglês, era um português, abandonado há muito tempo pelo rei anterior, D. João V, preso pelos árabes, e que se tornara também um pirata.

– E ele disse qual era o seu nome português?

– Hell, no! – respondeu Gold.

Sebastião José pensou uns momentos e depois perguntou:

– Ele disse-te que me conhecia?

O inglês ficou deveras surpreendido pela pergunta.

– Good lord, no! Não, your excelência... But, you know Santamaria?

Sebastião José encolheu os ombros, mas Bernardino notou um ligeiro alívio nas suas feições:

– É um bandido, estava preso no Limoeiro. Tentou atacar o meu coche. Foi no dia do terramoto, à tarde.

Gold ficou boquiaberto:

– Good lord! He attacked your excelência?

O ministro do rei fez nova pausa e depois voltou a interrogar o inglês:

– Porque é que ele decidiu atacar a Casa da Moeda? Segundo o sargento que a estava a guardar, ele nunca apareceu por lá nos primeiros dias.

Aqui, Gold ficou constrangido:

– Well, my fault, my culpa... The day before, he wanted to kill me, queria my dinheiro... I told him Casa da Moeda only had um soldado... I had talked with the sargento, in primeiro dia, he was sozinho...

Sebastião José olhou-o, sem qualquer expressão. O inglês continuou:

– Well, levei-os there, but... bandits attacked, eu fugir!!!

378

Tanto o embaixador como Sebastião José permaneceram calados.

– It was a pesadelo, a nightmare! – justificou-se o inglês.

Repescou o fogo no Paço, os conflitos, os mortos, os ataques. Os outros não o interromperam, fascinados com aquele relato vivo dos acontecimentos daqueles dias.

– Good lord, I was lucky, sorte eu alive...

Sebastião José concordou. Depois, disse:

– O outro pirata, um árabe, morreu. Mas a rapariga e o rapaz não foram vistos, e o tal Santamaria caiu ao rio. A corrente deve tê-lo levado de volta para a cidade. Para onde achas que podem ter ido?

Gold ficou agitado:

– Hell, back to the cidade? But, porquê? He has nothing in cidade! He could go to Mocambo, to escrava, black girl!

Sebastião José franziu o sobrolho:

– Mocambo? Madragoa! Mocambo é o nome que lhe dão os escravos! Mas isso é para o lado da foz do rio, não para cima. Para chegar à Madragoa vai ter de cruzar-se com os nossos soldados.

Gold interrompeu-o:

– Santamaria is rápido, very inteligente. He will escape soldados... He is going para Mo..., para Madragoa, sorry.

Sebastião José sorriu, contente com a correção do nome.

– E a rapariga e o rapaz? – perguntou.

– Hell, don't no! – respondeu Gold. – The girl has medo, muito medo. She has medo of the fires. Maybe she will leave cidade. The boy... he is determinado, he wants to find irmã...

Sebastião José matutou um pouco mais e depois perguntou:

– Onde fica essa casa, a tal onde está a menina soterrada?

Gold descreveu o local, acrescentando que estivera por lá a ajudar o rapaz, o mesmo se passando com Santamaria.

– Então – disse o ministro do rei – é essencial enviar um grupo de soldados a essa casa, procurar essa gente. Se aparecerem, vai ser lá. E tu tens de ir com eles, para os orientar.

Ficou ali determinado que se enviaria uma expedição militar, com Gold e o escrivão, no dia seguinte pela manhã, à casa do rapaz. No final da audiência, e depois de os ingleses terem partido, Sebastião José informou Bernardino de que ele mesmo deveria ir, na manhã seguinte, na sua carruagem, primeiro para observar as procissões de Malagrida, no Rossio, e depois para conferenciar com Monsenhor Sampaio, que permanecia na Sé. De caminho, veria o que se conseguia obter junto à casa do rapaz. Não acreditava muito na possibilidade de encontrarem o pirata, mas talvez localizando a rapariga soubessem dele.

Para os seus botões, o escrivão não deixou de notar que Sebastião José ficara aliviado com o facto de o inglês não saber que Santamaria era um velho conhecido do ministro. Isso significava que o pirata não andava a espalhar uma velha história, passada muitos anos antes, e que incomodava verdadeiramente Sebastião José...

46

Deixei-me levar pelo rio. A água estava muito fria e, passado pouco tempo, senti os músculos do corpo contraírem-se. Não era boa ideia permanecer dentro de água, mas a minha desolação interior bloqueava-me as ações. A corrente, junto à margem, empurrava-me no sentido do Terreiro do Paço. Em frente a Remolares, observei as ondas a rebentarem na areia, levando e trazendo destroços. O rio agitava-se naquela zona, e soube que era chegado o momento de o deixar, pois arriscava-me a ser empurrado por novas correntes para longe de terra. Sabia nadar, mas a temperatura do meu corpo continuaria a baixar. No meio do rio, morreria. Nadei para a praia e deixei-me ficar sentado na areia, cansado, a tremer de frio e de impotência.

Há uma semana que não conseguia deixar a cidade. Primeiro, inebriara-me com a liberdade, fugindo do Limoeiro, mas nunca a garantira na totalidade. Estivera perto, mas a onda gigante vencera-me, devolvendo-me, implacável. Depois, procurara fugir por terra, mas a meio do caminho mudara de ideias, regressando ao rio. Fora um grave erro. Se naquele primeiro dia, em vez de voltarmos na carruagem do nobre, eu e Muhammed tivéssemos saído de Lisboa, provavelmente ele não teria morrido e ambos estaríamos bem longe.

Não o havíamos feito e andáramos aos ziguezagues, fugindo ao fogo, procurando comida, tentando arranjar dinheiro. Encontráramos as freiras, o rapaz, o inglês e a escrava; lutáramos com o Cão Negro e com os soldados, e acabáramos pior do que havíamos começado. Sentia-me responsável pela morte de Muhammed. O árabe era meu amigo e à sua maneira era-me leal. Ao longo de mais de uma década, fora um precioso auxiliar nos mares. Diversas vezes, no decorrer daqueles dias, chamara-me à razão, relembrara-me de que não podia colocar a rapariga bonita em primeiro lugar, avisara-me de que essa seria a minha perdição. Afinal quem pagara esse alto preço fora ele, primeiro com os ferimentos que o haviam debilitado, e depois com a morte, na Casa da Moeda.

A culpa fora minha. Todas as decisões erradas daqueles dias haviam sido minhas, e ele seguira-me, sempre amigo, embora me recordasse que íamos no caminho errado, o que tornava a minha culpa ainda mais dolorosa. Muhammed fora lúcido, todos os dias. Não estava toldado pelos sentimentos, como eu. Apaixonado por Margarida, deixei de pensar como um fugitivo, cuja liberdade é o único objetivo, e passei a fazê-lo em função dela, guiado pelo desejo de estar junto a ela, de protegê-la, esquecendo entretanto as prioridades da fuga.

No final, perdi tudo. O meu amigo morrera, eu não fugira de Lisboa e, ainda por cima, separara-me de Margarida. A minha patética epopeia acabara no vazio. Nada me restava. Mesmo a liberdade presente era incerta, provisória. O cerco dos soldados apertava-se, conseguia sentir isso na praia de Remolares. Onde antes se viam bandidos, agora só se escutava silêncio. Os malfeitores ou tinham sido mortos, ou escorraçados. A anarquia sumira-se. Os soldados de Sebastião José haviam limpo a cidade dos seus ratos de esgoto. O único que sobrava era eu...

Recordei as palavras de Abraão sobre o bem e o mal. Já praticara o mal naqueles dias, roubando e matando. Contudo, por mais que procurasse, não encontrava um bem que tivesse praticado. Sim, ajudara Muhammed no barco, quando a onda gigante nos atingiu, e talvez lhe tivesse salvo a vida. Sim, ajudara Margarida quando ela fora atacada, primeiro por um desconhecido, depois pelo Cão Negro. Mas seriam esses atos um bem em si mesmo? Ajudara apenas um amigo e uma mulher que desejava, pessoas que me interessavam. Não ajudara ninguém que desconhecesse.

Lembrei-me de Ester. A noite com ela libertara-me dos meus fantasmas, abrindo uma porta para o mal interior, mas nada mais do que isso. A maldade saíra, mas a bondade não entrara. E para o demónio sair de dentro de mim fora necessária a inebriante luxúria de uma mulher. O sexo, o prazer, os desejos carnais tinham sido o lavatório dos meus abismos, mas não eram a limpeza. Dentro da minha alma, só encontrava ressentimentos, contra Portugal ou contra Sebastião José, ou paixões do coração e do corpo pela rapariga bonita.

Nada disso era o bem. Amava Margarida, o que, apesar de me fazer sentir vivo, não fazia de mim um homem melhor. Antes pelo contrário. Amar fizera nascer em mim o monstro dos ciúmes, uma irracionalidade primitiva com um potencial de destruição infinito. Sentira vontade de matar o inglês, quando percebi que ele dormira com Margarida. Amar expandia-me, mas também me transformava num ser mais perigoso.

Contudo, valeria a pena continuar, a não ser para viver esse amor? Em Portugal, era um proscrito e regressar à pirataria parecia-me um absurdo. Muhammed era o último elo de ligação a esse mundo sem leis, onde vivera durante tanto tempo. Sim, tinha saudades do mar e dos barcos, mas ali naquela praia, em frente ao rio Tejo, dei-me conta de que reiniciar uma vida de nómada das ondas, voltar ao roubo e ao saque, ao sangue e à morte, era uma visão desagradável do futuro.

Aos quarenta anos, esse parecia um caminho sem sentido. Para mais, se por qualquer golpe do destino conseguisse reencontrar Margarida, não lhe podia oferecer como futuro a pirataria. O seu ambiente, agreste e violento, não era uma oferta digna de uma rapariga bonita.

Uma falua chegou à praia, com dois pescadores. Encalharam-na na areia e depois embrenharam-se na cidade destruída, deixando-a sozinha. Observei-a, o meu dilema agudizado pela sua presença. Se quisesse, podia saltar para dentro dela e fazer-me ao rio, desaparecendo de Lisboa para sempre. Atravessaria o Tejo e depois fugiria, a pé, na direção dos Algarves. Nada mais fácil do que pegar naquela falua. E, no entanto... não sentia vontade de o fazer.

Finalmente levantei-me e durante horas vagueei pela cidade, no meio das cinzas e dos cadáveres malcheirosos. A meio da subida para o Bairro Alto, tive de recuar. Os soldados batiam a zona e observei-os enquanto fuzilavam mais quatro homens, certamente saqueadores.

Desci, no sentido do Terreiro do Paço, mais uma vez. A praça, que ainda ontem era um festival de vadios e malfeitores, encontrava-se agora quase vazia. Havia Dragões de Évora em vários pontos. Cercavam os últimos salteadores, confiscando-lhes as armas e depois obrigando-os a subir para uma carroça. Dali não podia passar.

De súbito, tive uma ideia. Sim, era uma última oportunidade que tinha de praticar o bem. Podia tê-lo feito antes, mas sempre o recusara, egoísta. Agora, era a última coisa decente a fazer. Decidido, larguei o Terreiro do Paço discretamente e subi na direção da casa do rapaz. Iria tentar encontrar a irmã dele, viva ou morta.

A meio da tarde, não se via vivalma nas redondezas. Os incêndios haviam deixado uma herança de carvões em brasa e colunas de fumo. Descobri o buraco no chão e desci. Mal entrei no túnel, ouvi o ladrar do cão.

Admirei a extraordinária fidelidade daquele ser. Regressara ali sozinho, aquando da nossa fuga da Rua da Confeitaria, e ficara, como o rapaz dissera, junto da casa. Era um bom sinal. Os animais cheiram a morte primeiro do que as pessoas, e se a menina estivesse morta ele ter-se-ia afastado. A sua satisfação ao ver-me, o frenesim com que abanava o rabo e a sua persistência em permanecer no local eram motivos de grande esperança.

Recomecei a remover o entulho e passei horas a transportar detritos para fora do túnel. Mas por mais que me esforçasse não me sentia mais próximo da menina. Chamei-a várias vezes, mas só o silêncio me respondeu. A quantidade de entulho entre nós não diminuía. Pelo contrário, quanto mais retirava, mais caía, soltando uma poeira fina que me intoxicava.

Sempre que chamava pela menina o cão ladrava, como que para me dar alento. Já a noite tinha caído quando me assustei seriamente. Ao remover uma trave mais pesada, provoquei um desmoronamento e magoei-me com a queda de vários pedaços de argamassa e tijolo. Cansado e frustrado, decidi sair do túnel, e fui a pé até à fonte, para beber água. Estava também com muita fome, mas não consegui encontrar alimentos. Ao longo do caminho, mantive o cão ao meu lado, pois muitos outros cães vasculhavam os destroços, uivando e ladrando uns aos outros. Mas não encontrei vivalma. A cidade fora definitivamente abandonada.

Regressei à casa, com uma vasilha cheia de água. Entrei no túnel e, exausto, encostei-me a um canto e adormeci. Fui acordado de madrugada por mais uma réplica. Assustado, o cão fugiu. Ouvi, por cima de mim, madeiras e estruturas a ranger. Temi um desabamento e vim cá para fora.

Uns momentos depois ouvi um pequeno grito e o meu coração falhou um batimento. Não havia uma alma em redor, e para mais o grito nascera debaixo do chão. Contudo, não viera do local onde pensava estar a menina, mas sim de um ponto mais distante. Na verdade, parecia-me que o grito saíra das traseiras do prédio. Admirado, dirigi-me para lá, contornando o que restava do edifício. Em linha reta, contei cerca de quinze metros entre a entrada do túnel e as traseiras, onde agora me encontrava. Calculei não ter percorrido nem metade dessa distância debaixo de terra, pois o túnel teria cinco metros, no máximo.

E se a rapariga estivesse mais próxima das traseiras? Se ela, antes do terramoto, se encontrasse no fundo da cave, então seria algures debaixo do local onde eu parara que devia ter ficado soterrada. Procurei uma entrada, uma porta ou uma janela, que me permitisse descer à cave. Andei mais de vinte minutos, para a frente e para trás, sem ter sorte, até que ouvi de novo um gemido, um pouco para a direita dos meus pés, e o meu pulso voltou a acelerar.

O cão também o ouviu e ladrou. Enfiou o focinho num aglomerado de madeiras e corri para junto dele. Foi então que vi uma abertura no chão, uma espécie de escadaria, com alguns degraus, talvez a porta das traseiras do edifício original. Entusiasmado, comecei a remover o entulho, carregando pedras e madeiras, afastando os vidros, os bocados de pedra e de ferro dos varandins, os carvões, tirando tudo para o lado, para conseguir descer por aqueles degraus. Era quase impossível descer de pé, e cheguei à conclusão de que a minha única hipótese era entrar de cabeça, com as mãos à frente da cara, apoiando-me nos degraus.

Bebi mais um gole de água e bufei. Sentia-me estranhamente feliz por estar a tentar salvar a vida de uma menina que não conhecia. Fiz umas festas ao cão e lancei-me naquela fenda, apoiando as mãos nos degraus de pedra, sustendo o peso do meu corpo de forma a não cair para a frente.

A luz do novo dia que nascia permitiu-me observar que a porta já não existia. Talvez tivesse caído para dentro, e isso facilitou-me a empreitada, pois consegui, mal cheguei à soleira, sentar-me e endireitar-me, voltado para a escuridão da cave.

Enquanto procurava habituar os olhos à penumbra, nas minhas costas ouvi o ladrar furioso do cão, protestando por o ter deixado para trás. Sorri. O animal era mesmo persistente. Mas, para alargar o espaço por onde entrara, teria de perder algum tempo e isso não era prioritário.

Foi então que a vi. A cerca de três metros, deitada no chão, presa por traves, pedras, partes da porta. Viva, abanava a cabeça de um lado para o outro e abria e fechava a boca, como se quisesse falar. Agitada, num desvario, a minha primeira preocupação foi aproximar-me devagar, para que nada saísse do lugar.

– Assunção, Assunção?

Ao ouvir-me, a rapariga desatou num pranto.

– Não te mexas, é perigoso! – gritei. – Fica quieta! Vou tirar-te daí!

Repeti-me até me certificar de que compreendera. Ficou mais calma. De repente, vi que tinha na mão direita uma faca. Com serenidade, abri-lhe a mão e retirei a faca. Fez um olhar aterrorizado e soltou um grito angustiado. Procurei acalmá-la e pousei a faca no chão, afastada dela. Reparei na existência de sangue pisado na lâmina, e na minha cabeça formou-se uma imagem do que podia ter acontecido... Mas concentrei-me primeiro em tentar libertá-la.

Consegui remover a maior parte dos escombros à sua volta, e verifiquei que um grande pedregulho lhe prendia as pernas. Fora isto que a impedira de sair dali. O mais certo era ter ambas partidas, além de sangue na cabeça. Devia ter desmaiado várias vezes, durante aqueles dias, mas, extraordinariamente, tinha sobrevivido.

Durante algum tempo examinei a pedra. Depois, com a ajuda de uma trave, consegui afastá-la ligeiramente. Escavei o chão, junto às pernas da menina, e uma hora mais tarde consegui libertá-la. Tinha as duas esmagadas, e era evidente que estava impossibilitada de andar. Sozinho não a conseguiria tirar dali. Por muito que me custasse, teria de a deixar algum tempo.

Quando lho disse, agarrou-me o braço com força e gritou:

– Não, por favor, não me deixes sozinha!

Expliquei-lhe que precisava de ir buscar ajuda, mas ela só chorava e implorava-me que não a abandonasse. De repente, berrou:

– Ele vai matar-me!

Franzi a testa e perguntei:

– Quem?

– O meu padrasto! Vai matar-me, se me deixares sozinha!

Era esse o seu medo e tranquilizei-a com a verdade:

– O teu padrasto morreu durante o tremor de terra.

Apontei para o outro lado da cave.

– Está ali.

Acalmou-se e por instinto olhou para a faca, mas evitei interrogá-la. Tinha sofrido muito, não era altura de falar sobre o que se havia passado antes dos abalos. Contudo, para meu espanto, não foi capaz de ficar calada:

– Ele queria magoar-me, queria fazer coisas horríveis comigo!

Contou-me o que eu já adivinhava. Pouco antes de irem ter com a mãe e com o irmão, à missa em São Vicente de Fora, o padrasto começara a abraçá-la, à porta, com sugestões físicas. Tentara escapar, mas ele não a deixara, e fugira para dentro de casa, esbaforida. Correra para a cozinha e pegara numa faca. Ameaçara-o, mas ele continuara a tentar agarrá-la. Assustada, descera para a cave, ameaçando magoá-lo se não a deixasse em paz, e escondera-se atrás de um armário. Entusiasmado, ele descera à cave, descobrira-a e agarrara-a de novo. Fora aí que ela, num movimento brusco, o golpeara com a faca. No escuro, Assunção nem vira bem onde o ferira, mas ele levou as mãos à garganta, emitindo estranhos sons. Ela desatara a correr de novo, mais para o fundo da cave, a caminho da porta das traseiras, e foi aí que o primeiro abalo a colheu. Na confusão, ficara presa pelas pedras. Quando os outros abalos vieram, a sua situação piorou. Desmaiara, caíra-lhe alguma coisa na cabeça. Não sabia quanto tempo passara, só se lembrava de acordar e adormecer várias vezes. Ouvira vozes, mas temera que fosse o padrasto, e calara-se.

Quando os fumos e os incêndios chegaram, sentira-se a morrer, mas aguentara as altas temperaturas, o ar quase irrespirável e, apesar de estar morta de sede e de

fome, mantivera-se quieta, até que escutara mais barulhos e voltara a chamar.

– Pensei que era a minha mãe – disse a menina.

Não sabia que haviam passado tantos dias, muito
menos que a mãe estava morta, e eu não quis dizer-lhe.

– O teu irmão tentou encontrar-te e chamou por ti
várias vezes.

– Onde é que ele está?

Falar no irmão agitou-a muito e menti-lhe para a acalmar:

– Está lá para cima, junto à Sé.

– Por favor, chama-o, quero vê-lo!

Prometi-lhe que o iria chamar. Depois, peguei na faca,
limpei o sangue seco às minhas calças e disse-lhe:

– Não te preocupes mais com o que se passou, não
interessa. Esta faca nunca existiu.

Coloquei a arma no cinto e ela ficou surpreendida.
Fiz-lhe uma festa na testa.

– Promete-me que não te vais mexer. Tens de te manter quieta. Não demoro mais de meia hora. O teu cão
vai ficar ali, à entrada, a guardar-te.

A rapariga sorriu ao ouvir falar no cão:

– Ele está aqui?

– Está lá fora – respondi.

Foi nesse instante que vi um medalhão no seu pescoço. Ia perguntar quem lhe tinha dado tão bela joia
quando um enorme abalo, o maior e mais violento daqueles dias, nos fez gritar de terror. A última coisa de que
me lembro foi de ter tentado cobrir a menina, protegendo-a com o meu corpo.

47

Só quando nos reunimos pela última vez, soube que Margarida e o rapaz haviam ficado escondidos no casebre arruinado, e assistido ao ataque dos soldados, à morte de Muhammed e à minha fuga para o rio. Margarida, no início, não contivera um grito, o tal que eu escutara antes de ser fustigado pela primeira descarga de balas dos soldados. Mas depois o rapaz conseguira acalmá-la, tapar-lhe a boca para ela não os denunciar com o seu desespero.

Em silêncio, assistiram ao fuzilamento, ao remover do corpo do árabe e à partida dos soldados, acompanhados de um homem de casaco azul – eles não sabiam quem era Bernardino –, enquanto cerca de dez soldados ficavam para trás, de guarda ao edifício e ao ouro.

O grupo que partiu afastou-se e o grupo que ficou entrou para o pátio da Casa da Moeda, e foi só nessa altura que o rapaz se sentiu confiante para dizer:

– Vamos para o Mocambo, como disse Santamaria.

– Não! – gritou Margarida.

Justificou-se: não queria pedir ajuda à escrava. O rapaz percebeu que ela estava com ciúmes e disse:

– Não faz sentido, não penses assim. Santamaria disse que ia para lá, tens de ir ter com ele.

A rapariga bonita barafustou, mas acabou por ceder, e os dois saíram do casebre e começaram a andar para a Madragoa, junto ao rio. Contudo, algum tempo depois, deram com uma barreira de soldados, que os parou e impediu de ir nessa direção.

– Ninguém passa para aqui – disse um dos Dragões de Évora. – Vão para o Terreiro do Paço e fiquem lá.

Então, voltaram para trás, sem saberem bem o que fazer, e quando passaram Remolares decidiram subir para o Bairro Alto, pois temiam os bandidos no Terreiro do Paço.

– Só nós dois não sobrevivemos – disse o rapaz.

Margarida concordou, mas quando lá chegaram viram mais uma barreira de soldados que os impedia de prosseguir, e que os obrigou a descerem ao Rossio. Margarida tinha receio de lá voltar, mas o rapaz disse-lhe que ninguém a ia reconhecer assim vestida. Foram descendo e com eles ia um destacamento de soldados, que o rapaz achava serem os que tinham protegido a Casa da Moeda de manhã.

– O chefe é o mesmo – disse ele à rapariga bonita.

Ela encolheu os ombros: o capitão não os vira, não lhes podia fazer mal, e o homem de casaco azul já não estava com eles. Por isso, foram andando, sem se preocuparem. O rapaz estava intrigado com um saco que o capitão trazia a tiracolo e de onde pingava sangue, mas só quando chegou ao Rossio é que percebeu que continha a cabeça de um homem, pois o oficial dirigiu-se ao centro da praça, onde mais de dez estacas com cabeças cortadas se exibiam, para que todos vissem.

Aí, o capitão abriu o saco, retirando dentro dele uma cabeça, e espetou-a numa estaca, ao lado das outras. O rapaz ouviu Margarida a gemer:

– Ó meu Deus...

A cabeça que o oficial pendurara era a de Muhammed. Ao lado deles, alguns populares aprovaram a ideia, pois assim os outros bandidos acabavam com os assaltos e as matanças. Margarida não conseguiu voltar a olhar para o centro da praça e escolheram o canto do Rossio mais próximo de casa do rapaz. Só que lá também estava um grupo de soldados, que não lhes deu autorização para subirem à Sé. O rapaz bem tentou explicar que precisava de ajudar a sua irmã soterrada, mas não serviu de nada.

Desiludidos e sem objetivo, passaram ali a tarde, sentados no chão. Ao pôr do Sol, alguns frades distribuíram comida e água. Ouviram o anúncio de que, na manhã seguinte, seria organizada uma procissão e, quando a noite chegou, deitaram-se debaixo de uma carroça abandonada e taparam-se com trapos que alguém deixara para trás.

Estava uma noite fria, mas mesmo assim só acordaram de madrugada, com um poderoso abalo de terra, que levou muitas pessoas a gritarem. Depois, a terra acalmou, e eles voltaram a tentar dormir. Margarida sentiu-se a sonhar, numa terra estranha, onde havia gente a rezar muito alto. Acercou-se dela um menino, mais novo que o rapaz, talvez com sete ou oito anos, que vinha cheio de frio, com o tronco nu e apenas um saiote e umas sandálias. Carregava duas asas brancas, penduradas nas costas, e assemelhava-se a um anjo. O «menino com asas» estendia a mão direita, convidando-a a ir com ele. Margarida teve de repente a sensação de que não estava a sonhar e esfregou os olhos.

À sua frente, estava mesmo o «menino com asas», que a chamava:

— Vem, vem connosco, na procissão, tenho umas asas para ti!

Margarida percebeu que o «menino com asas» não estava a falar com ela, mas sim com o rapaz, que continuava deitado. Era ele que o «menino com asas» queria na procissão.

No centro do Rossio, muitos «meninos com asas» estavam reunidos. Eram talvez trinta ou quarenta, todos seminus e com asas brancas, como se fossem pequenos anjinhos. Depois, espalhados por vários pontos da praça, outros tentavam convencer mais crianças a participar também na procissão.

Além dos «meninos com asas» havia muitos frades, com os seus capuchos e as suas vestes, e muitos padres vestidos de branco, todos carregando cruzes de madeira nos braços. E além destes havia os penitentes, de vestes pobres, ajoelhados no chão. Alguns, com chicotes nas mãos, tinham despido a parte de cima das suas vestes, ficando de tronco nu.

À cabeça de todos encontrava-se um homem de hábito branco, já velho, e o rapaz identificou-o:

– É o padre Malagrida, confessor do rei.

Vira-o várias vezes na Sé e em São Vicente de Fora, e ouvira os seus sermões, onde ele lembrava que Lisboa era uma cidade de pecadores e que iria ser castigada.

– Tinha razão – comentou o rapaz.

Margarida não conhecia aquele padre, mas já ouvira falar muito dele e da influência que tinha sobre a Inquisição portuguesa. De certa forma, era por causa de homens como ele que fora condenada. Enxotou o «menino com asas», irritada.

– Devias servir a Deus – ripostou o «menino com asas». Ele castigou-nos e agora temos de nos arrepender.

Desistiu de arregimentar o rapaz, e observaram-no a juntar-se aos outros «meninos com asas». Pouco depois, o padre Malagrida mandou a procissão avançar e surgiram dois andores, carregados por frades, que transportavam respetivamente uma imagem de Nossa Senhora e outra de Jesus Cristo. A procissão iniciou-se junto ao lado oposto do Rossio, e prosseguiu, dando a volta à praça. Ouviu-se o estalar dos chicotes, os homens de tronco nu a fustigarem-se nas próprias costas. Quando passaram à frente de Margarida e do rapaz, muitos já tinham os costados em sangue, mas continuavam, ferindo-se cada vez mais.

Malagrida ia rezando pai-nossos e ave-marias e, quando a procissão terminou a sua primeira volta à praça, começou a gritar, numa espécie de homilia ou discurso, acusando os habitantes de Lisboa de serem pecadores e a cidade de ser como Sodoma e Gomorra, que tinham sido transformadas em cidades de sal por Deus, como vinha escrito no Antigo Testamento.

Ouviam-se constantes gritos de misericórdia e, de repente, Malagrida avançou, em dedo em riste, na direção das estacas onde estavam espetadas as cabeças dos bandidos. Margarida e o rapaz alarmaram-se, pois ele indicava a cabeça decepada do árabe:

— Os castigos de Deus são muito piores do que cabeças cortadas — gritou Malagrida. — Não é cortando-as que o pecado da cidade acaba! Só através do arrependimento, da entrega a Deus, do perdão aos pés de Cristo, é que lavamos a alma.

Fulminou com o olhar Muhammed e gritou:

— Quem te cortou a cabeça não teme a Deus!

Depois, virou-se para trás e exclamou, aos berros:

— Arrependei-vos! Rezai, penitenciai-vos! Deus é grande! Deus não usa a espada, mas a Bíblia!

A multidão respondeu-lhe, em coro:

— Perdoai-nos, senhor, dos nossos pecados! Perdoai-nos, senhor!

Os gritos subiram de tom, numa espiral de fervor, e os «meninos com asas» batiam as suas asas, cantando, enquanto os penitentes multiplicavam chicotadas, cada vez mais violentas. Margarida não sabia o que pensar daquela exibição absurda de fé, inútil perante a destruição que grassava à volta deles. Olhou para o céu. O dia estava a nascer e ela não sabia o que fazer, para onde ir. De súbito, ouviu uma voz:

— Eu ti disse que Jisus ia chegar! Eu ti disse!

Ao seu lado, estava o «profetista»! Vestido como um excêntrico, com um casaco de grandes mangas que lhe dava um ar de palhaço, mantinha os mesmos olhos sangrentos que ela conhecera na cadeia.

— Por onde andaste? — perguntou Margarida.

— Procurando Jisus — respondeu o brasileiro.

O rapaz franziu a testa, olhando para Margarida, e ela explicou:

— É um homem que conheci há uns dias.

O «profetista» sorriu ao rapaz e disse:

— Cê já encontrou Jisus? Cê já encontrou Jisus?

O rapaz abanou a cabeça, dizendo que não.

– E cê procurou?

O rapaz não disse nada, nem fez nenhum gesto, e o outro prosseguiu:

– Jisus está a chegar... Eu vi ele ontem, a passear no meio da praça...

Margarida deu-se conta de que o «profetista» estava ainda mais alucinado do que já era, talvez devido à fome, ao frio, à sede, e sabe-se lá a que mais dificuldades que havia vivido naqueles dias.

– O fim do mundo tá aqui à nossa frente e Jisus tá chegando, eu vi-o – repetiu.

Curiosa, Margarida perguntou-lhe:

– Porque deste o meu fio ao carcereiro?

O «profetista» olhou para ela, espantado, e respondeu:

– Cê também viu Jisus? Ondji? Eu vi ele ontem...

Não valia a pena conversar com ele, e Margarida e o rapaz deixaram-se ficar calados, ouvindo as diatribes do «profetista», enquanto observavam a procissão dar mais uma volta à praça, sempre conduzida por Malagrida.

Contudo, a dada altura ouviu-se um burburinho, junto do Convento de São Domingos, e viram aparecer uma carruagem, seguida por muitos soldados, alguns deles a cavalo, que ignorou a procissão e dirigiu-se ao centro da praça, para junto das estacas com as cabeças cortadas.

Um homem muito alto saiu de dentro do veículo. Margarida e o rapaz não sabiam quem era, mas atrás dele saiu também o homem de casaco azul que haviam visto na véspera junto à Casa da Moeda, e um pouco atrás o capitão Hugh Gold.

– Ah – exclamou a rapariga bonita.

O rapaz levou um dedo à boca, dizendo-lhe que ela se calasse, e ao seu lado o «profetista» exclamou, aos berros, apontado para Sebastião José de Carvalho e Melo:

– Esse não é Jisus! Esse não é Jisus!

Desengonçado, desatou a trotar para o centro da praça, aos berrinhos:

– Esse não é Jisus! Esse não é Jisus!

Margarida e o rapaz esconderam-se, pois nesse momento os três ocupantes da carruagem olharam na direção deles. Mas os homens estavam apenas surpreendidos pelos gritos do «profetista», que julgavam um louco. O mais alto mandou os soldados verem-se livre dele, o que eles fizeram, agarrando-o e afastando-o dali, aos berros, repetindo a sua lengalenga.

Então, Gold aproximou-se das estacas, apontou para a cabeça de Muhammed e elucidou os outros homens. Margarida e o rapaz não conseguiam ouvi-los, e ainda menos quando o padre Malagrida se aproximou.

Uma pequena polémica estalou no meio da praça e o homem mais alto do grupo discutiu fortemente com o jesuíta, e pelos gestos parecia estar a mandar suspender a procissão. Margarida disse-me depois que a última coisa de que se lembrava era de ter olhado para «os meninos com asas», todos alinhados, muito calados, a observarem a discussão entre o padre e o ministro do rei.

Nesse momento, deu-se mais um colossal abalo de terra, o maior desde o terramoto do dia 1 de novembro, e todos na praça gritaram. A carroça onde eles estavam tombou. Margarida e o rapaz deram um salto para o lado e aí este reparou que já não havia soldados no canto da praça que dava para a Sé. Desataram a correr, aproveitando a enorme confusão que se gerara, e rapidamente saíram da praça.

Quando estavam quase a chegar à casa do rapaz, viram uma comitiva a vir em sentido contrário. Eram cerca de quinze pessoas, comandadas por Monsenhor Sampaio. O patriarca passou por eles e parou. Reconheceu o rapaz e deu um passo atrás. Os seus acompanhantes pararam, uns metros à frente, à espera.

Margarida observou uma das mulheres, mas esta tapou a cara de imediato e a rapariga não conseguiu confirmar se era quem lhe parecia, irmã Alice.

Monsenhor Sampaio perguntou:

— És tu o mesmo rapaz que há uns dias me foi pedir ajuda?

– Sim – disse ele.

– Estavas à procura da tua irmã, não era?

– Sim – respondeu o rapaz.

– E já a encontraste?

– Não. Vamos continuar agora. Tenho a certeza de que ela ainda está viva.

Monsenhor Sampaio ficou admirado com a sua persistência.

– Continua a acreditar. Talvez Deus faça mais um milagre. Anteontem ainda conseguimos salvar dois homens.

– E ontem? – perguntou o rapaz.

Monsenhor fez um sorriso triste, mas não respondeu.

– Onde fica a tua casa? – perguntou.

O rapaz apontou na direção da casa e acrescentou que iam para lá agora. Monsenhor Sampaio disse:

– Tenho de ir ao Rossio, o ministro do rei está à minha espera. Mas quando regressar passamos por lá, para te ajudar.

O rapaz sorriu e agradeceu:

– Obrigado.

Monsenhor Sampaio voltou para junto dos seus e todos partiram. A mulher que escondera a cara olhou de repente para Margarida e foi nesse momento que ela teve a certeza de que era irmã Alice.

– Viste-a? – perguntou Margarida, agitada.

– Quem? – perguntou o rapaz.

– Irmã Alice.

O rapaz ficou espantado.

– Não reparei.

– Achas que Monsenhor Sampaio sabe do que se passou e lhe perdoou? – perguntou Margarida.

O rapaz ficou pensativo e respondeu:

– Isso era bom para ti.

Margarida não fez qualquer comentário. O rapaz disse:

– Vamos.

Ao chegarem, ouviram o cão a ladrar e esperavam vê-lo sair pelo túnel. No entanto, não foi isso que aconteceu, o animal saiu por outro lado, junto às traseiras da casa, e veio a correr ter com eles a abanar o rabo, contente. Depois de receber umas festas do rapaz, deu meia volta e começou a correr na direção de onde tinha vindo, e eles foram atrás, sem fazerem qualquer ideia do que iriam encontrar.

48

No Rossio, além de ver a espantosa procissão que ali decorria, onde homens se chicoteavam e meninos carregavam asas brancas, como anjos, Hugh Gold ficou impressionado, pois, quando colocou os pés no chão, estava a poucos metros da cabeça hirta de Muhammed, que tinha os olhos abertos e a língua de fora, e cujo pescoço degolado exibia ainda restos de sangue seco e músculos lassos, que pendiam no ar. Sentiu-se enjoado, mas ganhou coragem e examinou as outras cabeças. Não descobriu a de Santamaria, o que de certa forma já esperava, pois quando, na tarde do dia anterior, haviam decidido ir ao Rossio já se sabia que ele continuava a monte. À porta da carruagem, o ministro do rei enfurecia-se com o padre Malagrida e a sua inoportuna procissão.

– Em vez de ajudarem na recuperação da cidade – comentava Sebastião José –, vêm para aqui chicotear-se e desmoralizar as pessoas... Olha para as caras desta gente!

Bernardino e o inglês observaram as longas filas de penitentes.

– Parecem abúlicos, destroçados, submissos. Tal como Malagrida os quer...

Nisto, um indivíduo andrajoso saltitou na direção deles, aos gritos. Como um pobre louco, gritava disparates sobre Jesus, e Sebastião José, com um único gesto, mandou o capitão da guarda ver-se livre do tonto.

Depois, Gold chamou a atenção para a cabeça de Muhammed:

– Este era o árabe, amigo do pirata.

Bernardino recordou que fora ele quem dera ordens ao capitão para a trazer para ali. Sebastião José ficou satisfeito, mas logo uma voz o irritou. O padre Malagrida chegou, bramando protestos:

– Que ideia, exibir as cabeças cortadas pela espada! Esta praça é o local do arrependimento e da penitência, é a praça de Deus, não a praça da morte!

Sebastião José, apesar de furioso, falou pausadamente:

– Padre Malagrida, está na hora de a sua procissão acabar. Há que alimentar as pessoas e assegurar a ordem.

Com o dedo indicador direito elegeu o alucinado brasileiro, que os soldados carregavam para longe, e acrescentou:

– As suas rezas estão a deixar as pessoas perturbadas.

Irado, Malagrida ripostou:

– A cidade está perdida! Foi castigada! Como Sodoma e Gomorra! É preciso rezar, é preciso a penitência, senão Deus voltará a castigar-nos!

Sebastião José reagiu com brusquidão:

– Padre Malagrida, não vou dizer isto outra vez: a procissão vai acabar e vai acabar já! Estas pessoas têm de sair daqui e ir para os campos!

O padre jesuíta preparava-se para a polémica, mas foi interrompido por um enorme abalo, que sacudiu a terra. Gold fincou os pés no chão, mas a força do tremor foi imensa e o inglês sentiu, por segundos, que o cataclismo ia recomeçar. Contudo, a violência diminuiu para acabar logo de seguida, deixando apenas como recordação uma tremenda balbúrdia.

Mais ruínas em redor do Rossio tinham tombado, libertando grandes quantidades de poeira, e soltando detritos que voavam em direções imprevisíveis. Muitos dos que estavam na procissão, incluindo alguns «meninos com asas», ficaram feridos, com sangue na cabeça, nos braços ou nas pernas, e choravam ou imploravam por misericórdia.

Depois do pandemónio, Sebastião José foi o primeiro a reagir e acusou o padre Malagrida:

– Pelos vistos, as suas procissões e os seus arrependimentos não nos servem de nada. Olhe! As pessoas vieram à procissão e acabam feridas!

Gritou ao capitão da guarda:

– Toda a gente para fora da praça, para os campos! Não quero mais ninguém aqui, é demasiado perigoso.

Furibundo, Malagrida sentiu que perdera a batalha. A procissão desintegrou-se, os frades agruparam os «meninos com asas» e conduziram-nos para norte; os que se chicoteavam nas costas pararam com as mortificações; e a maioria dos padres dirigiu-se ao que restava do Convento de São Domingos. Malagrida, benzendo-se constantemente, seguiu-os sem olhar para trás.

No centro do Rossio, as estacas tinham caído e algumas cabeças rolado pelo chão. Gold viu a do árabe aos seus pés, e achou que a cara, desfigurada pela paralisia muscular, se assemelhava a uma máscara de Carnaval. Com um pontapé, afastou a cabeça, que rolou uns metros para longe, como se tivesse de súbito recuperado a vida.

Entretanto, algum tempo depois, chegou da Sé uma comitiva. Bernardino comentou, num murmúrio, junto ao ombro do inglês:

– É Monsenhor Sampaio, o patriarca de Lisboa. Dizem que já salvou dezenas dos escombros.

Monsenhor abraçou Sebastião José com respeito. Comovido, recordou a tragédia: as paróquias e as igrejas destruídas, a morte aos milhares; o desespero das gentes; os bandidos e os saques; os incêndios terríveis; a falta de água e de comida; a organização dos salvamentos.

– Ontem já não havia ninguém com vida. A partir de agora, só por milagre.

Sebastião José perguntou-lhe onde dispusera os cadáveres.

– Temos pilhas deles em frente à Sé. É um espetáculo horrível – reconheceu Monsenhor. – Mas temos de esperar que as igrejas os possam receber, em enterros dignos.

Sebastião José discordou:

– Não podemos esperar mais. É perigoso. Os mortos trazem epidemias e esta cidade não suporta uma doença grave a varrê-la. Os cadáveres têm de ser enterrados. Já.

Impressionado, Monsenhor perguntou:

– Mas, e os ritos religiosos? Não vamos dar às pessoas um lugar na casa de Deus? Como irão reagir os familiares, o povo?

Sebastião José encolheu os ombros:

– Isso não interessa. Os vivos têm sorte em estar vivos e para continuarem vivos temos de evitar as pragas. Os mortos já estão mortos, não vão protestar. Onde são enterrados não é problema para eles.

Monsenhor benzeu-se, arrepiado com a frieza do ministro.

– Mas – perguntou – e onde os enterramos então?

Sebastião José mirou em volta, como se procurasse um lugar apropriado.

– Os que estão junto ao rio serão atirados ao mar, com pedras nos pés, para não virem à superfície. Mas isso é um trabalho demorado, não serve para a grande maioria dos casos.

Olhou para Monsenhor e disse:

– Preciso da sua autorização religiosa para abrir valas para os mortos. Temos de os enterrar todos ao mesmo tempo.

Monsenhor levou a mão à boca, chocado, e voltou a benzer-se. Sebastião José insistiu:

– Não há outra solução. Deixá-los ao ar é um perigo. O cheiro já começa a ser insuportável, e em breve vão começar a espalhar doenças horríveis. Não podemos esperar nem mais um dia!

Contrariado, Monsenhor Sampaio perguntou se o rei sabia de tal projeto e o ministro confirmou a aprovação real. O patriarca deu então a sua autorização, embora não o seu acordo. Ficou determinado que seriam os soldados a enterrar os corpos, que seriam benzidos em grupo pelos padres. Nada disto seria comunicado à população que se encontrava nos campos, para não causar perturbações adicionais.

– Não quero aqui o povo aos berros, a enterrar os familiares – rematou Sebastião José.

Colocando um ponto final na conferência, disse:

– Todos temos de fazer enormes sacrifícios nestes dias. Mas é para o bem da cidade e dos que cá ficam.

Monsenhor benzeu-se pela terceira vez e depois apontou para as cabeças espetadas nas estacas:

– Já quase não há bandidos. Isto serviu como lição, e a maioria fugiu.

O ministro afirmou:

– Ainda há alguns... por aí.

– Poucos, muito poucos. Mas também já quase não há pessoas, a cidade parece vazia, fugiram todos. Ou quase todos. À vinda para cá, só vi um rapazito e uma rapariga. É uma história bonita, no meio desta calamidade. Um irmão que não desiste de procurar a sua irmã gémea, acredita que está viva, debaixo dos escombros.

Ao ouvir Monsenhor, Gold perguntou:

– A boy and one rapariga?

Monsenhor Sampaio descreveu-os o melhor que se lembrava, e Gold afirmou, com convicção:

– It's eles! Where estavam?

Identificado o local, o inglês exaltou-se:

– It's them! Santamaria can estar lá!

O capitão da guarda interveio e recordou que o tinham acompanhado duas pessoas com aspeto semelhante à descrição de Monsenhor, enquanto ele trazia a cabeça do árabe para o Rossio.

– Desceram do Bairro Alto para aqui.

Uma mulher que vinha no grupo de Monsenhor Sampaio chegou-se à frente e disse também:

– Conheço a muaça. Há puaco, quando passámos lá, bia-a.

Sebastião José não estava interessado no rapaz e na mulher, mas deduziu rapidamente que, se o pirata estivesse vivo, estaria por lá.

– Ninguém viu Santamaria?

Irmã Alice disse que o vira uns dias antes, vagueando pela cidade.

– Estava acompanhado por aquele.

Esticou o dedo para a cabeça degolada de Muhammed, benzendo-se depois.

Monsenhor Sampaio interveio:

– Prometi ao rapaz que, quando regressasse à Sé, o iria ajudar a procurar a irmã. É o que vou fazer agora. Seria um milagre se ela estivesse viva, mas nunca se sabe.

Sebastião José acrescentou:

– Os milagres são bons para o moral das populações.

Chamou de novo o capitão da guarda:

– Leva dez homens contigo e acompanhem Monsenhor Sampaio. Cerquem a casa. Se o pirata lá estiver, vai tentar fugir, e quero apanhá-lo.

– Morto ou vivo? – quis saber o capitão.

– Vivo – disse o ministro.

Gold olhou para Bernardino, intrigado com aquela ordem. Então, Monsenhor Sampaio e o seu grupo afastaram-se. Sebastião José recolheu-se na sua carruagem e fez sinal a Bernardino de que queria permanecer sozinho algum tempo.

– Good lord, why Santamaria vivo? – interrogou-se Gold.

– Não sei – respondeu Bernardino. – As suas ordens não se discutem.

O inglês insistiu:

– Hell, he is inimigo, assalted Casa da Moeda!

Bernardino sorriu-lhe:

– A ideia foi tua, por isso, se calhar, é melhor não falares nisso.

Enervado, Gold perdeu a compostura:

– Fucking camel ameaçou kill me!

Bernardino enfrentou-o e perguntou:

– Isto tudo é por causa da rapariga, não é? Na verdade, tu só queres o pirata morto porque assim ela pode ficar contigo.

Gold indignou-se:

– Good lord, no! Girl não interessa! He is assassino!

– É? – perguntou o ajudante do ministro. – Quem o viste matar?

O inglês não perdeu tempo:

– Many! In Rua da Confeitaria!

Bernardino sorriu mais uma vez, condescendente:

– Homens desesperados, com fome, todos à luta por comida. Será que não faríamos o mesmo, tu e eu?

Gold parecia não compreender aquela inesperada absolvição de Santamaria, e protestou:

– I did not kill, ninguém!

– Eu sei – respondeu Bernardino. – Fugiste, em vez de lutar.

Pasmado com a afronta, Gold lembrou-se então da pergunta que Sebastião José lhe fizera, se Santamaria lhe dissera que o conhecia. Lúcido por fim, aproximou-se do escrivão e baixou o tom de voz, de forma a não ser ouvido na carruagem.

– Hey, you conhecem ele? From the passado?

Bernardino coçou o queixo, fingindo desconhecimento:

– Não faço ideia do que estás a falar.

Nesse momento, a voz do ministro chamou-o e dirigiu-se à carruagem. Antes de entrar, virou-se para o inglês e sugeriu:

– Talvez fosse melhor regressares a casa do embaixador. Daqui não demoras muito tempo a pé até Santa Marta.

49

Mais uma vez, tivera sorte. Os desmoronamentos provocados pela última réplica não haviam sido drásticos, só algumas pedras tinham caído por cima de mim e de Assunção. A menina ficara muito agitada, tremendo de medo, e tentei acalmá-la.

– Não me deixes – implorou. – Tenho medo de morrer.

Voltou a perguntar pela mãe e recusei-lhe de novo a verdade. Não me sentia nesse direito. Primeiro, teria de tirá-la dali. Mas para tal necessitava de ajuda. Sozinho, jamais a passaria pelo buraco. Com as pernas tão maltratadas, corria sério risco se a movimentasse mal.

Reparei outra vez no medalhão, pendurado ao seu pescoço. A luz do dia, que agora entrava com mais intensidade, permitia-me examinar o adorno com minúcia. O meu coração agitou-se, como que pressentindo o que a mente ainda recusava como ideia. Bufei, nervoso, e perguntei a Assunção:

– De quem é esse medalhão?

Surpreendida, a menina apertou-o com os dedos.

– Descansa, não to quero roubar.

Esboçou um tímido sorriso:

– Foi a minha mãe que mo deu, há uns anos.

Bufei mais uma vez, tentando amansar a agitação que se apoderara de mim.

– Como se chamava a tua mãe?

Num segundo, dei-me conta do meu lapso. Assunção perguntou-me:

– Chamava-se? Porquê, aconteceu-lhe alguma coisa?

Menti-lhe, tentando parecer convincente:

– Desculpa, não sou muito bom com as palavras. Como é que se chama a tua mãe?

Sorri e bufei de novo, para enxotar o nervosismo.

– Deu-me o medalhão quando se casou com o meu padrasto, contou a menina. Acho que foi nesse dia que esqueceu o meu pai. O medalhão tinha sido dado por ele, a última vez que estiveram juntos, ainda antes de nós nascermos, eu e o Filipe.

Senti as mãos húmidas, as pernas fraquejarem, a voz sumir-se na garganta.

– Não me disseste o nome dela – murmurei.

Assunção abriu um sorriso orgulhoso:

– Mariana, a minha mãe chama-se Mariana.

Foi como se o coração me explodisse dentro do peito. Isto não podia estar a acontecer-me, isto não podia ser verdade! Como era possível? Mariana, a mulher que eu amara há treze anos, a última vez que estivera em Lisboa, antes de ser preso pelos árabes; Mariana, a quem amara dias e noites a fio, antes de partir para sempre; Mariana, a quem eu oferecera um medalhão igualzinho a este que a menina trazia ao pescoço! Será que Deus me tinha pregado uma partida destas?

Tossi e perguntei:

– E quem era o teu pai?

A menina entristeceu-se um pouco e respondeu:

– Nunca o conheci. A minha mãe dizia que era marinheiro, partira para o mar ainda antes de nós nascermos e nunca voltara. Ela esperou vários anos. Depois, passou a dizer que ele naufragara.

Há uns anos, Mariana conhecera o padrasto. Vivera uma vida de privações, muito ajudada pelos vizinhos, e um dia aquele homem rico aparecera e ela encantara-se. Mudaram-se para aquela casa, mas Assunção e Filipe nunca tinham gostado dele. A coisa foi de mal a pior quando, há uns meses, o homem se começara a meter com Assunção.

Coloquei-lhe a mão na boca:

– Não se fala mais nisso. Ele está morto.

– E o meu irmão, quando vem?

– Deve estar a chegar – respondi. – Mas, como te disse, vou ter de procurá-lo e pedir ajuda. Sozinho não consigo tirar-te daqui.

A menina recomeçou a chorar, pedindo que não a deixasse, mas expliquei-lhe que o cão ficaria junto dela, e alegrou-se. Subi e consegui abrir o buraco, para o animal passar. Enfiou-se por ali adentro com brusquidão, pisando-me, e quando desci comovi-me com a cena. O cão dava pulos de alegria, saltava e ladrava, feliz por a ver; e ela ria-se e chorava ao mesmo tempo, imensamente feliz, e beijava o cão, e ele lambia-lhe a cara e a boca.

– Agora, ficas com ela – disse ao cão. – Aqui!

O animal acatou de imediato a minha ordem e deitou-se ao lado de Assunção. Prometi voltar depressa e, antes de sair, encostei Assunção a um canto e disse-lhe que protegesse a cabeça, se o teto se desmoronasse.

Quando saí, o sol bateu-me na cara, ofuscando-me. O meu coração estava alvoroçado. O terramoto, por linhas tortas, tinha-me levado junto da minha filha. Sim, tinha a certeza de que tanto Assunção como Filipe, irmãos gémeos, eram meus filhos e de Mariana, concebidos naquela semana que passáramos juntos em Lisboa. Dera o medalhão à mãe, antes de partir, e ela passara-o à filha. E agora, num golpe do destino, salvara a menina, descobrindo a minha filha debaixo de terra.

Levei as mãos à cabeça sem saber o que pensar. A minha existência saltara dos seus eixos e estava confundido. Talvez por isso, só ouvi a rapariga bonita quando ela estava já a poucos metros.

– Santamaria!

Saltou-me para os braços, louca de alegria:

– Estás aqui, voltaste! Ó meu Deus, como te amo!

Abracei-a e sorri também, mas estava ainda paralisado pela forte comoção, tanto que ela estranhou:

– O que se passa? Não estás contente de me ver?

Bufei, baralhado:

– Não, nada disso, claro que estou, mas...

Vi o rapaz e engoli em seco, perturbado.

– O que se passa? – quis saber Margarida.

Bufei de novo, para recuperar a calma, e depois sorri ao rapaz.

– Encontrei-a. Está viva. Lá em baixo.

– Aonde? – perguntaram os dois, ao mesmo tempo.

Levei-os à entrada do buraco.

– Vamos.

Desceram atrás de mim e, lá em baixo, o cão ladrou, feliz, e o rapaz, transtornado, viu a irmã sentada contra a parede. Correu para Assunção, ajoelhou-se e abraçou-a, beijando-a na testa muitas vezes, enquanto Margarida me abraçava também, os olhos cheios de lágrimas, desta vez de felicidade. Mas de repente, o rapaz entrou em colapso. Ele, que se aguentara tantos dias e tantas noites de forma corajosa e altiva, sempre convicto, determinado, crente, sempre lutando na procura da irmã, nunca desistindo, sempre sabendo que a ia encontrar viva, agora que a tinha ali ao seu lado caiu de joelhos e foi-se abaixo. Chorou convulsivamente, a tremer, como se o corpo ardesse de febre.

Tentei abraçá-lo, mas ele afastou-me, orgulhoso, e virou a cara para a parede, como uma criança que tem vergonha em frente de estranhos e que, embora precise muito de ser abraçada, rejeita o carinho. Foi Margarida quem o acalmou, com a sua ternura feminina, as suas palavras amáveis, a sua doçura. Lentamente, fazendo-lhe festas, deixando-o chorar, mas ao mesmo tempo mimando-o, aplacou o seu turbilhão de sentimentos, até que o soluçar diminuiu.

– Temos de a tirar daqui – disse eu. – Mas sozinho não consigo.

O rapaz concordou com um aceno de cabeça, ainda sem conseguir falar.

– Talvez devêssemos ficar aqui algum tempo, para todos acalmarem – propôs Margarida.

– Porque é que a mãe não veio? – perguntou Assunção.

Filipe recomeçou a chorar. O que não chorara no momento da morte da mãe, chorava agora.

– A tua mãe está bem – disse Margarida.

Mas o rapaz não foi capaz de se conter e gritou:

– Não está nada! A mãe morreu e a culpa foi minha! Fui eu que a deixei sozinha na igreja!

Assunção ficou silenciosa, mas não chorou. Margarida explicou que fora o terramoto que destruíra a igreja, que a mãe morrera por causa disso, não porque o rapaz a deixara.

– Se eu estivesse lá, tinha-a salvo – disse ele, recomeçando a soluçar.

Mantivemo-nos silenciosos, enquanto os irmãos digeriam aquele momento duro. Depois, pedi a Margarida que subisse comigo. Já na rua, disse-lhe:

– Tenho de te contar uma história.

– O quê? – perguntou ela.

Contei-lhe o que se passara há treze anos com Mariana.

– Antes de ir, ofereci-lhe um medalhão e hoje vi esse medalhão de novo.

– Viste essa mulher hoje? – perguntou ela, aflita.

– Não vi a mulher, mas vi o medalhão. Estava no pescoço da Assunção.

Confundida, Margarida confessou:

– Não percebo.

– A mãe da Assunção e do Filipe chamava-se Mariana. O medalhão que a menina tem é o mesmo que eu dei à mãe dela.

Margarida levou a mão à boca, espantada, e murmurou:

– Mas, então... eles são teus filhos?

Bufei, aliviado, e acrescentei:

– Não me chamo Santamaria. Esse foi o nome que os árabes me deram quando me tornei pirata. Era o nome do barco onde eu navegava quando me prenderam. Chamo-me Filipe Assunção, é esse o meu nome português. E eles chamam-se Filipe e Assunção. Os nomes que a mãe lhes deu porque eram esses os nomes do pai.

Atordoada com a revelação, a rapariga bonita sentou-se num monte de madeiras.

— Meu Deus, como é possível?

Saído da cave, o rapaz interrompeu-nos:

— Como é possível o quê?

Margarida manteve-se calada. Levei a mão ao cinto e mostrei uma faca, com sangue pisado na lâmina.

— Foi a Assunção quem matou o teu padrasto. Tinha esta faca na mão quando a encontrei.

— Eu sei — respondeu o rapaz —, ela disse-me agora.

Peguei na faca e atirei-a com fúria para longe. Caiu a mais de quarenta metros, no meio de ruínas. Nunca ninguém a encontraria.

— Não se fala mais nisso — disse eu. — Desculpa ter desconfiado de ti.

O rapaz acrescentou:

— Sempre achei que fora isso que acontecera, desde que o descobri morto na cave. Mas não queria dizê-lo.

— Fizeste bem em proteger a tua irmã — disse eu.

O rapaz olhou para mim e disse:

— Obrigado por a teres salvo. Mas agora peço-te que te vás embora. Não te quero por perto.

Indignada, Margarida levantou-se:

— Filipe, isso não se faz! Ele salvou a tua irmã!

O rapaz encolheu os ombros:

— Continua a ser um pirata. Preparava-se para lhe roubar o medalhão que a minha mãe lhe deu.

— O quê? — gritou Margarida.

O rapaz insistiu:

— É o que te digo. Santamaria é má pessoa e quero que ele se afaste de mim e da minha irmã. Ouviste?

Cresceu para mim, altivo e determinado. Deu-me orgulho que o meu filho fosse assim. Mas Margarida não conseguiu conter mais o que lhe ia na alma:

— Por favor, Filipe, não é nada disso! Ele nem se chama Santamaria! Ele chama-se Filipe, como tu. Por favor —

disse a rapariga, olhando para mim –, conta-lhe a verdade!

Curioso e surpreendido, Filipe perguntou:

– Qual verdade?

E então contei-lhe também aquela minha história de amor. O rapaz ficou siderado, incrédulo, perplexo, e quando acabei o meu relato não foi capaz de proferir uma única palavra.

– Não falei nisto à tua irmã. Só lhe perguntei quem lhe dera o medalhão. E não, não o queria roubar.

Filipe olhava-me e não consegui identificar com clareza quais os seus sentimentos a respeito daquela revelação. Por fim, perguntou:

– Se amavas a minha mãe, como dizes que amavas, porque não voltaste a Lisboa quando saíste da prisão?

Bufei e justifiquei-me:

– Fiquei a soldo dos árabes, mas era prisioneiro. Não me deixavam partir. Além disso, já tinham passado mais de dois anos, não fazia ideia se a tua mãe entretanto tinha casado ou não. E, claro, não sabia que ela tinha dois filhos meus.

O rapaz sorriu, sarcástico:

– Ela esperou por ti muito tempo. Só há uns anos é que desistiu e se casou com aquela besta. Mas tu não apareceste. Estavas demasiado entretido a roubar barcos e a matar pessoas.

Ele não ia desarmar à primeira. Passara vários dias com fraca opinião de mim, e a paternidade súbita não era suficiente para abalar essa sua primeira convicção.

– Compreendo o teu ressentimento – disse-lhe. – Mas agora não há tempo para isso. Temos de chamar alguém para tirar a tua irmã dali.

O rapaz desceu de novo à cave. Provavelmente, iria contar à irmã. Margarida sorriu-me. Notei-lhe no olhar um certo fascínio por mim, como se o facto de eu ter regressado para salvar Assunção, primeiro, e, em seguida, ter descoberto que era o pai dos gémeos me transformasse aos seus olhos. De repente, talvez eu já não fosse apenas um pirata por quem o seu coração batia, mas um homem ao lado de quem ela, pela primeira vez, imaginava um futuro.

– Talvez – disse ela – possamos ficar todos juntos, quem sabe?

Fiz-lhe uma festa na cara.

– Sabes tão bem como eu que vamos ter de fugir.

– Mas... podemos fugir os quatro! – exclamou, entusiasmada.

– A Assunção precisa de um médico, precisa de descansar uns dias, antes de se poder mexer. Não posso esconder-me tanto tempo, não nesta cidade, no estado em que ela está.

Margarida abraçou-me:

– Agora, que te tenho ao pé de mim de novo, não te quero perder.

Beijou-me na boca, num longo e sentido beijo e depois disse:

– Desculpa tudo o que te fiz sofrer.

Sorri e bufei, brincalhão:

– Também te fiz mal.

Ela beijou-me de novo:

– Vamos esquecer o mal. Há uma vida nova. Assunção está viva, nós estamos juntos. Vamos enterrar o passado e pensar no futuro. Hoje, ao ver-te, percebi o quanto te amo.

Abracei-a mais uma vez e fechei os olhos, feliz, mas aquele momento durou pouco. Ouvi um barulho. Cercando a casa apareceram vários soldados, a cerca de dez metros, de espingardas apontadas. No meio deles, reconheci Monsenhor Sampaio. Margarida deu-me a mão. Tremia como uma criança com medo. Apertei-a e sorri-lhe.

O patriarca chegou ao pé de nós e perguntou a Margarida:

– É aqui que está soterrada a irmã do rapaz?

Ela respondeu:

– Sim.

Olhou para mim:

– Ele descobriu-a há pouco tempo. Está viva. Mas precisamos de ajuda para a tirar lá de baixo, está presa na cave.

Monsenhor Sampaio lançou-me um olhar triste. Depois, virou-se para os que o acompanhavam, entusiasmado:

– A rapariga está viva!

Ouviram-se gritos de alegria, e os populares que estavam mais atrás entusiasmaram-se com a notícia de mais um salvamento. Monsenhor Sampaio distribuiu instruções, e dois homens desceram à cave para verificar a melhor forma de retirar Assunção sem perigo. O rapaz saiu cá para fora e Monsenhor Sampaio colocou-lhe a mão no ombro e disse:

– És um rapaz com muita fé. Foi graças à tua persistência, à tua coragem, à tua crença, que a tua irmã foi salva.

O rapaz agradeceu, mas acrescentou, apontando vagamente para mim:

– Foi ele quem a salvou. Se não fosse ele a entrar na cave pelas traseiras, nunca eu a teria encontrado.

Engoli em seco, comovido. Pela primeira vez naqueles dias, o rapaz dizia bem de mim a alguém. Mas Monsenhor Sampaio já sabia a minha história e o meu destino, e perguntou-me:

– És o homem que Sebastião José procura?

Confirmei, olhando para os soldados.

– Eles vieram prender-me?

Margarida apertou mais a minha a mão e o rapaz interveio:

– Ele acabou de salvar a minha irmã, é um herói, não o podem prender!

Monsenhor Sampaio disse:

– Isso já não é da minha conta. O melhor que posso fazer é ir com ele até ao Rossio e contar essa história ao ministro. Mas será ele a decidir o que fazer.

Com um gesto, deu uma indicação aos soldados. Depois, deu instruções a um dos frades. Por fim, ordenou-me que o seguisse.

– Fica aqui com o rapaz – disse ainda a Margarida.
Mas a rapariga bonita recusou-se.

– Não, vou com o meu amor.

Embaraçado, o rapaz limitou-se a olhar para o chão,
e eu disse-lhe:

– Toma conta da tua irmã. E continua a ser como és,
pratica o bem, sê bom. Eu não consegui sê-lo, mas tu
podes ser.

Num impulso, avancei para ele, abracei-o e beijei-lhe
o alto da cabeça. Depois, dei meia volta e, com Margarida
do meu lado direito e Monsenhor do outro, marchei para
o Rossio. Os soldados cercavam-me, com as armas apontadas, não havia mais nada que pudesse fazer. Uma centena de metros depois, percebi que uma mulher nos
seguia, a uma distância conveniente. Era irmã Alice.

A meio do trajeto, perguntei a Monsenhor Sampaio:

– Posso pedir-lhe um favor?

Esperou o meu pedido, antes de responder.

– Tome conta do rapaz e da rapariga. São meus filhos.
Só o soube hoje.

O sacerdote ficou surpreendido e aproveitei o resto
do percurso para lhe contar a minha história. Quando
chegámos ao Rossio, uma carruagem esperava-nos, no
meio da praça. Ao lado, de pé, estavam Bernardino,
Hugh Gold e Sebastião José de Carvalho e Melo.

50

Inesperadamente, Sebastião José recolheu-se na carruagem por uns momentos, e o capitão da guarda mandou-nos parar a cerca de dez metros. Depois, deu ordem aos seus soldados para me colocarem de pé, junto das estacas onde estavam penduradas as cabeças dos bandidos, impedindo todos os outros de se aproximarem. Margarida bem tentou, mas os soldados mantiveram-na ao lado de Monsenhor.

A primeira coisa em que reparei foi na cabeça de Muhammed. Fechei os olhos e pedi perdão a Deus por ter sido responsável pela morte do meu amigo árabe. Fora eu, com a minha obstinada decisão de ficar na cidade, que provocara a sua morte, e nunca me perdoaria.

Olhei para Margarida. Ela e as duas crianças que soubera serem meus filhos eram novas razões para querer viver, mas tinha um pressentimento de que desta não iria escapar. Não acreditava que Sebastião José fosse perdoar a minha última afronta, o ataque ao ouro da Casa da Moeda. O que se passara antes, talvez fosse desculpável, mas isso não, isso era alta traição. Se mandara matar todos estes, cujas cabeças estavam ali exibidas, não havia qualquer razão para me destinar outro fim.

Vi irmã Alice aproximar-se de Margarida. Devia ter integrado o grupo de Monsenhor Sampaio, certamente sem ele saber quem ela era. E agora, ao ver Margarida, por quem desenvolvera um forte afeto nos dias iniciais, sentia a paixão a regressar. Sabendo-me preso e prestes a morrer, Alice ganhara alento.

Ouvi a rapariga bonita gritar:

– Vai-te embora, não quero saber de ti! És uma alma danada!

Monsenhor Sampaio ficou embasbacado com aquela fúria descontrolada de Margarida, e mandou chamar as duas mulheres, para escutar as suas explicações, o que me permitiu entender o que diziam.

– Porque estás tão alterada? – perguntou Monsenhor a Margarida.

A rapariga bonita não podia revelar a verdade.

– Esta mulher maltratou-me nos primeiros dias, depois do terramoto.

Irmã Alice indignou-se:

– Eu? Mas eu ajudei-te!

Margarida negou:

– Não, não me ajudaste! És uma mulher pecadora. Podes agora fingir que andas a salvar pessoas, mas sei bem quem tu és e o que fazes!

Monsenhor Sampaio franziu a testa:

– Isso é grave. Queres especificar as tuas acusações?

Margarida olhou para mim. Abanei a cabeça, aconselhando-a a não ir mais longe. Qualquer acusação contra irmã Alice despoletaria uma contra-acusação desta, que iria trazer à superfície as condenações da Inquisição e estragar o futuro de ambas. Pela minha parte, só estava preocupado com Margarida, mas, se ela acusasse irmã Alice, perdia-se.

– Ela... ela...

Margarida hesitou, sem saber bem o que dizer. Depois, respirou fundo.

– Ela e eu somos diferentes. Eu gosto de homens.

Monsenhor voltou a franzir a testa e perguntou a irmã Alice:

– Isto é verdade?

A freira mais velha benzeu-se, transtornada:

– Cruzes, credo! Esta miúda é doida barrida! Só queria ajudá-la... Meu Deus, num acredito nisto. Monsenhor, por fabor, há bários dias que ajudo a salbar pessoas, num é justo que desconfie de mim!

Monsenhor permaneceu silencioso um minuto e depois fixou os seus olhos em irmã Alice.

– Está visto que esta rapariga não se sente bem na tua presença. O melhor é voltares para a Sé.

Ela fez de novo um ar indignado, e preparava-se para se ir embora, quando um dos frades avançou até Monsenhor Sampaio e disse:

– Monsenhor, não a devias mandar embora.

– Porquê?

– O que a rapariga aqui disse é verdade. Mas não é a verdade toda.

Intrigado, Monsenhor interrogou-o:

– O que queres dizer com isso?

O religioso explicou:

– Nos últimos meses trabalhei no Convento de São Domingos e no Palácio da Inquisição, entre os prisioneiros.

Fechei os olhos. O que eu temia estava a acontecer.

– Estas duas mulheres – continuou o frade – estão condenadas pela Inquisição. Houve processos contra elas e foram condenadas a morrer na fogueira. Esta, e apontou para irmã Alice, por seduzir mulheres, e esta, e apontou para Margarida, por conviver com o Diabo.

Admirado, Monsenhor perguntou se existia veracidade naqueles factos, mas ambas responderam que eram mentira. Monsenhor voltou-se então para o frade:

– Como sei se estás a falar verdade? Pertencias ao tribunal que as acusou?

Reconheceu que não, mas lembrava-se dos processos. Incomodado, Monsenhor levantou a mão no ar e disse:

– Isso não chega. Se houve processos, encontra-os e, se for verdade, eu próprio as entregarei à Inquisição. Mas só com o teu testemunho não o farei. Ficarão à minha guarda até se esclarecer o assunto.

Tanto Margarida com Alice foram levadas para junto dos muitos populares, que formavam uma assistência que parecia engrossar a cada minuto. O capitão da guarda ainda perguntou a Monsenhor se desejava prendê-las, mas a resposta foi negativa.

Aproveitando o momento, Hugh Gold aproximou-se de Monsenhor e pediu a palavra.

– Well, I can explicar...

Contou que conhecia a rapariga, já antes do terramoto. Vivia num convento em Alcântara, pois os pais haviam falecido num acidente, e ele ia visitá-la muitas vezes, às grades dos doces. Revelou que haviam desenvolvido um enorme afeto, apesar da diferença de idades, e da última vez que se haviam visto, há umas semanas, tinham decidido ir falar com a madre superiora do convento, pois queriam casar.

À última da hora, o esperto Gold estava, também ele, a lançar os seus ases, mas Monsenhor pareceu ainda mais confundido.

– Não compreendo. O frade diz que ela estava presa, condenada a morrer. E tu, inglês, dizes que a namoravas num convento de Alcântara? Como é isso possível? Ela não podia estar em dois locais ao mesmo tempo!

Gold afirmou, com enorme convicção:

– Of course! She never presa! That's absurdo!

Já incomodado, o sacerdote ergueu a mão direita e proclamou:

– Seja qual for a verdade, fica para mais tarde. Agora não é altura certa.

No entanto, uns metros atrás, e como se fosse um popular a intervir numa peça de teatro à desgarrada, Margarida fez-se ouvir.

– Monsenhor, esse homem também mente!

Hugh Gold nem queria acreditar, e não fui capaz de deixar de esboçar um sorriso. A rapariga bonita destroçava o inglês, mesmo correndo um alto risco.

– Tanto este homem, o inglês, como esta mulher, Alice, passaram os últimos dias a tentar seduzir-me! É verdade que o conheço das grades de um convento de Alcântara, mas nunca pensei em casar-me com ele. Até porque, até ao dia do terramoto, há uma semana, ele era casado... A mulher morreu no meio da rua, com os tremores da terra.

Bernardino, que entretanto saíra da carruagem, confirmou:

– É verdade. O inglês era casado, mas isso nunca o impediu de tentar seduzir raparigas mais novas.

Monsenhor lançou a Gold um olhar de reprovação e este percebeu que o jogo, para ele, terminara. Afastou-se, cabisbaixo. Vi Bernardino a sorrir à rapariga bonita, mas ela não lhe retribuiu o sorriso.

Entretanto, nasceu um alvoroço junto ao canto da praça de onde nós viéramos. Um grande grupo de populares aplaudia, contente, e no meio dele dois homens carregavam uma padiola, onde estava deitada Assunção. A pé, de mão dada com a irmã, vinha o rapaz.

A barulheira atraiu mais povo, e muitos dos que estavam sentados ou deitados, espalhados pela praça, correram na direção da comitiva e desataram a celebrar, logo que perceberam que uma criança tinha sido desenterrada viva uma semana depois da tragédia.

À medida que se aproximavam, vi que muitos apontavam para mim, erguendo os braços no ar, alegres. O grupo de salvamento já informara os populares, que queriam eleger-me herói do dia.

Bernardino baixou a voz e comentou para Monsenhor:

– Isto vai ser um problema...

Entrou na carruagem, enquanto os gritos da multidão cresciam, celebrando o feito. Os homens que carregavam a padiola chegaram perto de nós, e pousaram-na no chão. Com receio de agitações, os soldados tentaram evitar que os populares entrassem no círculo à volta das estacas e da carruagem, mantendo apenas Monsenhor dentro, bem como a padiola que carregava Assunção. Margarida, o rapaz, Alice e Gold ficaram atrás dos soldados, no meio de uma multidão eufórica.

Monsenhor deixou os brados amainarem e depois pediu silêncio. Discursou com calma, reforçando a alegria pelo salvamento da criança, enobrecendo o meu ato de heroísmo, saudando o contentamento do povo. No fim, pediu que todos se afastassem, pois agora era necessário cuidar da menina, para que a sua vida não corresse risco.

Um anónimo, no meio da turba, gritou:

– E esse homem?

Todos olharam para mim e o mesmo anónimo exclamou:

– É um herói, foi ele quem a salvou! Porque está preso?

Um brado geral mostrou que era esse o sentimento da multidão. Nisto, a porta da carruagem abriu-se e Sebastião José saiu. Olhou para a padiola, para a menina, depois para Monsenhor, para os soldados e, finalmente, enfrentou a multidão. Falou com voz segura, num ritmo pausado.

– Este homem é um inimigo do rei. Assaltou a Casa da Moeda, junto com este que aqui está.

Esticou o dedo para a cabeça de Muhammed. A multidão murmurou, impressionada.

– É ou não é essa a verdade? – perguntou-me.

O meu silêncio suscitou reprovações na multidão. Sebastião José prosseguiu:

– A sua cabeça não foi ainda cortada, como estas, porque ele teve, é verdade, um ato corajoso e conseguiu salvar uma menina que estava soterrada desde o terramoto.

A multidão rejubilou de contentamento, mas Sebastião José levantou as mãos ao alto.

– Mas isso não impede que tenha de ser julgado!

A multidão protestou, mas um outro anónimo, que não o primeiro, perguntou:

– Vão matá-lo aqui, à nossa frente?

A pergunta teve um estranho efeito na multidão, que pareceu de súbito esquecer o meu ato de heroísmo, já um pouco excitada pela perspetiva de uma execução pública, de um espetáculo de sangue. Ouviram-se alguns comentários aprovando, e mesmo incentivando, a ideia. A cara de Margarida torceu-se de horror. Mas Sebastião José voltou a levantar as mãos ao alto:

– Não! Ele será levado para as masmorras de Belém e depois julgado, e prometo que, se for condenado, será morto em público, como todos os bandidos que perturbaram a cidade.

O povo pareceu desiludido com aquela solução. Nem tinha direito a um herói, nem a uma execução. Ouviram-se protestos vagos. O ministro do rei, pressentindo a necessidade de oferecer algo à populaça, disse então:

– Portanto, afastai-vos agora. Há uma distribuição de pão e de carnes, que vai começar no lado norte da praça.

Ao ouvi-lo falar em comida, os populares alegraram-se de imediato, e rapidamente começaram a dispersar, uns até a correr, na direção que Sebastião José indicava. Minutos mais tarde, já poucos restavam à volta dos soldados. Ao olhar para Margarida, reparei que também Gold e irmã Alice tinham desaparecido. Só o rapaz ficara junto dela.

Sebastião José virou-se então para Monsenhor e congratulou-se:

– É preciso saber falar ao povo.

Observou Margarida, e depois o rapaz, e depois a padiola onde estava Assunção, e disse a Monsenhor.

– Tome as crianças a seu cuidado. E também a rapariga.

Monsenhor perguntou-lhe:

– E a ele, o que lhe vai fazer?

O Carvalhão, amigo antigo e agora ministro do rei, dignou-se finalmente a olhar para mim.

– Estavas preso no Limoeiro e fugiste. Em vez de te entregares, planeaste um assalto ao nosso ouro. O teu amigo morreu. Não terás sorte diferente.

Bufei, chateado, e defendi-me:

– Não roubei nada, nem cheguei a entrar na Casa da Moeda! Tudo o que podem dizer é que apontei uma arma a um soldado, mais nada. Não é razão para ser morto.

Sebastião José ripostou:

— Quem decide isso sou eu.

Enfrentei o seu olhar:

— Queres a minha morte a todo o custo e para isso qualquer razão é válida.

Sebastião José franziu a testa e Monsenhor, curioso, perguntou:

— O que queres dizer?

Aproveitei a deixa para lhes lançar à cara as minhas recriminações contra o reino de Portugal, relembrando o resgate que não fora pago; os anos passados nas prisões árabes; e a minha petição, já no Limoeiro, à qual ninguém dera importância.

— Se me tivessem respondido, nada disto teria acontecido. Sou português e fui abandonado pelo reino de Portugal, mas merecia ter sido reabilitado.

Bufei, desiludido, e fixei o olhar em Sebastião José.

— Principalmente desde que soube que eras o secretário dos Negócios Estrangeiros. Por mais que queiras esquecer, ainda me recordo dos nossos tempos de juventude. Fui teu amigo, fiz parte do teu gangue, *Carvalhão*, lembras-te?

Sebastião José não mexeu um músculo da cara. Continuei:

— Sabes bem o quanto te ajudei.

Oportuno, Monsenhor Sampaio perguntou:

— Como?

Bufei mais uma vez. O que aí vinha, ou era o meu ás de trunfo, ou a minha sentença de morte.

— Fiz parte do restrito grupo de rapazes que ajudou Sebastião José a raptar a sua mulher de casa dos pais. Fiquei a guardar os cavalos, cá em baixo, enquanto o *Carvalhão* a foi buscar lá acima. Ajudei-te nesse momento, fui-te leal nos dias seguintes, mentindo à guarda e protegendo o teu nome. Nunca te traí.

Monsenhor Sampaio ergueu o sobrolho:

— Sempre ouvira esse rumor, mas é mesmo verdade?

O ministro do rei encolheu os ombros.

– Isso é passado e repisado. Aos anos que a minha primeira mulher morreu. Já voltei a casar. Mas, para que conste, nunca a raptei. Casou comigo de livre vontade. Essa história é um boato, uma lenda, sem pés nem cabeça.

Decidi contestá-lo, mesmo sabendo o risco que corria.

– É verdade que não foi contra a vontade dela, mas foi contra a vontade do pai e da mãe dela, que não te consideravam uma boa escolha para marido da filha. E sabes bem que não é boato, é verdade que a fomos todos lá buscar.

Apontei para Bernardino e trouxe-o à liça.

– Ele pode confirmar, pois também lá estava. Ficou comigo, na rua, a guardar os cavalos.

Bernardino baixou os olhos, extremamente embaraçado.

– É por isso que me queres morto, não queres mais ouvir falar dessa história – acrescentei.

Sem qualquer emoção revelada, o ministro do rei abanou a cabeça:

– És um pirata e, portanto, um mentiroso, um ladrão, um criminoso, um assassino. Homens desses só têm um caminho neste reino. Tens sorte de não ser fuzilado aqui mesmo. Só não o ordeno porque salvaste a menina hoje. – Dirigiu-se ao capitão da guarda: – Levem-no para as masmorras da Torre de Belém. Será julgado e condenado à morte, como qualquer bandido que atentou contra o rei.

Dois soldados prenderam-me as mãos atrás das costas e depois ataram-me os pés, obrigando-me a deitar. Pelo canto do olho, vi Margarida, o rapaz e também Assunção. Todos me olhavam, mas só Margarida chorava. Compreendi os meus filhos, o afeto deles não tivera grande oportunidade para nascer.

Colocaram-me uma venda nos olhos e depois atiraram-me para cima da garupa de um burro. Fiquei com a cabeça a bater num estribo e os pés no outro, como um saco grande de mais. Ouvi a carruagem a movimentar-se no meio da praça e o grito de Margarida. Depois, o burro avançou, seguindo o veículo de Sebastião José. Os soldados marchavam a passo, a meu lado, e assim, naquela posição humilhante, fui separado para sempre do amor da minha vida e dos meus filhos.

EPÍLOGO

Porque nunca Sebastião José me mandou matar, é pergunta para a qual não tenho resposta. Com Lisboa naquele estado, o mais provável é ter-se esquecido de mim. Durante dois meses fecharam-me nas masmorras da Torre de Belém, isolado, sem sequer ver o carcereiro, que me colocava a comida debaixo do postigo da porta.

Certo dia, Bernardino veio visitar-me e contou-me tudo o que sei hoje sobre o que passou quando Lisboa tremeu. Descreveu-me as ocorrências em Belém, a chegada de Sebastião José, os medos do rei D. José, a matança dos animais, as suas idas e vindas à cidade, o nosso encontro no Rato, as ideias de reconstrução da capital e, por fim, as suas expedições à nossa procura, até ao encontro fatal, na Casa da Moeda. Soube que fora Gold quem nos denunciara e considerei-o, em parte, responsável pela morte de Muhammed.

Antes disso, Bernardino assegurou-me que os meus filhos estavam bem. A muito custo, Assunção recuperava a pouco e pouco o andar. Ela e Filipe viviam numa casa perto da Sé, à guarda de Monsenhor Sampaio, e nada lhes faltava. Quanto a Margarida, encontrava-se ainda detida, no Convento de Odivelas, enquanto se procurava o seu processo na Inquisição. Contudo (que ironia do destino), os arquivos tinham sido queimados pelos incêndios e, além disso, nenhum dos membros do tribunal que a julgara tinha sobrevivido. A rapariga bonita permanecia assim numa espécie de limbo judicial, sem saber o que a esperava. Pedi a Bernardino que intercedesse a seu favor, e prometeu fazê-lo.

Quanto à minha sorte, despediu-se sem me elucidar. Só semanas mais tarde, quando me vieram buscar à cela, me informaram de que ia ser enviado no porão de um barco para uma prisão além-mar, em Cabo Verde, onde ficaria preso, a aguardar a ordem de execução. Aqui me encontro, um ano depois, e tenho-me limitado a sobreviver, sempre à espera que me enforquem, pois aqui não há balas suficientes para alimentar um pelotão de fuzilamento. É mais uma ironia do destino que não me escapa: vou morrer da mesma forma que Margarida tentou, a forca. Ao menos que tenhamos isso em comum, era o que eu costumava pensar.

Porém, há três dias fui surpreendido por uma novidade. O capitão da prisão dignou-se a descer até à minha cela, que é um esterco e onde ele nunca tinha posto os pés, e revelou-me que vou voltar a Portugal, de novo acorrentado no porão de um navio. Aparentemente, Sebastião José quer executar-me em Lisboa. Um ano depois, lembrou-se finalmente deste seu velho colega de aventuras e não resiste à tentação de o ver esticar o pernil. Aqui, em Cabo Verde, seria muito longe e não lhe dava gozo algum.

Seja como for, a notícia causou-me grande agitação. Há três dias e três noites que recordo aqueles dias, depois do grande terramoto. É impossível o meu coração não se alegrar com a esperança de, antes de bater a bota, voltar a ver os meus filhos e Margarida, a rapariga bonita que é o amor da minha vida. Pelo menos uma vez, espero que mos deixem ver. É só o que peço a Deus, não peço mais nada.